读客

读客中国史入门文库

顺着文库编号读历史，中国史来龙去脉无比清晰！

红顶商人胡雪岩

讲透中国传统商人生存之道的至高经典

从店伙计到大清首富花了30年，从首富到倾家荡产只花了3天。
经商的看到生存的安全边界；从政的看到权力的雷区所在。

高 阳 著

2

信誉即生意

江苏凤凰文艺出版社
JIANGSU PHOENIX LITERATURE AND ART PUBLISHING

原著作名《胡雪岩（中）》

第一章

到新城先到富阳，走钱塘江这条水路。等送行的王有龄一走，嵇鹤龄便把胡雪岩留了下来，说还有几句话要谈。

到船舱中坐定，他从拜匣里取出一张梅红单帖，放在胡雪岩面前，上面写的是："嵇鹤龄，以字行。湖北罗田人，嘉庆二十一年十月初四午时生。"

"喔！"胡雪岩笑道，"你倒真巴结，应该我先去讨瑞云的八字来给你。其实，这也可以不必。"

"不是，不是！"嵇鹤龄摇着手说，"这张帖子是交给你的。雪岩兄，我想高攀，我们拜个把子。"

"这……"胡雪岩愣了一下，接着喜逐颜开地说，"那是我高攀了！不过，此刻来不及备帖子，但是也要磕个头。"

"这都好办，等我新城回来再行礼。"嵇鹤龄说，"相知贵相知心。如果你不嫌弃，此刻我们就改称呼。你今年贵庚？"

"我小得多。"胡雪岩改了称呼，叫一声"大哥"，接着便给"大哥"磕头。

嵇鹤龄急忙也跪下还礼，自然称他“二弟”。两人对拜了一拜，连“撮土为香”都用不着，就结成了异姓手足。

拜罢起身，彼此肩上的感觉便都不同了，嵇鹤龄是减轻而胡雪岩是加重。“大哥！”他说，“你尽管放心到新城去，专心一致办事，家里一点都不用记挂，一切都有我！”

“那自然要托你。”嵇鹤龄又说，“不过眼前有瑞云在，也没有什么不放心的。我走了，你也赶紧动身到上海去吧！早去早回，我们换帖子请客。”

“好的，我晓得，一路顺风。”

胡雪岩离船登岸，坐轿进城。等王有龄到家，胡雪岩接着也到了他那里，脸上是掩抑不住的笑容。王有龄夫妇都觉得奇怪，问他什么事这么高兴。

“你们两位再也想不到的，就雪公上了岸那一刻工夫，我跟鹤龄拜成把弟兄了。”

“太好了！恭喜，恭喜！”王有龄对他妻子说，“太太，这一来我们跟鹤龄的情分也不同了。”

“真成了一家人，至亲好友，原是越多越好。”

“说到这一层，我倒想起来了。”胡雪岩从马褂口袋里摸出个红封套递向王太太。

她不肯接：“这是什么？”

“瑞云的聘金。”

话没有完，王有龄先就乱喊：“不行，不行！这怎么好收他的？你还给他。”

“慢慢，你不要吵！”王太太挥挥手说，“我先要问问清楚，瑞云怎么样？她自己答应了没有？”

“看样子是千肯万肯的了。”

“哪有这么快？”王太太不信，“她到底怎么说的？”

“这也用不着明说。”胡雪岩把昨晚上的情形讲了一遍。这些眉目传情、灵犀暗通的事，本来就是最好的话题，胡雪岩又有意刻画入微，所以把王有龄夫妇听得津津有味，都是微张着嘴，耸起两面唇角，随时准备放声大笑的神态。

“差也差不多了。”等他讲完，王有龄点点头说。

“到底不是什么‘千肯万肯’，总还要我来说两句，她才会松口。”

“拜托，拜托！”胡雪岩拱一拱手，趁势又把红封套递了过去。

王太太已经接到手里，王有龄一把夺了回来，塞回胡雪岩：“这不能收的。”

“没有什么不能收。”王太太接口，“我们瑞云是人家聘了去的，不是不值钱白送的。兄弟，你把聘金交给我，我另有用处。”

“你有什么用处？”王有龄大为不悦，几乎要跟太太吵架了。

“我说给你听！”王太太的声音也很大，“瑞云一份嫁妆归我们预备。这一千两银子，我另外交给她，是她的私房钱。请问王大老爷，可以不可以？”

王有龄的表情立刻改变了。他歉意地笑着，却用埋怨的语气回答：“太太，你何不早说？”

“现在说也不晚。”王太太拿着红封套得意地走了。

“雪岩！”王有龄略有忧色，“我们先商量一下，万一嵇鹤龄此去无功，下一步该如何？”

“先抚后剿”的宗旨是早已定好了的，抚既不成，自然是派兵进剿，何须问得？但胡雪岩了解王有龄的内心，便不肯这么回答，只说：“你不必过虑！鹤龄跟我说过，无论如何，自保之策总是有的，可见得他极有把握。而且，人逢喜事精神爽，他此去没有后顾之虑，专心一致对付公事，当然无往不利。”

听他侃侃而谈，声音中极具自信，王有龄不知不觉受了鼓舞，愁怀一放，连连点头。

“还有，雪公，”胡雪岩又说，“你正鸿运当头，瑞云也要托你的福。

她又是一副福相，看起来必有帮夫运，所以鹤龄一定马到成功。瑞云迟早是个‘掌印夫人’！”

这一说，王有龄越发高兴。“不错，不错！我也觉得，这无论如何不是倒霉的时候。”他又说，“等鹤龄功成回省，我一定力保他接归安县。这个缺，一年起码有五万银子进账。”

胡雪岩心想，归安县现在由王有龄兼署，保了嵇鹤龄，就等于从他自己荷包里挖五万银子出来。一时慷慨，终必失悔，却又是说不出的苦。朋友相交，到了这地步一定不能善始善终，倒要劝一劝他。

“归安是一等大县，只怕上头不肯。如果碰个钉子，彼此不好，我倒有个想法。”

“噢！你说，一定是好主意。”

“你看是不是好主意？”胡雪岩说，“海运局的差使，你又兼顾不到，何不保鹤龄接替？”

“啊！”王有龄恍然大悟，“对了！这才是一举数得。”

胡雪岩懂他这句话的意思，这一举数得就包括了他的便利在内。嵇鹤龄接替海运局的差使，他经手的几笔垫款、借款，料理起来就顺利了。

“准定这么办，”王有龄又问，“你哪天走？”

“至迟后天一定要走了。”

“那好，你办完了事就回来。”王有龄放低了声音说，“我托你带笔钱去。”

带给谁？心照不宣。胡雪岩只问：“带多少？”

“给她二三百两银子吧！”

“知道了，我替你垫付二百两，回来再算。”

于是胡雪岩回家重整行装。第二天抽出工夫来，他亲自上街买了好些茶食，去探望嵇鹤龄的子女。只见瑞云把那六个孩子料理得干干净净，心里大为宽慰。他跟嵇鹤龄拜把子的事，没有跟他的儿女说，却跟瑞云说了。正在谈着，来了位意想不到的“堂客”。是王太太。

她的来意，胡雪岩明白。他没有理由妨碍她们谈正事，便笑笑走了。

胡雪岩一到松江，仍旧在出四鰓鲈的秀野桥上岸。他没有带跟班，却有许多零零碎碎的行李，多是些杭州的土产。但他不怕照应不了，叫船家找了轿子和挑夫来，关照到通裕米行，那就连价钱都不用讲。因为“车、船、店、脚、牙”虽然难惹，却也十分开窍，通裕米行的后台是谁，码头上没有一个人不晓得，也没有一个人不买账。

到了通裕，却好遇见陈世龙在门口，一见面就说：“胡先生，我天天在盼望，为啥到今天才到？”

“说来话长。”胡雪岩问道，“尤五哥在不在松江？”

“昨天晚上刚从上海回来。”

“好，进去再说。”

通裕的人听见声音也迎了出来，代为开发轿子挑夫，把胡雪岩奉为上宾，同时赶紧派人去通知尤五。

“不必，不必！”胡雪岩拦着他们说，“我去看尤五哥，跟他一起到老太爷那里请安。”说着，便捡点土产，叫陈世龙拿着跟了去。

尤五家住得不远，不必再用轿马。陈世龙一面走，一面把他到了松江以后的情形扼要地报告。人是分开来住，陈世龙住在通裕，老张住在船上，阿珠就住在尤五家。

胡雪岩心里明白，尤五仍旧当阿珠是他的心上人，所以特加礼遇。这且不去管她，他关心的是货色。

“货色进上海丝栈了。”陈世龙说道，“是尤五叔作的主。堆在上海二洋泾桥北大街的裕记丝栈。栈单在尤五叔那里，他要交给我，我不肯收。不过一张记数的单子，还在我手里。”

陈世龙算是机警的，栈单在人家那里，他自己留着一张记数的单子，多少算个字样。但这其实无用！把栈单收了下来，原是正办，否则就索性大方到底。捏一张记数单子算是啥名堂？

这是陈世龙做事不够老到，也正是自己要教导他的地方，但此时此地不便多说，点点头就算了。

到了尤五那里，只见高朋满座。胡雪岩方在踌躇，尤五已迎了出来，神情显得异常亲热。两个人拱拱手打过招呼，尤五拉着他的手问道：“我以为你还有几天才来。王大老爷的公事有了头绪没有？”

他怎么会知道王有龄的公事？看一看陈世龙，神态自如，显然不是他告诉尤五的。然则尤五的消息何以如此灵通？胡雪岩在心里飞快地转念头，同时口中答道：“有头绪了！不然我也抽不出身来。”

“好的！回头我们细谈。”尤五把他拉到一边，低声说道，“厅里那班‘神道’，我不替你引见了。你懂？”

胡雪岩一想就明白，很爽脆地答了一个字：“懂！”

“那好。你先请到通裕去，等我‘送鬼出门’，马上就来。”

“不要紧，不要紧！我们在老太爷那里碰头好了。”

“老太爷倒常提到你。我派人领了你去。”尤五又拍拍陈世龙的肩膀说，“这位小老弟也见过老太爷，蛮喜欢他的。”

听得这句话，陈世龙脸上像飞了金一样：“那还不是看胡先生的面子。”他一半谦虚，一半说的也是实话。

于是由尤五派了人，陪着到他老头子那里。老太爷已经退隐，除了有别一般的大计以外，别的事都已不问，每天空下来的工夫，都在徒子徒孙陪侍闲谈中打发。他最近兴致不佳，但见了胡雪岩却是十分高兴。这有许多原因，最主要的一点是，他觉得胡雪岩顶对劲。

问过安，献上土仪，老太爷叫都打了开来。大部分是茶食之类的东西，他每样都尝了些，不断说好。这样乱过一阵，算是坐定了，老太爷吩咐道：“你们都到外头坐坐！我跟胡先生有话说。”

老太爷摒人密谈的事极少发生，除非是对尤五，但现在对一位远来的“空子”也是如此，大家不免诧异。不过也没有人敢问，一屋中十来个人，都静悄悄地退了出去。

“雪岩！”老太爷扶着他的肩说，“最近我兴致很不好。兵荒马乱，着实有些担心。老五呢，能干倒能干，但他运气不好，轮着他挑这副担子，一天好日子都没有过过。我做老头子的，觉得对不起他。”

“儿孙自有儿孙福！老太爷，你实在可以想开些。船到桥门自会直，凭五哥在外头的面子，无往不利，老太爷何必替小辈担心？”

“江湖上总还好说，官面上事，再是朝廷的圣旨，教他有啥法子？雪岩，你倒想想我们的处境！”

胡雪岩明白，这是指漕米改为海运，漕帮有解体之危。这件事，他当初也想过，打算尽点心，但都因为自己这边接二连三地有所发展，忙得连想这件事的工夫都没有。所以这时一听老太爷的话，他内心立即泛起浓重的歉疚。

“现在做官的人，不是我说句看不起他们的话，‘江西人补碗，自顾自’，妻财子禄最要紧！不然，不会弄成今天这样子的局面。”

老太爷大发了一顿牢骚，说的却是实话。这胡雪岩心里也很明白，是对漕米海运有所不满，或者说，对不替漕帮谋善后之策有所不满。不过他觉得这件事也不能完全怪官府。但这话此时不便说，说也无益，所以他保持着沉默，要等弄清了老太爷的意思再作道理。

“现在能替朝廷和老百姓办事的人——不是我恭维你，实在只有像你老弟这样的人！”老太爷又说，“王大老爷的官声，我也有点晓得，算是明白事理，肯做事的官。为此，我有句话想跟老弟你说！”

“是的，老太爷尽管吩咐，漕帮都是我的好朋友，效得上劳的地方，我当我自己的事一样。”

“所以我要跟你谈。除了你够朋友、重义气以外，还有一层，你见得事明，决不会弄错我的意思。老弟，”老太爷凑过头来，低声说道，“一个人总要放他条路走，狗急跳墙，人急悬梁，何况我们漕帮的情形，你是晓得的，好说话很好说话，不好说话也着实难弄。事情总要预先铺排，等抓破了脸，再想来摆平，交关[①]吃力。雪岩，王大老爷还兼着海运局差使，请你劝

① 交关：（方言）非常，很。

劝他，不要顾前不顾后，替我们漕帮弟兄也要想一想。”

这番话听得胡雪岩暗暗心惊，看样子漕帮内部怨气冲天，一旦纸包不住火，烧开来会成燎原之势。局势已经够乱了，听说太平天国跟洪门有关，如果再加上“安庆”一起起事，越发不得了。

做生意总要市面平靖，而市面的平靖，不能光靠官府，全须大家同心协力。胡雪岩一向有此想法，所以听了老太爷的话，细想一想其中的利害关系，自觉义不容辞，有替漕帮好好出番力的必要。

于是他很郑重地说道：“你老人家的话，也不光是顾自己，是为地方着想。一条运河，从南到北，没有什么省界好分，只要我用得上力，一定效劳。”

“对呀！”老太爷拍拍他的背说，“所以我说你‘见得事明’，晓得休戚相关，不分彼此，事情就好办了。”

“那么，老太爷，你请吩咐，要我回去怎么说？”

老太爷略想一想答道：“第一，时世不同了，海运当然也有好处，不过河运也不是一点用处都没有。请你跟王大老爷说，河运能维持还要维持。”

这意思是漕米不必尽改海运，要求也不算过分，胡雪岩点点头说：“这应该办得到的。”

“第二，”老太爷又说，“漕帮的运丁，总该有个安置的办法。王大老爷也该替我们说说话。”

这更是义不容辞的事。“一定，一定！”胡雪岩满口答应，“一定会说。”

“我晓得你老弟是有肩胛的。”老太爷拱拱手说，“做官的不大晓得底下的苦楚，难得有你老弟承上启下，可以替我们通条路子，拜托，拜托！我替我们一帮磕头。”

“老太爷这话言重了！”胡雪岩又说，“不过，我倒有句话，怕不中听。”

“你尽管说。”

“我在想，漕帮自己也该寻条生路，譬如‘屯田’可以整顿整顿。”

“老弟这话，自然在道理上。不过，说到‘屯田’，真正是一言难尽，多少年下来，‘私卖’‘私典’的不知道多少。松江独多‘挂户田’，所以成了‘疲帮’。”

“挂户田”这个名目，胡雪岩还是初次听到，因而老太爷替他作了一番解释。“屯田”原是官产，“屯丁”领来耕种，算是皇家的佃户。因此“屯丁”便有双重负担，一是向公家完纳正赋，再是论亩出银、津贴运丁，名为“津银”，每亩银子一分到三四分不等。虽名为“屯田”，其实比民田的负担还要重。

这一来就有许多弊病出现。一种是“丁逃地荒”，一种是为土豪劣绅或者卫所衙门的书办等类的人霸占，再有一种是私卖或者私典屯田。照律法讲，以“私典军田例”，买卖双方均须治罪，因此有了“挂户田”这个名目。就是买或典田的人，仍旧在屯丁或运丁名下挂户，完粮纳税，成了有名无实。

“从雍正十三年到道光十八年，屯田清查过七次，其中什么毛病，上头都晓得，始终整顿不出一个名堂来。老弟，”老太爷双手一摊，“请你想想，朝廷都没法办的事，叫我们自己如何整顿？”

“我懂了！”胡雪岩说，“屯田既成为漕帮一累，这事情反倒好办。”

这话听来费解，还须胡雪岩补充说明。他认为田地是样“绊手绊脚的东西”，不知道多少人安土重迁，只为家乡有块田地舍不得丢下，不肯挺起胸来，去闯市面。松江漕帮的屯田如果有好处，屯丁、运丁或者会在本乡本土，你争我夺，事情就麻烦了。既然是个累，丢掉就丢掉，只要公家筹得了办法，改行就行，无所瞻顾争执，岂非反而省事？

“老弟，真正要佩服你！”老太爷大为感叹，“英雄出少年，你的见解，实在高人一等。”

说到这里，尤五闯了进来。老太爷便把刚才与胡雪岩的谈话，扼要地告诉了他。尤五很仔细地听着，但这只是表示“孝顺”，心里觉得这件事虽然重要，但有力无处使，只有听其自然，至少在眼前来说是不急之务。因而尤五答了句：“我跟小爷叔慢慢商量。”就把话扯开去了。

扯的是闲话，说阿珠在他家作客，跟他家内眷如何投缘，胡雪岩自然要客气几句。胡雪岩从话风中听出来，尤五似乎有事要跟他老头子谈，说闲话便有碍着自己在座的意思在内，因而很知趣地站起身来，说先回通裕休息，等尤五来一起吃饭，商量生意。

话还没有完，尤五就拉住他说：“小爷叔，你等一等。我跟老太爷稍为说两句话，一起走。”

“好的，那么我在外面坐一坐。”

“不必！”老太爷对尤五说，“你小爷叔不是外人，有话不必避他。”

“不是我避小爷叔。我们是无法，人家找到头上，不能把耳朵遮起来。小爷叔不相干的人，何必让他也晓得？眼不见，心不烦，多好呢！”

“这话也是。那么，雪岩，你就到外面坐一坐！”老太爷提高了声音说，“来个人啊！陪客人去看看我的兰花。”

老太爷养了好几百盆“建兰”，有专人替他照料，就由这个人陪着胡雪岩去看兰花。一花一叶，都能谈出好些名堂来。胡雪岩没有那么雅，敷衍着混辰光，心里只在想，是什么机密而又麻烦的大事，尤五看得如此郑重？

想到尤五在他自己家所说的“送鬼出门”这句话，胡雪岩恍然了。那班“神道”大概是“小刀会”的，不然亦必与刘丽川有关。

一想到此，胡雪岩又惊又喜。惊的是这小刀会要“造反”，尤五和他老头子不要被牵涉了进去；喜的是小刀会的情形尤五都知道，避凶趋吉，对自己的生意大有益处。

只要益处，不要坏处！他在心里说，这件事倒要跟尤五好好商量一下。

好久，尤五才跟老太爷谈完话出来，招呼了陈世龙一起出门。“小爷叔，”他问，“你是到我那里，还是到通裕？通裕比较静，谈天方便。”

话中的意思是，到他家便可以先跟阿珠见面。在这时来说，无此必要，所以胡雪岩毫不迟疑地答道：“到通裕好了。我有好些话要跟你一个人谈。”

因为有这样的暗示，所以到了通裕，只有他们两个人把杯密谈。

“你的货色，我代为作主进丝栈。栈单交了给你！”尤五首先交代这件事。

栈单在胡雪岩手里有许多花样好耍，起码也可以作为表示实力和信用的凭证，因而他不必作不必要的客气，接过来放在一边。

“这家丝栈跟我也熟。栈租特别克己。不过你能早脱手，还是早脱手的好，丝摆下去会变黄，价钱上就要吃亏了。”

“五哥说得不错。不过，”胡雪岩停了一下说，“我现在又有了新主意，要跟你商量。”

“这上面我不大懂。且不管它，你先讲出来再说。”

“五哥跟洋行里很熟？”

“是的。是不是要我介绍洋商？”

“还不止这一层。另外，我有句话，不知道该不该问，如果不该问，五哥老实不客气告诉我。自己弟兄，千万不要存丝毫不好意思的心。”

“我晓得了！‘光棍心多，麻布筋多’，有时候，我不能不顾忌。不过对你不同。”尤五这时对胡雪岩的看法，跟刚才又不同了，“老头子跟我说，说你的见解着实高明，有许多事，是江湖道上的人见不到的。”

“多谢他老人家的夸奖，说句实话，我别的长处没有，第一，自觉从未做过对不起朋友的事；第二，事情轻重出入，我极清楚。所以我那句也许不该问的话，五哥你大可放心。”

胡雪岩这是一再表示不会泄密。尤五“光棍玲珑心”，自然会意，心想：何必等你问出来，我先告诉你，不显得漂亮些吗？

于是他说：“你要问的就是你今天在我那里看见的那班‘神道’？”

“对了。”胡雪岩很严肃地点着头，“你是为我好，叫我‘眼不见，心不烦’。而我呢，另有生意上的打算。”

尤五不即回答，慢慢喝了口酒，夹了一块鱼干在嘴里嚼了半天，然后吐掉了渣滓说话。

“我不晓得你在生意上有什么打算。这件事，我老实告诉你好了，小刀会就这几天要起事，他们来请我‘入伙’，我决定随他们自己去搞。”

果然是这么回事！“五哥，”胡雪岩先敬一杯酒，“你这个主意捏得好！跟他们一起趟浑水，实在犯不着。”

“主意是容易捏，做起来不容易，浑水要泼到你身上，要躲掉也蛮难的。”

这表示尤五虽未“入伙”，但也不便反对他们。胡雪岩了解他的难处，不了解的是小刀会的作为。“那么，五哥，我还有句话请问。”他说，“你看那班人会不会成气候？”

“这很难说。有外国人夹在里头，事情就难弄了。”

“怎么？”胡雪岩一惊，“还有外国人插手？”

“那是刘丽川的关系。”

“照这样说，夷场里是一定不会乱的？”

“外国人跟刘丽川打交道，就是为了保夷场的平安。”尤五答道，“不然我为什么要把你的丝送进夷场的丝栈？”

胡雪岩不作声，默默地把他的话细想了一遍，觉得又是一个绝好的机会到了。

这个好机会自然要与尤五分享，而且事实上也不能不靠他的力量。因此，胡雪岩这样说道：“五哥，照我的看法，小刀会一起事，不是三五个月可以了事的，丝的来路会断，洋庄价钱看好，我们可以趁此赚它一票。”

“我倒真想赚它一票。”尤五答说，“帮里越来越穷，我肩上这副担子，越来越吃力。就不知道怎么赚法？你说买丝囤在那里，等洋庄价钱好了再卖，这我也懂。不过，你倒说说看，本钱呢？”

最大的困难，就是本钱。胡雪岩已经有了成算，但需要先打听一下尤五这方面的情形。“你能调多少？”他问，“先说个有把握的数目，我们再来商量。”

“‘三大’的十万银子，我已经转了一期，不能再转了！眼前我先要凑这笔款子，哪里还谈得到别的？”

“那么，这笔借款上，你已经凑到了多少？”

“还只有一半。”

“一半就是五万。”胡雪岩问，“三天之内你还能调多少？”

“最多再调两万。”

“那就是七万。好了，你只管去调，‘三大’转期，归我来想办法。”胡雪岩接着又问，“有件事我不大明白，洋行里可能做押款吗？”

“这倒没有听说过。”

“那么请五哥去打听一下。”胡雪岩说，“我们本钱虽少，生意还是可以做得很热闹，这有两个办法。”

他的两个办法是这样的。第一，他预备把存在裕记丝栈的货色作抵押，向洋行借款，把栈单化成现银，在上海就地收货。如果洋行借不到，再向钱庄去接头。

“慢慢！”尤五打断他的话说，“你的脑筋倒动得不错，不过我就不明白，为啥不直接向钱庄做押款呢？”

胡雪岩笑了，略有些不好意思地说：“五哥，我要拿那张栈单变个戏法。”他低声说道，“‘三大’那面的款子转期，要有个说法，就说我有笔款子划给你，不过要等我的丝脱手，才能料理清楚。栈单给他们瞧一瞧，货色又在丝栈里不曾动，他们自然放心。哪晓得我的栈单已经抵押了出去？”

尤五也笑了：“你真厉害！做生意哪个都弄不过你。”他说，“我懂了！反正栈单不能流入钱庄，戏法才不会拆穿。如果洋行那方面不行，只要有东西，我在私人方面亦可以商量。”

“那就再好不过了。我再说第二个办法——”

第二办法，一直是胡雪岩的理想，就是让丝商联合起来跟洋行打交道，然后可以制人而非制于人。这个理想当然不是一蹴可就，而眼前不妨试办，胡雪岩的打算是用尤五的关系和他自己的口才，说服在上海的同行——预备销洋庄的“丝客人”，彼此合作。

“这又有两个办法，第一个，我们先付定金，或者四分之一，或者三分之一，货色就归我们，等半年以后付款提货。价钱上通扯起来，当然要比他现在就脱手来得划算，人家才会点头。”

第二个办法是联络所有的丝客人，相约不卖，由他们去向洋人接头讲价，成交以后，抽取佣金。

胡雪岩讲得很仔细，尤五也听得很用心，耳中在听，心里在算。照胡雪岩的办法，十万银子就可以做五十万银子的生意，以二分利计算，赚来的钱对分，每人有五万银子，加上已经在手里的五万，恰好可以还“三大”的借款。他不能不动心。

“小爷叔！”他说，“你的算盘真精明，我准定跟你搭伙。我们啥时候动身到上海？”

“你看呢？”胡雪岩答道，“在我是越快越好。”

“最快也得明天。”

“就是明天。一言为定。”

谈完正事谈闲天。尤五提到阿珠，笑着问他何时纳宠，预备送礼。

“你弄错了！”胡雪岩答了这一句，又觉得话没有说对，“也不是你弄错。实在是哪个也不晓得我的心思。五哥，我倒要先问你一句话，你看阿珠为人如何？自已人，不必说客气话。”

“人是好的，脾气好像很刚。说句实话，这种小姐要嫁给肯闯市面的小伙子，倒是好帮手，嫁了给你，”尤五忽然问道，“嫂夫人的脾气怎么样？”

“内人的脾气，说好也不好，说坏也不坏。这也不去管她，反正跟阿珠不相干的了。”

“小爷叔，你这话奇怪了！”尤五诧异地，“听你的口气，不预备把她讨回去，可是她跟内人无话不谈，说你已经答应她在湖州另立门户。这不是两面的话对不上榫头吗？”

“是的。这件事我不知道做得对不对呢，我说出来，五哥，你倒替我想一想。”

于是他把准备移花接木，有劝阿珠嫁陈世龙的打算，细细说了给尤五听。

“原来如此！”尤五笑道，“小爷叔，你不但银钱上算盘精明，做人的算盘也精明。不错！陈世龙这位小老弟是有出息的。我赞成你的主意。”

“那好！我一直想找个人谈谈，不知道我的想法是不是‘一厢情愿’，既然你赞成，那就准定这么做了。”

尤五一时高兴，随即自告奋勇：“这件事虽好，做起来不容易，她一心一意在你身上，忽然要叫她抛掉，难得很。要不要我来帮忙？”

这是好意，胡雪岩没有拒绝的道理。“当然要的。”他问，“就不知道怎么帮法？”

“我不是跟你说过，她跟内人无话不谈，要不要内人来做个媒呢？”

“这再好都没有。不过——”胡雪岩说，“这件事急不得。”

尤五一听懂了，这是变相的辞谢，所以点点头说：“好的！那么等一等再看，只要用得着，随时效劳。”

“言重了！”胡雪岩忽然又改了主意，“我想请嫂夫人先探探她口气，问她一路上觉得陈世龙怎么样。如果她认为他不错，那就请嫂夫人进一步劝一劝，看她是何话说。”

“不是这样说法！”尤五摇摇头。

这下，胡雪岩倒有些不大服帖了，难道以自己对阿珠的了解，还会不知道该如何着手？于是他问：“那么，该怎么说呢？”

“第一步就要让她晓得，她给人做小是委屈的；第二步要让她晓得，给你做小，将来未见得舒服。”

想想不错，胡雪岩服帖了。“我是当局者迷。”他拱拱手说，“完全拜托，这件事我就要丢开了。”

丢开了这件事，他才能专心一意去做他的丝生意。尤五心想，此事非把它办成不可，不然会分他的心，彼此的利害，都有关系。

于是当天回家，就跟他妻子作了一番密商。话刚说完，他便看见阿珠从窗外经过，便喊住她说：“张小姐，我有句话告诉你。”

阿珠自以为是胡雪岩的人，所以跟他用一样的称呼，叫一声：“五哥！”接着便走了进来，挨着“五嫂”一起坐下。

在她面前，尤五却不叫胡雪岩为“小爷叔”。他说：“雪岩托我告诉你一声，他今天不来看你了，因为晚上还有好些事要料理。”

阿珠自然失望，不过心里在想：他事情多，应该原谅他。所以点点头道：“我晓得了。”

“他明天动身，我跟他一起走。走以前，恐怕也没有工夫跟你见面。”

这话就奇怪了。“我们不是一起到上海吗？”

“不！”尤五答道，“他的意思，让你住在我这里。”

“你就住在我们这里。”尤太太拉一拉她的手，接着她丈夫的话说，“过几天我也要到上海，你跟我去，我们去玩我们的。”

阿珠一泡泪，忍住在眼眶里。越是居停情重，越觉得胡雪岩可恶。看起来他有些变心了！

“张小姐，明天一早，我就要跟他碰头，你有什么话要跟他说？我替你转到。”

“没有！”阿珠因为负气，语气很硬，说出口来，自己觉得很不应该这样子对尤五，因而赶紧又用很温柔的声音说，“谢谢你，五哥！我没有什么话想跟他说。”

“好！我就把你这句话说给他听。”

这下，阿珠又有些不安了。她自己负气，甚至于见着胡雪岩的面，想骂他几句，但不愿旁人把她的气话传来传去。不过她也弄不懂尤五的意思，不便再有所表示，只问：“我爹和陈世龙呢？他们是不是一起走。”

“当然。上海有许多事情在那里，人手不够，他们怎好不去。”

“好的。那我明天到船上去看我爹。”她已打定了主意，明天到了船上，总可以遇见胡雪岩，一定要拿点颜色给他看。是怎样的颜色，她却还不知道，得要慢慢去想了再说。

* * *

“天气真热！”尤太太拉着她的手站了起来，“我们到亭子里乘凉去。”

尤家后园，小有花木之胜，还有一座假山。山上一座亭子，题名甚怪，叫作“不买亭”，大概是取“清风明月不费一文钱买”的意思。题名虽怪，亭子倒构筑得相当古朴，而且地势极好，登高远眺，绿野遥山，颇能赏心悦目。园子的围墙不高，假山上望得见行人，行人只望得见亭子里的鬓丝丽影。在谨饬的人家，这座亭子是不宜女眷登临的，但尤五家与众不同，女眷向不避人，而外人也不敢打尤家女眷什么主意。所以从阿珠来了以后，几乎每天晚上都随着尤太太在“不买亭”纳凉。

经常在一起的，还有尤五的一个妹妹，行七，尤家都叫她“七姑奶奶”。七姑奶奶早年居孀，与翁姑不和，住在娘家，三十岁左右，长得极艳。她坐在那里不讲话，是个绝色美人，但一开口出来，会把胆小的男人吓走。因为她伉爽有须眉气概，而且江湖气极重，不独言词犀利，表情丰富，横眉瞪眼，杀气腾腾。最让男人吃不消的是口没遮拦，骂人也是如此，什么“蠢话”都说得出口，所以她嫂子叫她“女张飞”。

“女张飞”心肠热，跟阿珠尤其投缘，一看她眉宇之间，隐现幽怨，忍不住要问：“怎么了，有啥心事，跟我说！”

这心事如何肯与人说？尤其是在她面前，阿珠更有顾虑。“没有，没有！”她竭力装得很轻松，“住在你们这里，再‘笃定’不过，有啥心事？”

“我倒不懂了。”七姑奶奶心直口快，说话不大考虑后果，“你们那位胡老爷，既然来了，怎不来看你呢？”

这一问阿珠大窘，而尤太太大为着急，赶紧拦着她说：“你又来了！真正是莽张飞。”

“咦！这话有啥问不得？”

尤太太也是很厉害的角色，一看这样子，灵机一动，索性要利用“女张飞”。“唉！”她故意叹口气，“家家有本难念的经，我们总要相劝张家妹子体谅胡老板。”

一说“体谅”，再说“相劝”，这就见得错在胡雪岩。阿珠还在玩味她这两句话，七姑奶奶就忍不住了，拉住她的手，逼视着说道：“你明明有心事，有委屈嘛！不管再忙，说来见个面都抽不出工夫，这话除非骗鬼！男人都是犯贱的，想你的时候，你就是皇后娘娘，一变了心，你给他磕头，他给你拳头。这种人我见得多了。”

“姑奶奶，姑奶奶！”尤太太仿佛告饶似的说，“你饶了我好不好？你这么大声小叫，算怎么回事？”

“好！”七姑奶奶把声音低了下来，但说得更快更急，一只手把着阿珠，一只手指着她嫂子，“张家妹子说得再清楚都没有了，既然答应好两处立门户，早就应该办好了，为啥到现在不办？索性到了松江都不肯见一面，这算是啥？”说到这里，她转过脸来，对阿珠说，“我老早就觉得这件事不大对，替你不平，先还怕是我想错了，照现在看，果不其然是‘痴心女子负心汉’！”

“莽张飞啊莽张飞！你真正是——”尤太太不说下去了。

阿珠在旁边听得心里好不舒服！但是这不舒服是由七姑奶奶，还是由胡雪岩而来的？一时之间，她却弄不明白。反正又羞又气，觉得忸怩得很，只有悄悄将身子挪一挪，把自己的脸避到暗处，不为她们姑嫂所见。

她们姑嫂却偏不容她如此，双双转过脸来看着她。“张家妹子，”尤太太握住她另一只手，安慰她说，“你不要听她的话！脾气生就，开出口来就得罪人。”

这一来，阿珠倒不能不说客气话了。“七姐也是为我。”她点点头，“我不会怪她的。”

“你说话有良心！”七姑奶奶越发义形于色，“这是你终身大事，既然说破了，我们索性替你好好想一想。”她问她嫂子：“胡老板这样子，到底存着什么心思？”

尤太太笑道：“你问的话，十句有九句叫人没法回答。不过——”

她故意不说下去，很谨慎地看着阿珠的脸色，想知道她心里的感觉。这当然不容易看出来，因为阿珠觉得她们的关切事属多余，所以极力矜持平静，作为一种拒绝“好意”的表示。

七姑奶奶不甚明白她的意思，就算明白也拦不住她自己的嘴。“张家妹子，”她换了比较文静的态度，“不是我说，你一表人才，何苦委屈自己？”

尤太太一听她的话，与她哥哥的意思一样，正好借她的口来为自己表达，所以看阿珠不答，便似唱戏对口一般，有意接一句：“怎么叫委屈自己？”

“做低服小，难道不是委屈自己！”

言者无意，听者有心，这句话正触着阿珠的“隐痛”，要想保持平静也不可能了。

“再说，如果太太脾气好，也还罢了；不然做低服小，就是热面孔贴人的冷屁股。”

“蠢话”又来了！尤太太已经一再告诫过这位姑奶奶，人家是“大小姐”身份，不登大雅的话要少说，谁知到底还是本性难移。不过这时候要用她来做“配角”，尤太太也顾不得指责，只叹口气说：“唉！正就是为此，人家胡老板为难。”

话里有话，阿珠必得问个究竟，不过用不着她费心，自有人代劳。“怎么？”七姑奶奶问，“胡家那个是雌老虎？”

“听胡老板的意思，厉害得很！”

“那就是他不对了！既然家里有个醋坛，为啥来骗我们张家妹子？”

“这我倒要为胡老板说句公平话，”尤太太很认真地说，“原来是想跟他太太商量好了，再办喜事。商量不通，只好打退堂鼓。这也不算骗人。”

“什么？”阿珠失声问道，“五嫂，你怎么知道？”

“她五哥，”尤太太指着七姑奶奶说，“都告诉我了。胡老板实在有难处，话又跟你说不出口，闷在心里不是回事，只好跟好朋友谈谈。张家妹子，你不要着急，我们慢慢想办法。”

想什么办法？语意不明，而阿珠心乱如麻，也无法细想。此时她唯一的意愿是要跟胡雪岩当面谈一谈。

“办法总有的。对付没良心的男人，不必客气。不过，”七姑奶奶低声向阿珠问道，“你要说句实话，你们船上来来去去，在湖州又住在一起，你到底跟他——”

不等她说完，阿珠便又羞又急地叫了起来：“没有！”她的语气异常决绝，唯恐他人不信，“绝对没有！我不是那种人。”

“我晓得，我晓得。”七姑奶奶很欣慰地说，“没有吃他的亏，就更加好办了。”

“对！”尤太太附和，“这件事还不算麻烦。全在你自己身上。”

这话又有深意了，阿珠得好好想一想，可是七姑奶奶的话实在多，不容她有细想的工夫。

“幸亏发觉得早！”她说，“你想想，男人十个有十一个好新鲜，还没有上手，对你已经这个样子，等一上了手，尝过甜头，还不是一丢了事？那时候，你就朝他哭都没有用。”

她已经算是措词很含蓄了，但已把对男女间事似解非解的阿珠听得飞起一脸红晕，忸怩得不知如何是好。阿珠低着头想想，“女张飞”的话虽粗鲁，却说中了她从未了解过的一面。男人喜新厌旧，这话听人说过，只不如她来得透彻。转念到此，想起胡雪岩几次“不规矩”，得寸进尺地到了紧要关头，总算自己还守得住，真正是做对了！

庆幸之念一生，就不觉得那么羞窘了，同时也不是那么一颗心系在胡雪岩身上，丝毫不能动弹了。她抬起脸来，掠一掠鬓发，喝了口败毒消火的

"金银花茶"，平静地问道："五嫂，七姐，你们说替我想办法，想什么办法？"

尤太太是等着她来问这句话的。这到了关系出入的地方，言语必须谨慎，所以她一面按着七姑奶奶的手，示意她不要插嘴，一面反问了一句："这要看你自己的意思。大主意要你自己拿！你说往东，替你想往东的路子；你说往西，我们来看看，往西走不走得通。"

这话阿珠明白。两条路：一条是仍旧跟胡雪岩；一条是过去的甜言蜜语、海誓山盟，一笔勾销。但明白归明白，一时间要她做个抉择，却是办不到的事。

"照我来想，这种事，总要两厢情愿。人家既然有了这样的话，一定要勉强人家也不大好。不说别的，起码自己的身份要顾到。"

"真的！"七姑奶奶终于忍不住了，"五嫂这话说得真正有道理。我们娇滴滴一朵鲜花，又不是落市的鱼鲜，怕摆不起，要硬掗给他！"

听这句话就像吃了芥末，阿珠一股怨气直冲到鼻子里，差点掉眼泪了。自己是娇滴滴的一朵鲜花，胡雪岩却当作落市的鱼鲜，阴阳怪气，爱理不理，想想真有点伤心，不由得咬着牙说："哪个有那么贱，一定要硬掗给他！"

"好了，你想明白了。"七姑奶奶说，"老实说一句，'两头大'已经委屈得不得了，他还说有什么难处。这种男人，真是'谢谢一家门'了。"

事情已一半成功，何必再骂胡雪岩，徒结冤家？尤太太便替他解释："七妹，你的话也太过分了。胡老板人是再好没有，他也是力不从心，不肯耽误张家妹子的青春，你不要冤枉他。"

七姑奶奶有样好处，勇于认错。听了她嫂子的话，心里在想，胡雪岩有多少机会把阿珠弄上手，而到现在她还是"原封未动"。同时他给张家的好处，也真不少。这样的人，说起来也很难得了。

于是她笑着说道："想想也是，费心费力，忙了半天一场空不说，还要挨骂，实在也太冤枉了！"

阿珠的一颗心，一直动荡不定，只随着她们姑嫂俩的话，浮沉摆动。这时候听了七姑奶奶的话，便又想起胡雪岩的许多好处，心里实在割舍不下。但硬话已经说出去了，落下来的篷，再要撑起来，十分不易，心中萌生悔意，却又是说不出的苦，因而滚落两滴泪珠。

“咦！”七姑奶奶惊诧地说，“你哭点啥？”

“不要伤心，不要伤心！”尤太太也劝她，“路差点走错，及早回头，你应该高兴。”

阿珠心想，怎么高兴得起来？七姑奶奶说胡雪岩费心费力一场空，自己何尝不是？他的落空是他自己愿意的，自己的落空是无奈其何！夜静更深，想起从前的光景，将来的打算，一起都变了镜花水月，这日子怎么过法？

她一个人怔怔地在想心事，尤太太便趁此机会给她小姑抛了个眼色过去，意思是不必再多说了。但七姑奶奶却不明用意，趁她起身去倒茶时，跟了过去，悄悄问道：“你有话要跟我说？”

本来无话，不过她既问到，倒也不妨跟她谈一谈。“话是有两句。就怕你嘴快！”尤太太说，“事情成功了一半，不过还有一半不成功，就算统通不成功。”

“怎么呢？”

“胡老板的意思是，”尤太太朝阿珠看了一眼，把她拉到亭子外面，低声说道，“还要替我们这位张家妹子做媒。”

“做给哪个？”

“做给姓陈的那个后生。”

“他！”七姑奶奶惊喜地喊了起来。

“轻点，轻点！”尤太太埋怨她说，“真正是莽张飞！一点都不晓得顾忌。”

“这个人倒不错！”七姑奶奶把声音放得极低，她的心肠热，为了阿珠，喜不自胜，“对路了！真正对路了！”

“你不要高兴！事情还不知道怎么样呢。”

“我来劝她，一定要劝得她点头。”七姑奶奶说，“我听她说过，她对姓陈的蛮中意的。”

“喔！”尤太太很注意地问，“她跟你怎么说呢？”

“说起来还真有趣！她跟我说过，姓陈的能干、心好，将来要好好替他做头媒。哪知道‘养媳妇做媒，自身难保’！”

说到这里，七姑奶奶哈哈大笑，弯腰顿足，笑得傻里傻气，这一下，连阿珠都被她逗得好笑。

“你笑啥？”

“笑你！”七姑奶奶说了这一句，又放开了刚止住的笑声。

“傻相！”她嫂子白了她一眼，却也忍不住笑了。

这诡秘的神情，越使得阿珠怀疑，尽自追问着，她有什么事值得她们如此好笑呢？尤太太长于机变，便编了一套话，支吾了过去。

于是扯了些闲话，吃罢夜点心，时间到了午夜。尤太太白天操持家务，相当劳累。倒不是亲操井臼，尤五家的客人多，“吃闲饭”的人也不少，每天要开四五桌饭，尤太太光是指挥底下人接待宾客，就够忙的。这时她支撑不住要上床了。

“你们呢？”她说，“天凉快了，也去睡吧！”

“我还不困。想再坐一歇。”阿珠这样回答，其实是有心事，上床也不能入梦。

“我也不困。”七姑奶奶说，“天气凉快了，正好多坐一歇。”

尤太太一想，这两个人在一起，一定还要谈到胡雪岩和陈世龙。她深怕七姑奶奶不够沉着，操之过急，把好好的一件事弄糟，所以不放心地迟疑不定。

“你回房去好了。”七姑奶奶猜到她的心事，安慰她说，“我们稍为再坐一坐，也要上床了。”

“有啥话，明天再说。”尤太太特意再点她一句，“事缓则圆，我常常跟你说这句话，你总不大肯听。”

“晓得，晓得！你放心。”

她们姑嫂这一番对答，明显着还有许多没有说出来的话。因而等尤太太一走，阿珠随即问道：“五嫂说什么‘事缓则圆’？”

“还不是你的事？”七姑奶奶想了想问道，“刚才谈了半天，你到底作何打算？人家倒不是不要你，你这样的人才，怕没人要？不过胡老板是到口的馒头不敢吃，你也不能硬塞到他的嘴里。”

这段话的前一半倒还动听，说到最后，阿珠又有些皱眉了。“七姐，”她说，“你的譬喻，总是奇奇怪怪的，叫人没法接口。”

“怎么呢？我说的是实话。心里这么想，嘴上这么说，一点不会有虚伪。”

“我晓得你待人诚恳。不过——”这该怎么说呢？世间有许多事是只能在心里想，不能在口中说的。这番道理阿珠懂，但讲不明白，只好付之苦笑。

“不过怎么样？”七姑奶奶倒有些明白，“怪我心直口快，说话不中听？”

这有些说对了，可是阿珠不会承认。“不是，不是！决不是怪你。”阿珠答道，“府上一家，五哥、五嫂，连你七姐待我，不能再好了。既然像自己人一样，原要实话真说。”

“那好！”七姑奶奶又忍不住了，“你知道我这个人的脾气，别人的事就当我自己的事一样，尤其是对你。我们现在长话短说，胡老板这方面，你到底怎样？”

阿珠想避而不答，但办不到。她想了一下，只好这样推托：“七姐，这件事是我娘作的主，将来总也还要问她。”

“这话就奇怪了！你自己没有主张？”

“父母的话，不能不听。”

“唷！唷！你倒真是孝顺女儿！”

语涉讽刺，阿珠脸上有些挂不住了。

“七姐！”阿珠用一种情商的口吻说，“你让我想一想。我明天早晨再跟你谈。”

七姑奶奶在家耳濡目染，对鉴貌辨色也是很在行的，一看她这神色，再要多说，就是不知趣了，于是立刻接口答道：“你慢慢想，慢慢想！等你想停当了，要怎么样做，我一定帮你的忙。”

“谢谢七姐！”阿珠拉着她的手说，“亏得是在你们这里，如果是在别地方，我连可以诉诉苦的人都没有。”

说这话，一大半是为了拉拢交情。其实在这时候，她就已有了无可与言之苦。七姑奶奶的心热，热得令人烫手。尤太太人很圆滑，看样子是为了利害关系，站在胡雪岩这边。此外就只有一个陈世龙了，这个人也差不多到无话不谈的地步，但这件事跟他去谈，是不是合适，却成疑问。就算跟他谈了，他帮着胡雪岩做事，要靠他提拔，能不能帮着自己对付胡雪岩，又成疑问。

千回百折的心事，绕来绕去，又落到胡雪岩身上。她觉得以后变化如何，犹在其次，眼前横亘胸中，怎么样也无法自我消除，而必得问一问的是：胡雪岩的变心，到底为了什么？

因此，这夜工夫，她的心思集中在第二天如何去找胡雪岩，同时如何开口问他。这样设想着，便如跟那“没良心的人”面对面在吵架，心里又气愤，又痛快。气愤的是“他”说不出个道理，痛快的是把“他”骂了个狗血喷头。

等“骂”过了，她却又有警惕，不管如何，胡雪岩对她父母来说，是个无比重要的人物！世界上哪里去找这样慷慨的人？就算他自己能忍受这顿骂，旁人也要批评她恩将仇报。这样一想，阿珠气馁了，同时也更觉得委屈了，真正吃的是有冤无处诉的哑巴亏！

一夜没有睡好，第二天早晨又无法再睡。天气热，都要趁早风凉好做事，她身在客边，不能一个人睡着不起来。尤家倒不拿她当客人看，等她漱洗出房，厅里已摆好早饭，尤太太和七姑奶奶已端起碗在吃了。

道过一声“早”，七姑奶奶看着她的脸说：“你的眼睛都凹下去了。一定一夜没有睡着，来，吃了早饭再去睡。”

阿珠不作声，只看着早饭发愁。松江出米，一早就吃炒饭，她的胃口不开，只想喝碗汤，吃不下饭。

“你们吃吧，”她说，“我不饿！”

尤太太一听这话，便放下筷子，伸手到她额上摸了一下，又试试自己的额头，皱眉说道：“你有点发烧，请个郎中来看一看吧！”

“不要，不要！”阿珠自觉无病，“好好的，看什么郎中？五嫂也真想得出。”

“那么先弄点药来吃。”

尤家成药最多，都是漕船南来北往，从京里有名的“同仁堂”“西鹤年堂”等有名的大药铺中买了带回来。当时便用老姜、红枣煎了一块“神面”，让阿珠浓浓地服了下去。她出了些汗，觉得舒服得多，但神思倦怠、双眼涩重，只想好好睡一觉。

但她心里还有事放不下，想去看看她父亲，却又怕遇见胡雪岩。夜里所想的那一套，此刻整个儿推翻了。她自己都不明白，怕的是什么呢？是怕跟胡雪岩翻脸，以至于为她家父母带来纠纷，还是怕自己受不住刺激？甚至是怕胡雪岩面对面为难受窘？

精神不好，偏偏心境又不能宁静，她烦得不知如何是好。想想真懊悔有此一行！不管怎么样，在自己娘身边，就算发顿脾气，哭一场，也是一种发泄。现在不但没有人可为她遣愁解闷，还得强打精神，保持一个做客人的样子，其苦不堪！

想想又要恨胡雪岩了！是他自己跟她父亲说的，让她到上海来玩一趟。带了出来，却又这样一丢了事，这算是哪一出？别的都不必说，光问他这一点好了，如果他说不出个究竟，便借这个题目，狠狠挖苦他几句，也出出从昨天闷到此刻的一口气。

这样想着，精神不自觉地亢奋了，于是趁七姑奶奶不在场，向尤太太说道："五嫂，我想去看看我爹。请你派个人陪了我去。"

"那现成。不过你身体不大好，不去也不要紧，反正我们过几天就要到上海，那时候再碰头好了。"

"还是去一趟的好，不然我爹会记挂我。"

说到这个理由，尤太太不便再劝阻，正在找人要陪她到老张船上，恰好陈世龙来了。

"来得巧！"尤太太一本正经地向他说，"你好好陪了她去看她爹，拣荫凉地方走！她在发烧。"

两个人一前一后出了尤家，拣人家檐下，阳光晒不到的地方走。陈世龙照顾得很周到，三步一回首地探视，口中不断在说："走好走好！"那样子既不像兄妹，又不像夫妇，引得许多人注目。阿珠有些发窘，心里嗔怪：又不是黑夜，路也很好走，何苦这样一路喊过去，倒像是有意要引人来看似的。

走出巷子，豁然开朗，临河是一条静悄悄的路。阿珠遥望着泊在柳荫下的船，忽然停住了脚，喊一声："喂！"

陈世龙闻声回头，奇怪地问道："你在跟哪个招呼？"

"这里又没有第三个人，你的话问得可要发噱？"

"原来是叫我。有话说？"

"自然有话说，不然叫住你做啥？"阿珠想了想问道，"你有没有听见什么话？"

"什么话？听哪个说？"

"你是装糊涂，还是怎么？"阿珠有些生气了。

"喔！"陈世龙才明白，"你是说胡先生。他的话很多，不知道你问的哪一方面？"

"自然是说到我的！"

"这倒没有！只说要赶到上海去接头生意，过几天再来接你，这当然不大对！"

听得这句批评，阿珠心里舒服了些。“连你都晓得他不对！”她冷笑道，“说好了让我到上海去玩一趟，结果半路里放人家的生，这不是有意欺侮人！”说到“欺侮”，又想起胡雪岩的无端变心，阿珠顿觉百脉贲张，眼眶发热，一下忍不住，便顿着足，且哭且说，“他是存心好了的，有意欺侮我！有意把我丢在半路上！他死没良心！”

陈世龙有些发慌，也有些伤心。从湖州一路来，他下了许多功夫，谁知她一寸芳心，仍旧在胡雪岩身上。不过转念一想，他把已馁之气又鼓了起来，女人的委屈，最怕郁积在心里，朝思暮想，深刻入骨，那就不容把她的一颗心扳转来，像这样大哭大闹，发泄过了，心里空荡荡的，反倒易于乘虚而入。

因此，他默不作声，只把雪白的一方大手帕递过去让她擦眼泪。这个小小的动作，不知怎么，在阿珠的心里居然留下了一个印象，同时也唤起了她的回忆——想起在湖州一起上街，他总是拿这样一方手帕，供她拭汗。

心无二用，一想到别的地方，便不知不觉地收住了眼泪，自己觉得有些窘，也有些可怜。拿手帕擦一擦眼泪，擤一擤鼻子，往前又走。

“慢慢！”这回是陈世龙叫住了她。等她回过身来，他又问道：“到了船上，你爹问起来，你为什么哭，该怎么说呢？”

阿珠想了想答道：“我不说，没有什么好说的。”

“你不说可以，你爹来问我，我不能装哑巴。”

“你——”阿珠这样叮嘱，“你只说我想家。”

“好了。走吧！”

到了船上，老张果然诧异地问起。阿珠不作声，陈世龙便照她的话回答。

“那总是受了什么委屈，在别人家作客——”

“跟人家有什么相干呢？”阿珠抢着说道，“尤家是再好都没有了，爹不要冤枉人家。”

“那么是什么委屈呢？不然不会好端端地想家。”

“我想，”陈世龙说，“大概是胡先生不让张小姐到上海去的缘故。”

“这你不要怪他。他跟我说过了，一到上海，碌乱三千忙生意，照顾你没工夫，不照顾你又不放心。等事情弄得略有些头绪了，再来接你，好好去玩两天。这话没有啥不在道理上，你很明白的人都想不通？”

阿珠一面听着，一面在心里冷笑。听完，她愤愤地说道：“他这张嘴真会说！骗死人不偿命。现在也只有你相信他了。”

“怎么？”老张大为惊诧，看她不答，便又转脸来问陈世龙，“阿珠的话，什么意思？”

陈世龙自不便实说，但光是用“不知道”来推托，也不是办法，想了想，觉得最好避开，让他们父女私下去谈。

于是他说：“你问张小姐自己！”接着，走出船舱，上了跳板，在柳荫下纳凉。

“阿珠！”船里的老张神色严重地问，“到底怎么回事，你倒说给我听听看。”

怎么说？说人家不要我了？这话似乎自己作践自己，她不肯出口。如说胡雪岩变心了，话不够清楚，打破沙锅问到底，依然难以回答。因而阿珠觉得很为难。

“说呀！”老张催问着。

想了半天，她答了这样一句：“我懊悔来这一趟的！”

老张听不懂她的话，着急地说：“你爽爽快快地说好不好？到底为了啥？”

“你不要来问我！你不会去问他？”

这个他，自然是指胡雪岩。老张有些不安。“怎么？”他皱眉问道，“你们吵了架了？”

“人影子都没有看见，哪里去吵架？哼！”阿珠冷笑道，“见了面，倒真的有场架好吵！”

“为啥呢？他对你有啥不对？”老张埋怨他女儿，“你的脾气也要改改，动不动生气，自己身子吃亏！”

先听她爹的两句话，阿珠忍不住又要发火，但最后一句让她心软了。到底还是亲人！自己有这一双爹娘，总算“八字”不错。这样一转念，心境不由得变为豁达，提不起放不下的事，此时也提得起，放得下了！

“没有什么大不了的！”她不知不觉地受了七姑奶奶的感染，挺起胸来，摆出须眉气概，高声说道，“从此以后，他是他，我是我！我也不同他吵，吵不出名堂来的，他同我说话，我朝他笑笑，看他到晚来睡在床上，自己摸摸良心，难过不难过？”

怎么一下子决裂得如此？老张相当诧异，却还镇静。女儿许给胡雪岩，他原来就不大赞成，所以出现了这样的局面，他觉得也并不坏。

不过，事情要弄清楚。看阿珠的神气，可以想见胡雪岩有了很明确的表示。然而阿珠又说连“他的人影子都没有看见”，那么——“是不是他托人带了什么话给你？”他问。

“自然啰！不然我怎么晓得他的鬼心思？”

“不要开口骂人！”老张训了她一句，“不管怎么样，人家人是好的。”

“你跟娘当然要都当他好人，没有他，哪里会有今天？”

这话对自己的父亲来说，是太没有礼貌了，老张又是带些狷介的性格，无法忍受说他贪图财势的指责，所以脸色大变。

阿珠是顺口说得痛快，未计后果，抬头发现她父亲的脸色大变，大吃一惊。再想一想，才发觉自己闯了祸，赶紧想赔笑解释，但已晚了一步。

“你当我卖女儿？”老张的声音，又冷又硬像块铁，“我不想做啥丝行老板！上海也用不着去了，我们今天就回湖州。”

阿珠没有想到她爹生这么大的气，也晓得他性子倔，说得到，做得到。一时慌了手脚，又悔又急，又恨自己，便“哇”地一声哭了出来。

这一哭，使得老张好生心疼，但绷着的脸一下子放不松，依然气虎虎地呵斥：“你哭什么？要哭回家去哭！”

于是阿珠心里又加了一分挨了骂的委屈，越发哭。哭声随风飘到岸上，陈世龙听见了，不能不去看个究竟。

看到阿珠用衣袖在拭泪，他又把他的手帕递了过去，一面开玩笑地说：“今天哭了两场了。”

阿珠正找不到一句话可以开口，心里说不出的不对劲，恰好在陈世龙身上发泄，使劲把手帕往他身上一掷，白眼说道：“你管我？哭十场也不与你相干！”

看她拿陈世龙出气的语调、神气，完全是个娇憨的小女孩，老张不由得好笑，同时心里也动摇了：跟她生气，不就跟小孩子一般见识了？

然而拿眼前来说，就算陈世龙熟得一家人一样，到底是外人，应该客气，女儿失礼，他做父亲的应该有表示，所以赶紧向陈世龙说好话。

“世龙，你不要理她，疯疯癫癫，越大越不懂事了。”

“张老板，你这话多说了的。”陈世龙笑道，“不是我这一来，张小姐的眼泪怎么止得住？”

听这一说，阿珠便瞟了他一眼，撇着嘴说：“多谢你！”

“好，闲话少说了。”老张脸色一紧，又谈到必须要谈的正事。“世龙，”他用迟缓而认真的语气说，“我们阿珠的事，你也晓得的，如今听说胡先生另有打算了，到底是怎么回事？问她她不说，只会哭。你想来总清楚，倒说给我听听看。”

“我实在不大清楚。”陈世龙很谨慎地答道，“不过在杭州的时候，我听胡先生说起，好像为了这件事，胡先生跟胡师母吵得很厉害。”

“那——”阿珠突然转脸，看着陈世龙大声质问，“这话你为什么早不告诉我？你早告诉我，我老早就好问他了，何至于弄到今天，要刚认识几天的陌生朋友来传话？不是有意出我们家的丑！”

问倒问得理直气壮，但却是片面之词，陈世龙并没有一定要把听来的话告诉她的责任。但情势是只好她发脾气，别人不能反驳，否则就变成吵架了。而且陈世龙另有用心，更不肯正面讲理，反倒点点头表示歉意：“你要体谅我，这话在我不好乱说。”

“是嘛！你叫他胡先生，已经是他的学生子了，自然要帮师父。”

“好了！”老张不耐烦地阻止，“咭咭呱呱，就会吵架！这样子谈到天黑，也谈不出一个结果。”

受了一顿排揎的阿珠，自知理屈，不敢开口，但脸上又有些挂不住，那就只好避了开去。“你们去谈，不关我事！”说完，扭头就走，到后舱去坐着静听。

老张不理她，管自己对陈世龙说：“我现在很为难。世龙，你看事情看得很准，我要跟你商量，我想带阿珠回湖州——”

话还没有完，陈世龙吃惊地问：“这为啥？张老板，你是不是生胡先生的气？”

“不是，不是，绝不是！”老张极力否认，“我刚才还在阿珠面前帮他说话。不过，一个人穷虽穷，志气是要紧的。说实话，阿珠的娘有点痴心妄想，我是从来也不觉得我做了丝行的老板。以前说要结亲戚，彼此还无所谓，现在事情有了变化，他不必再照应我，我也不好再受他的照应。你说，我的话是不是？”

“不是！”陈世龙简截了当地答说，“张老板，你的想法，完全不对！”

“完全不对？”老张倒有些不服气，“你倒说说看！”

“第一，胡先生不是那种人，不管事情有没有变化，他喜欢照应人家的性子是不会改的；第二，开丝行，不是你受胡先生照应，是你照应胡先生。”

“你的话是说得好听，可惜不实在。他那么大本事的人，何用我来照应？”

“越是本事大的人，越要人照应。皇帝要太监，老爷要跟班，只有叫花子不要人照应——这个比方也不大恰当，不过做生意一定要伙计。胡先生的手面，你是晓得的，他将来的市面，要撑得其大无比，没有人照应，赤手空拳，天大的本事也无用。就拿这次买丝来说，湖州不是你们老夫妻两位，还有珠小姐的照应，哪里会这样子顺当？所以，”陈世龙加强语气说，“张老板，你千万不要存了什么受人好处的心思！大家碰在一起，都是缘分，胡先生靠大家照应，他也不会亏待大家。再说句实话，我们就算替胡先生做伙计，凭本事、凭力气挣家当，用不着见哪个的情。”

老张的心思拙，而且有些如俗话所说的“独门心思”，钻入牛角尖，不易自拔，他虽觉得陈世龙的话有道理，却总丢不开耻于受人恩惠的念头，因而只是摇着头，重复地表示：“话不是这么说！”

在后舱的阿珠，有些发急了。陈世龙的话不但句句动听，同时她另有一种看法：即使跟胡雪岩“闹翻”了，生意不妨照做。这样桥归桥、路归路，才不会惹人说闲话。不然，一定会有人说，张某人的女儿嫁不成胡雪岩，连丝行老板也做不成了，那有多难听？

她又想到她娘，一心一意要丢掉那条船，在岸上立起个门户，好不容易有了如陈世龙所说的“缘分”，得以如愿，谁知弄到头来是“竹篮子捞月一场空”，那有多伤心？

为了这两个原因，她不能不挺身而出。“爹！”一踏入中舱她就气虎虎地质问，“你是不是跟我别气？”

老张一愣，不高兴地说：“哪个来跟你一般见识？”

“既然不是别气，为啥一定要回湖州？人家的话，”她指着陈世龙说，“说得再明白都没有了，你一定不肯听，是啥道理。”

老张不作声，心里盘算了一会儿，如果硬作主张，一定夫妻吵架，而阿珠一定站在她娘这一面，吵不过她们，只好自己委屈些了。

“好了，好了，我听！”

阿珠得意地笑了，但心里对父亲不无歉然，只是娇纵惯了的，不但不跟老张说两句好话，反而“没大没小”地笑道：“一定要我来凶两句，才会服帖。”

“我算怕了你。”老张苦笑，“你们说的话，自觉有道理，到底怎么回事，我自己心里有数。”

“你是‘独门心思’，想法总跟人家不同。”

“一个人要自己晓得自己！”老张正色说道，“凭力气吃饭，这话好说，说凭本事挣家当，我没有那种本事！”

“那怕什么？”陈世龙毫不思索地接口，“有我！”

“听见没有？”阿珠很欣慰地说，“人家都要帮你的忙，你就是不愿意。怪不得娘常常说你——说你牛脾气！真正是对牛弹琴！”说着，她掩着嘴笑了。

陈世龙看在眼里，大为动心，觉得她笑有笑的妙处，哭也有哭的味道，实在比那些呆呆板板、老老实实的姑娘们有趣得多。

这时的阿珠，已走入后舱，取只木盆，盛了她父亲换下来的一身白竹布小褂裤，预备到“河埠头”去洗。除了嘴上不肯吃亏以外，她总算是个孝顺女儿，但老张却不领她这份孝心，大声喊住她说：“放在那里，我自己会洗。太阳越来越厉害了，你快回尤家。”说着，又向陈世龙努努嘴，意思是快领着她走。

阿珠奇怪，不知她父亲为何急着催她走。只是跟爹吵了半天，不忍再执拗，她把木盆放下，微咬着嘴唇。她要细想一想，在临别之际，有什么话交代。

“走了嘛！”老张说道，“有话过几天到上海再说。”

“爹！”阿珠终于想到了一句话，“娘要买的东西，你有没有忘记？”

“忘记也不要紧，等你到了上海再说。”

于是阿珠仍旧由陈世龙陪着，上岸回尤家。一面走，一面说话，阿珠把她心里的疑问提了出来。陈世龙明白，老张急着催她走，是因为胡雪岩快要来了，怕他们见了面会吵架。这话他本来是不想说的，但为了试探，他还是说了出来。

阿珠不响，只沿着静僻的河边，低着头走。这使得陈世龙感到意外，照他的预计，她听了他的话，一定会有所表示，或者说她父亲过虑，她不会跟胡雪岩吵架，或者说胡雪岩如何不对。这样保持沉默，他倒猜不透她的心思了。

“好热！”阿珠忽然站住脚，回转头来跟陈世龙说。

“那就在这里息一息！”他顺理成章地用手一指。

手指在一棵绿荫浓密的大树下，那里有极大的一块石头，光滑平净，一望而知是多少年路人歇脚之处。石头上足可容两人并坐。但男女有别，陈世龙只好站着。

一坐一站两个人，眼睛都望着河里，有五六个十岁上下的顽童，脱得精光赤条条地在戏水。但两人却都是视而不见，都在心里找话，好跟对方开口。

“嗳！”阿珠突然想到有句话得问，“你刚才怎么叫我‘朱’小姐？”

陈世龙一愣，定神思索了一下才想到：“把阿珠小姐的‘阿’字拿掉，就变成珠小姐，有啥不对？”

阿珠很满意这个称呼。“我还当你替我改了姓了呢。”她笑着说。

那妩媚的笑容，对他是又一次很有力的鼓励，多少天来积在心里的情愫，到了必须表达的时候，就算操之过急，他也顾不得了。

“要改姓，也不会替你改成姓朱。”他半真半假地回答。

阿珠骤听不觉，细想一想才辨出味道，心里在想：这个人好坏！他那“胡先生”刚一打退堂鼓，他就来动脑筋了。于是把脸一沉，但是她马上发觉，要想生他的气也生不起来。以至于刚绷起的脸，不自觉地立刻又放松。

这忽阴忽晴，比黄梅天变得还快的脸色，让陈世龙有些莫名其妙。不过由阴变晴，无论如何是个好征兆，所以他的胆又大了。

“阿珠！”他这样喊了一声，同时注意她的神态。

她的神态是一惊，而且似乎微有怒意，不过很快地转为平静，用聊闲天的语气说道：“先叫我张小姐，刚才叫我珠小姐，现在索性叫我的名字了，越来越没有规矩！”

“从前，你是候补胡师母，我不能不叫你小姐——”

他的话还没有说完，阿珠就抢着问道：“现在呢？”

“现在自然不同了。你我是平辈，我为啥不能叫你名字？”

他的话不能说没有道理，不过阿珠心里还有些不舒服，也不响，也不笑，捡起一把碎石子，一粒一粒抛向水里，看着涟漪一个个出现，扩大，消失，忽然觉得世间凡事都是如此，小小一件事，可以引起很大的烦恼，如果不理它，自然而然地也就忘记了。

“平辈就平辈，”她说，“我也不想做你什么长辈。”

她这句话是有感而发，但在陈世龙听来，宽心大放。第一步的试探已经成功，不妨再接再厉，从今天起，就要叫她一颗心放在自己身上。

于是他说：“阿珠，我要问你一句话，这句话如果你不便回答，可以不开口，我就晓得了。”

阿珠也是很好奇的，听这话就觉得有趣，但也不无戒心。因为她听得出来，他要问的那句话，一定很难答复。所以就像小孩玩火那样，又想下手，又有些踌躇，不知如何处置。

这样拖延了一会儿，陈世龙认为她默然就是同意，便把那句话问了出来：“阿珠，你凭良心说，你到底喜欢不喜欢我？”

竟是这样一句话！阿珠大吃一惊，只觉头上“轰”地一下，满脸发烫，一身的汗，不但无法回答，最好能够往河里一跳，躲开了他的视线。

他的视线直盯着她。阿珠只好把头转了开去，心里在想，这个人脸皮真厚！而且有些惫赖，如果不开口，他一定道是自己喜欢他。但是要说不喜欢他，又觉得有些不愿。左右为难之下，不由得发恨。“你这个人，”她站起身来说，“我不高兴跟你说！”

“不高兴说，就是‘不开口’，我晓得了！”

“你晓得啥？”阿珠放下脸来说，“你不要乱猜！”

“我一点不会乱猜。你心里的意思，我都明白。”

倘或她真的无意，大可置之不理，反正心事自己明白，随他乱猜也不要紧。无奈她怎么样也不能泰然置之。“我心里的意思，你怎么会明白？”她说，“你一定不会明白！”

“那么，要不要我说给你听？”

“你说！一定不对！”

“你一点都不喜欢我。”

她在猜想，他一定会说“你喜欢我”，谁知不是！这话太出人意外，以至于愣在那里，无从置答。

“怎么样？我说得不对？”

“也不能说不对！”

“那么，”陈世龙紧接着问，“你是喜欢我的？”

阿珠让他把话缠住了，自己都弄不清楚是怎么回事。反正，心里虽恨他促狭[①]，却无论如何不肯很清楚地表示“我不喜欢你”！

“我再也不跟你说了！”她大发娇嗔，“你比你‘先生’还要难惹！”

“不会。”陈世龙的语气极坚定，“我跟胡先生都不是难惹的人。”

阿珠听人说话，有时不听意思，只听语气。由于陈世龙的声音坚定有力，令人有种可信赖的感觉，她也就忘记掉自己的话，真的认为他并不难惹。

“我问你，”陈世龙又说，“你预备哪天到上海去？”

“我哪里晓得，要看尤太太和七姑奶奶的意思。”

“尤太太是靠不住的。他们家天天高朋满座，都靠尤太太招呼，又有孩子，哪里抽得出空来陪你到上海去？”

“七姑奶奶有空。不过——”

“不过你不大愿意跟她在一起！是不是？”

“她人是好人，心直口快，可惜稍为过分了些。”阿珠苦笑着摇头，“真有些吃她不消。”

陈世龙颇有同感，他也吃不消七姑奶奶。她说起来也是好意，总拿他当兄弟看，但大庭广众之间，过于亲热，看起来仿佛情有所钟似的。陈世龙虽有些浪子的气质，但因为身在客边，辈分又矮，怕惹出许多话，所以总避着她。这

① 促狭：（方言）刁钻，爱捉弄人。

也就是他少到尤家去的原因。

但以前可以少去，现在要在阿珠身上下功夫，不能不多去。去了又吃不消七姑奶奶，而且说不定会引起阿珠的误会，这倒是个难题。

看他不说话，她觉得再坐下去也没有意思，便站起身来，把衣襟和下摆扯一扯平整，又掠一掠发鬓说道："该回去了吧？"

"再坐一下，我还有话说。"

阿珠不即回答，心里在想，这一坐下来再谈，就绝不是谈什么可有可无的闲天，他是在自己身上打主意，当然有些紧要的话要说。自己跟胡雪岩就是这样好起来的，前车不远，应当警惕，如果自己根本不容他打什么主意，那就不如趁早躲开。

然而她心里想得很明，那双脚却似钉住在地上，动弹不得。最后，阿珠终于糊里糊涂坐回原处。

"我看你不必等尤太太和七姑奶奶了。过两天，我来接你。你看，好不好？"

这也没有什么不好，只是一走容易，到了上海，不能好好玩一玩，反倒无趣，那得先问一问清楚。

"到了上海以后怎么样呢？"

"玩嘛！"陈世龙说，"夷场上很开通的，洋人和洋婆子都是手搀手上街——"

阿珠很敏感，大声打断他的话说："哪个要跟你手搀手上街？"

"我没有这样说。"陈世龙觉得好笑，"不过拿洋人作个比方，我的意思是，你要在上海逛一逛，也不必一定要七姑奶奶作伴。我就好陪你。"

话倒说得轻松，实际上绝不会这么简单。"偶尔陪一趟可以，天天陪我上街——"阿珠很吃力地说，"成什么样子？"

"人家不晓得我们是怎么回事，说是兄妹，难道不可以？"

"这哪里好冒充？亲兄妹到底亲兄妹，一看就看出来了。"

"不见得。"陈世龙说，"这也可以装得像的。"

“怎么装法？”

“第一，要亲热——”

“啐！”阿珠脸红了，“哪个要跟你亲热？”

动辄是“哪个要跟你”怎么样，“哪个要跟你”怎么样，陈世龙注意到了这种语气。蓬门碧玉他见多了，了解这种语气后面的真意。这完全是“对人不对事”，意思是“手搀手上街”也可以，“亲热”也可以，只不过不愿“跟你”如此而已。当然，这也算是句反话，有点故意“搭架子”的意味，仿佛暗示着，只要情分够了，无事不可商量。

这就是无意间流露的真情，陈世龙越觉得有把握，也就越不肯放松。“你不肯跟我亲热也不要紧，”他说，“好在我装得像，叫人家看起来，一定当我是你的亲哥哥。那一来，你还怕什么？”

阿珠想了一会儿，决定依他的话，但还要约法三章。“我话先说在前面：第一，不准你嬉皮笑脸；第二，不准你啰里啰唆；第三，”她略顿一顿，板着脸说，“不准你动手动脚！你答应了，我跟你去。”

陈世龙笑道：“还有第四没有？”

“你看你，”阿珠斜着白眼看他，“刚刚说过，不准你嬉皮笑脸，你马上就现形了。”

这是真的有点生气，陈世龙起了戒心，正一正脸色答道：“好，你不喜欢这样子，我懂了。我决不讨你的厌！”

这倒提醒了阿珠。她一直弄不清自己对陈世龙是怎么样的一种感觉。现在“找”到了：这个人不讨厌，而且应该说是蛮讨人喜欢的。这样想着，她忍不住抬头看了他一眼。

大大方方地看，原也不妨，她却偏要偷偷摸摸去看，一瞥之下，迅即回避。越是如此，越使陈世龙动心，几乎当时就想违反她的约法第三章，抓住她那白白软软的手握一握。

“嗨！”突然有个在戏水的顽童大喊，“你们来看，一男一女吊膀子！”

这一下把阿珠羞得脸如红布，顾不得陈世龙，拔脚就走，走得像逃。河里的顽童还在哗笑大喊："吊膀子！吊膀子！"阿珠急得要哭了。

"小鬼！"陈世龙恨不得抓住他，狠狠揍一顿，只是顾阿珠要紧，便也拔脚追了上去。

追是很快地追上了，阿珠不理他，特意避到对面檐下去走。陈世龙很机警，知道她这时的心境，不敢再跟过去。

尤家快到了，只见她忽然站住脚，微微回头望着。这自然是有话要说，陈世龙加快几步，到了她身边，不忙开口，先看脸色。她红晕尚未消褪，怒气更其明显。他心里有些着慌，不知道该怎么说。

"都是你！"阿珠咬牙瞪眼地埋怨。

迁怒是可想而知的，他唯有解劝："那些淘气的小鬼，犯不着为他们生气！"

"你脸皮厚，自然不在乎！那些难听的话——"阿珠深感屈辱，眼圈一红，要掉眼泪。

"不要哭！"陈世龙轻声说道，"七姑奶奶喜欢管闲事，当心她会打破沙锅问到底。"

这下提醒了阿珠，她的原意就是要告诫他，不准把刚才这件事当笑话去讲，所以此时用手指抹一抹眼角答道："只要你不说就好了！"

说完，阿珠转身就走。陈世龙心里很不是味道，好好一件事，不想叫那几个"小鬼"搞得糟不可言，这是从何说起？细想一想，也要怪自己太大意，如果能够谨慎小心些，不是在那人来人往的河边大诉衷曲，岂不是就不会有这样扫兴的事了？

徒悔无益，为今之计，必须全力挽回局面。因此，陈世龙经过仔细考虑之后，还是跟了进去。他在尤家没有像阿珠那样熟，而且尤家虽说江湖上人，比较开通，男女之防，还是很着重的。尽管七姑奶奶不大在乎，他却不便穿房入户，闯入后厅。到尤家，只是存下个见机行事的打算，就算不能见着阿珠，无论如何也要让她知道，他为了她恋恋不忍遽去。

他不知道，这天的情形跟昨天已大不相同。不同的原因，就在尤家姑嫂对他已“另眼相看”，所以当他正在厅上与尤五手底下的人闲谈时，尤太太打发一个丫头来请，说有话跟他谈。

这真是“宠召”了！陈世龙精神抖擞地到了后厅，恭敬而亲热地招呼道：“尤太太，七姑奶奶！”

“不要用这样客气的称呼了。”七姑奶奶说道，“你跟我们张家妹子一样，也叫‘五嫂’‘七姐’好了。”

陈世龙越有受宠若惊之感，而且福至心灵，想起一句很“文”的话：恭敬不如从命！他垂着手喊：“五嫂！七姐！”

他一面喊，一面眼风顺便扫过阿珠。只见她把脸转了过去，不知是有意不理，还是别有缘故。

“世龙。”尤太太开口了，语气平静自然，“你今天下午要走了？”

“是的。下午走。”

“我托你点事，可以不可以？”

“五嫂怎么说这话？有事尽管吩咐！”

“我托你在上海买点东西。”尤太太接下来解释，“不要看我这里，差不多天天有人到上海，关照他们买点东西，总是不称心，不是样子不对，就是多了少了的，真气人！我晓得你能干，这一趟特为托你。”

“五嫂说得好。”陈世龙笑道，“只怕我买回来，一样也要挨骂。”

“不会的。”尤太太问道，“东西很多，要开个单子，你会不会写字？”

陈世龙学过刻字生意，字认得不多，却写得很好，便即答道：“会！”

他一说会，七姑奶奶已把笔砚捧了过来，在红木方桌上放下，拉开凳子，还拿手拍了一下：“来！坐下写。”

他坐在东首顺光的那一边，七姑奶奶坐在他对面，左手方是尤太太。还空着上首一个座位，七姑奶奶把阿珠硬拉了来坐下。三双眼睛灼然地看着陈世龙手中的那支笔。

他忽然意会了：这哪里是开买东西的单子，简直是考自己的文墨嘛！心里不安而又兴奋，他打起精神，希望在三位“考官”面前交一本好卷子。

真如“说书先生”常用来表白那句话：“磨得墨浓，舐得笔饱。”陈世龙执笔在手，看着尤太太，静候吩咐。

“男人的袍子要一丈四。一丈四、一丈四、两丈八，再加八尺，就剪四丈八好了。”尤太太念念有词地盘算了一会儿，抬头看着陈世龙，“哆罗呢四丈。”

第一遭就遇着难题。哆罗呢这种衣料听说过，是外国来的呢子，却不知怎么写法。不过陈世龙的脑筋也很快，他想，外国名字大多加个“口”字旁，譬如“咭唎”之类，那就不妨如法炮制。

这一下倒是写对了。他也很细心，写完又问：“什么颜色？”

“玄色。”

“玄”字不会写，却也不算错，他在“哆罗呢”三字下，注了个“黑”字。

就这样尤太太口述，陈世龙笔录，许多洋货的名字，他“以意为之”，只译写声音，反正自己知道。尤太太她们也不来管他，实在是不知道他写对了没有，不过阿珠看他那笔字，写得端端正正，心里也不知是安慰，还是得意，只觉得脸上很有光彩。

女人家办这些琐碎事最麻烦，尤太太跟她小姑又商议、又争辩，阿珠也不时参加些意见，越发耗费辰光。陈世龙很耐心地等着。等那单子写完，已经误了中饭时间，一桌子的菜都摆得凉了。

“吃饭，吃饭！”七姑奶奶对陈世龙的称呼与众不同，比较亲昵，“阿龙，你不必到外头吃，同我们一桌好了。”

如果是在平常日子，陈世龙一定会辞谢她的好意，而这天不同，欣然落座，坐下来就吃。一面吃，一面闲谈，不过“手挥五弦，目送飞鸿”，陈世龙的视线不断缭绕在阿珠脸上。她除掉偶尔低下头来，很快地眨着眼，仿佛有些事在想以外，脸色大致是恬静的，大可叫人放心。

吃完饭，尤太太进去取出一张一百两银子的银票，交了给陈世龙。这就该走了！他却还不肯告辞，总觉得没有机会跟阿珠再说两句话，于心不甘。

谁知有个意想不到的机会。“我还要到船上去一趟。”阿珠起身说道，“有两句要紧话，刚才忘了跟我爹说了。”

用不着陈世龙自告奋勇，有意为他们撮合的七姑奶奶，当然会顺理成章地建议，仍旧由陈世龙陪着她到船上。

“不要走那条路了。”一出尤家后门，阿珠就嘟着嘴说。

“总归要到河边。”陈世龙答道，“那些小鬼再淘气，我一定捉牢他们敲屁股。”

“你少替我多事！”

其实，阿珠并不要到船上，只是有件事要跟陈世龙说，所以当先领路，走到僻静之处站住了脚。

“我请你办点事。”她说，“在尤家叨扰了他们许多日子，应该有点意思，我想送他们一份礼，请你在上海办一办。”说着，她从手巾里取出一张银票，递了过去，“尽二十两银子办，要办两份，送五嫂的那份，是伢儿用的东西就可以了。”

“我晓得了。等我办好了，回来再跟你算。”

“那样我就不要。”阿珠把银票塞到他手里。

不接不行，陈世龙也就不再多说什么，只另外问了一句要紧话：“我先前说来接你的话，怎么样？”

阿珠知道，这像走路一样，又到了一处三岔路口。一条路渺渺茫茫，走到哪里算哪里，路虽平坦不会摔跟斗，但没有什么景致，也不知走到头来是何光景。

另一条路已可以看得出来，崎岖难行，但必有山光水色、奇石怪木，堪以流连，而走到头来，若有归宿必是个很好的归宿。就怕中途失足，葬送一生。

陈世龙见她久无回答，心急催问：“怎么样呢？你倒是说一句啊！”

“让我想一想也不要紧——”

“好，好！”陈世龙是怕她听而不闻，在转别的念头，只要是想这件事，时间再长，他也能等待，所以这样抢着说，“你尽管慢慢想！”

想了半天，委决不下，心里是愿意走第二条路，却又有些胆怯。她这时候才感觉到，一个人不能没有一个可以商量心事的亲人或者朋友，如果有七姑奶奶在旁边就好了。

这样一转念，她越不肯作肯定的答复，不过这一来，反倒有话可说了：“到时候再看！”

这句话，如果他一开口她就这么回答，必是敷衍，经过好一阵考虑才说，那是打不定主意。陈世龙虽有些扫兴，不过因为一时得不到一句准话，细想一想，正见得她重视此行，不仅仅是为了玩一趟。至于她为何打不定主意，这倒该设法在她心里查一查。

于是他问：“你是不是还顾忌着胡先生？”

“顾忌他点啥？”阿珠把脸绷得极紧，才好说出她那一句不大好意思出口的话，“我跟他清清白白，干干净净，有啥好顾忌的？”

不但已可以把胡雪岩抛开，而且在表明心迹了，其中的意味，着实深厚。陈世龙心满意足，“自说自话”地放下诺言：“我五天以后来接你。”

阿珠差一点又要说：“哪个要你来接？我又没有答应你一起走。”只是毕竟未曾出口，而且心里觉得好笑。此人比胡雪岩还要不讲理。

“好了，好了。我要回去了。”阿珠挥挥手说。

“要不要我送？”

“不要！”阿珠又说，“你也该早点到船上去，人家在等你。正经事也要紧，不要尽转不相干的念头。”

陈世龙笑笑走了，走了几步，转脸去看，恰好阿珠也回身在望，视线一触便离，扭转身去，沿着路边很快地走了。

这一个望着苗条的背影，回想她临别之际的那两句叮咛，觉得有咀嚼不尽的余味，心里是说不出的好过。

阿珠却跟他不同，心里乱糟糟的，不辨是何滋味，却又无法静下来想一想。因为一回去就让七姑奶奶缠住了。

“你怎么这么快就回来了？”

这第一句话就让她不容易回答。她嘴上不大肯让人，其实说不来假话。自己算一算，到船上来回一趟，这点辰光是不够的，因而疑心七姑奶奶已发觉她根本没有去见她父亲，只是借故溜出去跟陈世龙“讲私话”。

于是像被人捉住了短处似的，她一张脸涨得通红，半晌说不出话来。

七姑奶奶等于一个女光棍，那双眼睛看阿珠这样的人，表里俱澈。恍然大悟之余，心中好笑，真正是做贼心虚。但她虽口没遮拦，对这句话到底还有顾忌，怕阿珠脸皮薄，一个挂不住，会伤了彼此情分，因此笑笑不响。

这一笑在心思也极灵敏的阿珠，当然亦猜到了她的心理。掩饰不可，只有解释，索性把话说明了，倒也无所谓。

“老实告诉你，”她的脸色反转为平静，“我也要托陈世龙买点东西，不好当着你们的面说。”

“为啥？”

“在府上打扰了好些日子，哪怕送点不值钱的东西，也是我一点心。我如果当了你们的面说，你们一定不肯，所以我要避开你们托他。”

“原来这样。你何必又破费——”

“是不是？”阿珠理直气壮似的说，“我就晓得你们一定会拦住我。”

“好了。我就不客气了。自己姐妹，老说客气话也没有意思。”七姑奶奶看一看桌上的自鸣钟说，“我要到书场去了。你去不去？”

七姑奶奶喜欢听书，一部书听上了瘾，天天要听。阿珠总觉得女人抛头露面上书场，不像样子。有些“先生”，说到男女间事，看有“堂客”在座，比较含蓄；但有些就毫无顾忌了，绘声绘影，春情十足。七姑奶奶不在乎，阿珠却窘不可言。她“上过一回当”，颇存戒心，七姑奶奶也不便勉强，只是每天去总要问她一声。她有时去，有时不去，这要看那天说的是哪一回书。

阿珠知道，她听上瘾的那部书是《玉蜻蜓》，随即问道：“今天说到哪里？”

“快要‘庵堂产子’了。”

“庵堂产子”只有怀孕足月的小尼姑志贞，没有造孽缘的申贵升，听这回书不会受窘，阿珠便答应同去。

有人做伴，七姑奶奶的兴致格外好，一面涂脂抹粉，细细打扮，一面把“庵堂产子”的情节和昨天的“关子”说到什么地方，都讲了给阿珠听。

“到底是‘申大爷’，还是‘金大爷’？”

“应该是‘申大爷’，说书先生都称‘金大爷’，因为苏州申家势力大，不敢得罪他们。这部书，从前是禁的。”

“这样说来，真的有这回事了？”

“那就不晓得了。不过，”七姑奶奶说，“申家上代出过状元，倒是真的。有一年到苏州，走过一家人家，门口下马石、旗杆、有块匾‘状元及第’，气派大得很，别人说是申状元家。”

“这个状元，就是小尼姑志贞的儿子？”

“照《玉蜻蜓》说，志贞的儿子叫申元宰，后来中了状元，‘庵堂认母’，把她接回家里。”

“那么，”阿珠问道，“‘申大娘娘’呢？怎么说？”

“这还有啥话说？儿子虽不是她生的，诰封总要先归她。再说申大爷老早痨病死在庵里，为死人吃醋也没有这个道理。”

“这一下，志贞总算苦出头了。”阿珠感叹着说，“大概她做梦也不曾想到，儿子会中了状元。”

“照我想想犯不着。”七姑奶奶很平静地说，“苦守苦熬多少年，才熬得儿子出了头，头发白了，眼睛花了，牙齿掉了，就算有福好享，也是枉然。倒不如觅个知心合意的，趁少年辰光，过几天写意日子。”

这话不知是不是有意讽劝？反正阿珠的印象极深。等听了“庵堂产子”回来，感触越深。而且由志贞的伶仃无告，勾起想家的念头，渴望着回到湖州，觉得只有在自己娘身边，这颗心才能定下来。

乡思造成失眠，一直到四更天还不曾睡着。七姑奶奶跟她住东西两厢房，一觉睡醒，发觉对面还有灯光，心里有些不放心，便起床来敲她的房门。

阿珠知道是七姑奶奶，除了她不会有第二个人，于是开门问道："你怎么还不睡？"

"我已经睡过一大觉了，看见你这里灯光亮着，过来看看。"她走进门来，发觉阿珠的两面帐门都未放下，便奇怪地问，"你一直都不曾睡吗？在做什么？"

"什么都没有做，就是睡不着。"

"在想哪个？"

阿珠脸一红。"会想哪个？"她说，"自然是想娘。"

"怪不得！"七姑奶奶捏着她的手臂问，"冷不冷？"

"还好。"阿珠见她只穿一件对襟短袖的褂子，胸前钮扣不曾扣好，露出雪白的一块肉，褂子又小了些，鼓蓬蓬的凸出两大块。她心里便想，七姑奶奶像花开到盛时，却形单影只的守了寡，似乎也可怜。

这样想着，阿珠不由得伸手捏住了她的丰腴的手臂。"七姐，"她说，"这里来坐！"

阿珠拉着她并坐在床沿上，怔怔地看着她，眼中有些迷惘和忧郁。把七姑奶奶看得莫名其妙，便即问道："怎么回事？你有话说嘛！"

"我在想，"阿珠缓慢而低沉地说，"俗语说'家家有本难念的经'，这话还不对，实在是'人人有本难念的经'。譬如七姐你，别人看起来，一天到晚，嘻嘻哈哈，好像没啥心事，仔细想一想，你一个人的日子也难过。"

这两句话听来平淡无奇，谁知恰好触着了七姑奶奶的隐痛，连她兄嫂在内，从来没有人说过这话。午夜梦回，凄凉万状，那时的心境，只有自己知道。如今总算还有个人了解她的苦楚！七姑奶奶顿有知遇之感，那么刚强的人，竟忍不住眼圈一红，快要掉眼泪了。

但是刚强的人总是刚强的，就在这时候，也不愿让人觉得她可怜。“你说得不对！”所以她装得很豁达地，“我倒不觉得日子难过。”

“叫我，”阿珠摇摇头，“这种日子就过不下去。”

“所以啰！”七姑奶奶为人的心又热了，接口劝她，“你过不惯这种一个人孤孤单单的日子，要趁早打主意。跟胡老板断了，这着棋走得一点不错，他是个做大生意的人，一会儿湖州，一会儿上海，说走就走，丢下你独守空房，这味道不大好受的。”

“嗳！”阿珠皱眉摇手，“不要去讲他了。讲讲别人吧！”

她是无心的一句话，七姑奶奶却大为兴奋。“来！”她拉着她倒下，“今天我陪你。我们姐妹也说说私话。”

阿珠也是精神亢奋，毫无睡意。刚过了立秋的天气，后半夜非常舒服，她也愿意作个长夜之谈。不过七姑奶奶如不羁的野马，她实在有些怕她，便得要有句话“言明在先”。

“说私话可以。”她笑道，“就是你哇啦哇啦吃不消。”

“傻妹子！”七姑奶奶捧着她的红馥馥的脸香了一下，“说到私话，怎么会哇啦哇啦？自然只有你我两个人才听得见。”

“这样才好，”阿珠问道，“你饿不饿？我有杭州带来的‘绍兴香糕’，要不要吃？”

“‘绍兴香糕’哪有你们‘湖州酥糖’好吃！有没有‘沙核桃糖’？”

“有，有！我倒忘记掉了。”

阿珠从置放茶食用的可以收燥的石灰坛里，摸出一大包沙核桃糖，带到床上。两个人并头共枕，盖着一条薄薄的紫罗被，一面吃糖，一面谈私话。

“七姐，你守寡守了几年了？”

“四年。”

这四年的味道如何呢？阿珠很想问，又觉得碍口，只好扯些不相干的话：“想来你那婆婆很凶。”

“凭良心说，倒也还好。就是脾气合不来，一天到晚啰唆，实在也是好意，譬如说，天气热胃口总有不好的时候，只要一顿不吃，她老人家就问长问短，一刻不停了。一会儿说是不是病了？要不要看医生？一会儿又说受凉了，晚上睡觉要小心。如果我不理她，她就哭儿子。听见她哭，我都想在那里哭，你想烦不烦？”

“那么，回娘家来住，是哪个的意思呢？”

“自然是我自己的意思，”七姑奶奶说，“哪个都作不得我的主。”

“难道，”阿珠很谨慎地问，“在娘家住一辈子？”

“住一辈子也不要紧。我五哥、五嫂，跟别家的兄嫂不同。”

“这我看得出来的，说句良心话，五哥、五嫂待你是再也没话可说了。”

“当然，自己同胞手足嘛！不过，”七姑奶奶又说，“其中还有个道理，说给你听听也不要紧。”

原来尤五在十几年前，是倔强到底、宁折不弯的脾气，有一次跟松江府知府的大少爷在妓院里打架，被抓到了“班房”里。那知府倒也还明理，预备训斥一顿，放他走路。但尤五自觉道理上站得住，所以言语顶撞，不受责备，这一下知府动了真气，非办他个“目无官长”的罪名不可。老太爷托出许多人来求情，那知府是个书呆子，说什么也不行。

“这时漕粮要起运了，船上不是我五哥，就吃不住，老太爷十分着急。后来是我出面去见知府。”七姑奶奶回忆着得意的往事，那双眼睛格外亮，格外显得一汪水似的，“我说，大老爷，我哥得罪了大少爷，又得罪大老爷，理当吃三年六个月的官司。不过现在他有公事，好不好我来做押头？把我关起来，放我哥哥出去当差，等漕船回空，他进监牢，我再出去。”

“你倒想得出。”阿珠听得津津有味，笑道，“那知府大老爷，怎么说法？”

“大家都说知府大老爷是书呆子，其实不呆。”七姑奶奶答道，“当时他跟我说：‘你哥哥不讲道理。世界上只有老百姓怕官，照他这样子，莫非官要怕他？那不是没有王法了吗？我本来不但要重办，还要申详到上头，革他‘尖丁’的差使。现在看你倒还讲道理，不过你也不要看得太容易，监狱里的罪不是好受的。’我说：‘我晓得。不过不是这样子，大老爷不能消气，说不得只好我咬咬牙关来受罪。’大老爷听我这一说，摇摇手：‘罢了，罢了！看你这样子，我也不气了。你具个结，把你哥哥领了回去。’”

“这真正是新闻。”阿珠笑道，“还要你具结？”

“是啊！硬是我盖手模具结。具了结，知府大老爷把五哥叫了去说：‘你要改过自新！再是这样子横行霸道，我不办你，办具结的人。你要想想，倘或你连累你妹子吃官司，对不对得起你父母？’”

“啊！这一着厉害。”阿珠倒懂得那知府的用意，“就算五哥自己天不怕、地不怕，总要顾到你。这一来，脾气无论如何要改改了。”

“就是这话啰！所以我说知府大老爷一点不呆。”

七姑奶奶又说：“等堂上下来，老太爷亲自来接我，接到他家，摆开了十桌酒席，帮里弟兄都到了，老太爷叫我坐首座。他说：‘阿七可惜是女的，如果是男的，我要收了他才关山门。’”

“七姐！”阿珠听得出了神，“我倒没有想到，你出过这么大的风头！”

“唉！”七姑奶奶长叹一声，“就是那次风头出坏了。”

“怎么呢？”阿珠诧异地问。

是老于世故的，就不会觉得诧异。以七姑奶奶的性情，出了这样一回风头，自不免得意非凡，从此以后，也像男子汉一样，伸手管事，“吃讲茶”常有她一份。豪情胜概，自然会把女孩儿家的温柔，消折殆尽。

“女人总是女人。”七姑奶奶不胜悔怨地说，“女人不像女人，要女人做啥？像我这样子，弄到头来，吃亏的是自己。”

这句话说得极深。七姑奶奶以过来人的资格，才有此“见道之言”。阿珠既警惕，又感动。警惕的是女人争强好胜，使得男人敬神而远之，实在欠聪明；感动的是七姑奶奶的这些话，真正是肺腑之言，对旁人是决不肯说的。

“七姐！”阿珠也还报以真情，“你不说，我不敢说，你既然说了，我倒要劝你。你不开口坐在那里，真正是一尊观音菩萨，一开口就比申大娘娘还要厉害。如果申大娘娘不是雌老虎，申大爷不会迷上那几个‘师太’，一条命也不会送掉。我劝你，也要像五哥一样，把脾气好好改一改。”

“我何尝不想改？”七姑奶奶摇摇头，不说下去了。

这是说改不掉。阿珠在想，改不掉就不会有男人敢要她。真的守一辈子寡？想守出一座贞节牌坊来？

她疑心七姑奶奶守不住。但这话说出来会得罪人，所以她几次想开口，终于还是忍住了。

“我问你，”七姑奶奶突如其来地说，“你看阿龙这个人怎么样？”

“又要提到他了。”阿珠想拦住她，因而特意装出不悦的神情，“你为啥这么关心他？”

七姑奶奶笑了，略带些忸怩的神色。这样的神色，阿珠几乎还是第一次看见。在她的印象中，七姑奶奶从不知什么难为情，因而这一丝忸怩之色，便特别引人注意。阿珠想起她平日对陈世龙的殷勤，深悔失言，自己的这句话，可能在七姑奶奶听来刺耳。

正想有所弥补时，七姑奶奶说出一番令人大吃一惊的话来：“不错，我关心他。老实跟你说了吧，我也想过好几回，要么不嫁，要嫁，现成有在那里！”

“现成在那里”的，自然是陈世龙。话说得如此赤裸裸，阿珠简直不能相信自己的耳朵，回忆一遍，并未听错。这一来，她心里的滋味便不好受了，脸上的神色也不好看了，勉强笑着问了声：“你是说哪个？陈世龙？”

“是啊，陈世龙。”七姑奶奶看了看她的脸色，又问，“你看我嫁他配不配？”

真正脸皮厚，居然问得出来！阿珠心想：你不怕难为情，我就胡胡你的调。因而她点点头说：“配！怎么不配？”

“你倒说说看，我跟他怎么样的相配？”

“这话就奇怪了。”阿珠依然是很勉强的笑容，“怎么样的相配，你自己总想过，何用来问我？”

“我跟你开开玩笑的。”七姑奶奶在她脸上轻轻拧了一把，“我怎么会跟他相配？第一，年纪不对；第二，身份不配，他没讨过亲，要娶自然娶个黄花闺女；第三，脾气不配，他的性子也是好胜的，两个人在一起，他不让我，我不让他，非天天吵架不可。”

阿珠不知怎么，颇有如释重负之感。但因为七姑奶奶言语闪烁，一会儿像煞有介事，一会儿又说“开玩笑”，所以阿珠大起戒心，不敢轻易答话，只微笑着作出不甚关心的样子，同时很仔细地观察她的脸色。

“你说，我的话对不对？”

“也不见得对！”阿珠很谨慎地回答，反过来试探她，“七姐，陈世龙娶了你，也有很多好处。像你这样的人才，打了灯笼都没处去寻的，又漂亮，又能干，而且还有五哥的照应。再好都没有了。”

“真的？”七姑奶奶有意相问。

语气中总听得出来，有说她作违心之论的意味在内。阿珠有些发窘，但不容不答，更不容改口，硬着头皮答道：“自然是真的。”

七姑奶奶笑一笑不答，随后又说：“话再拉回来，你看阿龙这个人怎么样？”

第二次再问，如果依旧避而不答，便显得“有心”了。阿珠想了想说：“我跟他认识的日子也不久，只晓得他人很能干的。”

“心呢？”七姑奶奶问，“你看他的心好不好？”

“我看不出来。”阿珠说，“有道是人心难测。”

“别人的心思难测，阿龙的心，你总晓得的。”

“又来说疯话了！”阿珠一半害羞，一半赌气，翻个身脸朝里，以背向人。

过了一会儿，没有动静，她当七姑奶奶有些动气了，想回过身来敷衍两句，但外床的人比她快了一步，已经起身下床。

“嗨！”她提高了声音喊，“你到哪里去？”

“哪里也不去。”七姑奶奶“噗”的一声，吹灭了灯，仍旧上床。她上了床却不安分，一把抱住了阿珠。

这是异样的滋味。自懂人事以来，阿珠就没有这样子为人紧抱过，而况是面对面在黑头里。虽明知道对方跟自己一样是女人，但仍然禁不住怦怦心跳。

“松手！松手！”阿珠轻喊，“抱得我气都透不过来了。”

七姑奶奶略微松了些。“现在你用不着怕难为情了。”她说，“有话尽管讲。”

“我没有什么话好讲。”

“那么你就想，”七姑奶奶说，“想我就是阿龙。”

阿珠被她说得脸上火辣辣发烧，一面挣扎，一面喘气：“嗳！真不得了，从没有遇见过你这样的人！”

“这怕什么？嘴馋没有肉吃，想想肉味道都不可以？”

“有啥想头。想得流口水！”

“这倒是真的。”七姑奶奶又把她抱紧了，不但如此，还这样要求，“你也抱紧我。”

“我不来！”

“来嘛！心肝。”七姑奶奶腻声说道，“我抱的是你，心里想的是我死掉的那一个。”

阿珠大出意外，没有想到自己会成为她丈夫的替身，心有不忍，便姑且顺从，抱紧了她，同时跟她开玩笑道：“我是你的‘老爷’，你明天要服侍我洗脚！”

“你正好说反了，从前是我们那口子服侍我洗脚。”

“我不相信！男子汉大丈夫，做这种龌里龌龊的事，真正气数！”

“你不懂。”七姑奶奶闻着她的脸说，“夫妇淘里[①]，有许多异出异样

① 淘里：（方言）之间。

的花样，将来等你嫁了阿龙就知道了。”

又是阿龙！阿珠不作声，争辩也无用，而且觉得越争辩似乎越认真，不如随她说去。她心里倒是在想，夫妻淘里有些什么古怪花样？但这话问不出口，只希望七姑奶奶自己说下去。

七姑奶奶哪里猜得到她是这样的心思？看她不响，她也不开口，抱着阿珠，别有绮想，就这样神思昏昏地，一觉睡到天亮。

是阿珠先惊醒的。只听见有人叫门道：“阿七，阿七！”这是尤五嫂的声音，“张家妹子！你醒醒！”

“来了！”阿珠听得尤五嫂的声音有异，急忙推醒七姑奶奶，“你听，五嫂在叫你，好像出了什么事似的。”

七姑奶奶定定神，一骨碌下床，拔开门闩，只见尤五嫂的脸色有些惊惶。

“怎么搞的！都叫不醒。”尤五嫂一脚跨进门来，拉住七姑奶奶的手，连连摇撼，“小刀会造反，上海昨天失守了。”

“喔！”七姑奶奶回身看了看阿珠，“不要把她吓一跳！到我房里去说。”

这句话反而说坏了，阿珠的耳朵尖，已经听得清清楚楚，急急赶过来问道：“七姐，出了什么事？”

“你慌啥？”七姑奶奶很沉着地指着她嫂子说，“我也是刚听她说，说上海失守了！”

阿珠何能不慌？小刀会要起事的消息，事先她毫无所闻，只想到上海失守，她父亲便要陷在里面，还有陈世龙，还有胡雪岩。都是有关系的人，如今一起都有危险，因而急得快要哭了。

“你怎么想不穿！”这些时候，就看出七姑奶奶的“本事”来了，说出话来，明白有力，“我五哥也在上海，难道我倒不急？”

想想不错，尤五嫂似乎也不怎么着急，可见得事情不要紧，再想到尤五的手面，越发心宽。当然，关切还是关切，不过看她们姑嫂有正事要谈，只得暂时忍耐，回头再来打听。

尤五嫂没有工夫来管她，拉着七姑奶奶的手说："你快去穿衣服。嘉定有人来了，你去跟他见个面。"

听她这一说，七姑奶奶拉着尤五嫂就走，到了她自己房里匆匆漱洗，拢一拢头发，穿裙着衫，走来走去地忙着。尤五嫂便跟来跟去，把嘉定来客的话，告诉了她。

* * *

这个不速之客是嘉定的一个土豪周立春派来的。周立春与刘丽川有勾结，所以上海一起事，周立春预备在嘉定响应。他事先曾经跟尤五接头，希望"有福同享，有难同当"，尤五不愿蹚这浑水，但也不便得罪他们，所以一直采取敷衍的态度。以前可以敷衍，但此刻到了真刀真枪要上场的时候，那就敷衍不过去了。

"我来跟他说。"七姑奶奶小声诅咒着，话又难听了，"他娘的！只有强奸，没有逼赌！造反又不是去吃花酒，还有啥硬拉牢了一起走的？"

"你又来了！"尤五嫂又气又急，"求求你，姑奶奶！你要跟他去吵架，还是不要去的好。"

"唉！五嫂，你又看得我那样子草包了！我不过在这里发发牢骚，见了面，人家总是客人，我无缘无故得罪他做什么？"七姑奶奶推着她说，"你先去应酬应酬，要特别客气，不要冷落人家。"

"不要紧。我开了早饭，请他在这里吃酒。"尤五嫂说，"人家是连夜赶来的。"

"那么，你看他吃好了，请他在五哥的那间房子里见面。"

尤五有间密室，看是孤零零一座院落，四外隔绝，其实有地道与外间相通。七姑奶奶为怕走漏风声，特意约在那里相会。

那个人是周立春的本家兄弟，排行第六，七姑奶奶也认识，但谈这些事，非另有凭信不可。因而一见面，她先这样问说："周六哥，你要寻我五哥有啥话说呢？”

周六略略踌躇了一下答道：“七姑奶奶，立春有几句机密话——”

“慢点！周六哥，”她拦着他说，“既然是周大哥的机密话，你总晓得规矩？”

“喔，我倒忘记掉了。”周六歉意地笑着，伸手到腰上去掏摸。

他掏摸出来一块汉玉，送到七姑奶奶手里，这是信物。周立春因为造反是要杀头的机密大事，往来接洽，不便形诸笔墨，而派人传话，却又口说无凭，便与尤五作了个约定，用这块汉玉作为凭证。无此信物，守口如瓶，七姑奶奶知道有这样一个约定，所以首先就要查问。

验明无误，她把汉玉交了回去，接着便说：“周六哥，你晓得我们这里情形的，你有话跟我说也一样。”

“是，是！我们也晓得七姑奶奶女中丈夫，令兄凡遇大事，都要跟你商量。”周六说到这里，不放心似的往外面看了一下，然后把声音放得极低，“上海方面的情形，七姑奶奶想必已有消息？”

“我也是刚刚听说，详细情形还不晓得。”

“上海已经成功了。刘大哥有洋人撑腰，事情很顺手，以后还要顺手。苏州的绿营兵，湖州人居多，跟刘大哥是同乡，已经约定，就要起事。”周六顿了一下，很吃力地说，“立春也就要在这两三天动手，以前跟尤五哥谈过，尤五哥答应到时候一定帮忙。我今天来，就是来谈这件事。”

“喔，”七姑奶奶从从容容地答道，“你们谈过这件事，我是晓得的。不过我没有听我五哥说过一定帮忙的话。”这一下就谈不下去了，周六愣住在那里，一脸懊丧之色。

“周六哥，我五哥最讲义气，为朋友上刀山、下油锅，他都肯的。是不是？”

“是啊！”周六连连点头，“就为此，立春才来请尤五哥帮忙的，大家‘有福同享，有难同当’。”

“实不相瞒，我五哥眼前就是难关。”七姑奶奶正好接住他的话，“如果是前一两年，我五哥有啥推辞便是孙子王八蛋，眼前真正叫有心无力。为啥呢？为来为去为的是，不晓得哪个赃官想出来的，断命的‘海运’呀！”

“海运？”周六问道，“是说漕米改海运？”

“是啊，漕米改了海运，挑沙船帮发财！走关东的沙船，本来一向是装了压舱石头到北边的，现在改装漕米，平白里赚一笔水脚银子，运到天津不出事，还有啥‘保举’，沙船帮老大也做官了，气数不气数！”七姑奶奶咽了口唾沫，接下去又说，“沙船帮交贼运，我们漕帮要没饭吃了。松江是疲帮，你也晓得的，我五哥当这个家，真正是黄连当饭，苦头吃足。转眼重阳节边，西北风起，漕帮弟兄的夹衣裳都还在当铺里，我五哥不能不想办法。现在陪了个‘空子’到上海去做丝生意了，多少想掏摸几个，贴补贴补。周六哥你倒想想，我五哥在江湖上的身份，倘不是穷极无奈，怎么肯去服侍一个空子？这样子泥菩萨过江，自身难保的时候，怎么帮得上周大哥的忙？”

一番话说得周六哑口无言，好半天才说了句：“既然如此，尤五哥为啥又说，到时候一定帮忙。”

“这就是我五哥的为人。你现在跟他去说，他还是会答应帮忙。不过这个忙，照我看，是越帮越忙。”

“噢！”周六深为诧异，“这是啥道理？”

“啥道理？吃饭的道理。”七姑奶奶答得极其爽脆，“漕米为啥改为海运，说运河水浅，有时候漕船不通，这好想办法；时世一乱，漕船走不过去，那才是死路一条。帮里的弟兄，对‘长毛’都摇头，现在再要他们跟周大哥一起走，表面不说，心里另有打算。万一做出啥对不起人的事来，我五哥一定压不住。这不是越帮越忙吗？”

周六听她这一说，打了个寒噤。果然要松江漕帮协同起事，说不定洋枪到手，枪口朝里，那岂是儿戏之事？

不过，仔细想一想也不对。俗称“通草”的“通漕”，周六也见过，上面记着，陆祖命翁、钱、潘三祖下山行道，行的就是“反清复明”的道。陆祖说的两首偈子，第一首中的“前人世界后人收”，就指的是光复大明江山；第二首中“日月巍巍照玉壶”，日月合成“明”字，“壶”字谐音“胡”，指的是满清，也有反清复明的意思在内。那么，现在起事反清，漕帮弟兄何能倒戈?

他是想到就说，而七姑奶奶报以轻蔑说：“周六哥，这些道理不晓得是啥辰光留下来的?‘皇帝不差饿兵’，饭都没得吃了，现在想大明江山，不好笑?”

再说下去，依然无用。这一趟完全白来。周六想了想，只好这样说：“那么，七姑奶奶，我今天这番话，算是没有说，你也当作不曾听见过好了。”

这话她懂。“尽管请放心！我哪里会做这种半吊子的事?如果周六哥你今天跟我说的话，漏一个字到外面，你尽管来寻我们兄妹说话。”她接下来又极诚恳地说：“周六哥，害你白来一趟，我心里真正过意不去。不过事情明摆在那里，实在力不从心。请你回去跟周大哥说，这一次真对不起他，别处有用得着我们的地方，尽管吩咐。话再说回来，我们也有请周大哥照应的时候，‘行得春风有夏雨’，只要力量够得到，帮朋友就是帮自己。”

周六暗暗点头，都说这位七姑奶奶办事跟男子汉一样，果然名不虚传。这几句话还有打招呼的意思在内，事情不成，朋友要交，索性买买她的账。

“这就是七姑奶奶的话了！尽管请放心！嘉定过来青浦，青浦过来松江，过几天到了贵宝地，有老太爷在决不敢惊动的！”

“周六哥，你这句话值钱了。我替松江老百姓，谢谢你！”说着，她学男人的样子，抱拳作了个揖。

总算不伤和气，把周六送出后门，七姑奶奶心里不免得意，笑嘻嘻地回到后面。尤五嫂迎着她问道：“怎么说法?”

“没事了！”她守着给周六的诺言，“详细情形也不必说，总而言之一句话，五哥的麻烦，我通统把它扫干净了！”

“真正亏得你！”尤五嫂极欣慰地，“实在也要谢谢胡老板，不是他来，你五哥不会到上海去。叫他自己来应付，还不如你出面来得好。”

“这话倒是真的。”七姑奶奶想了想说，“五嫂，我今天要到上海去一趟。”

“应该去一趟。”尤五嫂说，“就怕路上不好走。”

“怕什么？”七姑奶奶毫不在乎的，“他们闹事是在陆路上，我们坐船去，根本就碰不见。碰见也不要紧，凭我还会怕他们？”

“那好，你就赶快去一趟，叫你五哥在那里躲一躲，省得那班‘神道’又来找麻烦。”

“我晓得。我去收拾东西。五嫂，你关照他们，马上替我备船。”

于是七姑奶奶回到自己卧室，匆匆收拾随身衣物。正在手忙脚乱的当儿，阿珠悄悄地走了进来，有所央告。

“七姐！”她用耍赖的神态说道，“我不管，你一定要带我一起走。”

“咦！”七姑奶奶有些诧异，“我又不是去玩儿。”

“我也不是去玩儿。我要去看我爹，不然不放心。”

“话是不错，走起来有难处，路上不平靖。”七姑奶奶郑重其事地说，“你想想看，造反的人，哪个不是无法无天？遇见了，不是好玩儿的。”

“我不怕！”阿珠豁出去了，“大不了一条命。”

“他不要你的命，要你的身子。”

听这句话，阿珠不能不怕，愣了一会儿说：“那么你呢？”

“我不要紧，跟他们‘滚钉板’，滚过明白。”七姑奶奶又说，“我再告诉你，我学过拳头，像阿龙这样的，三五个人，我一样把他们‘摆平’！”说完，她拿起墙角的一枝青皮甘蔗，右掌平平地削过去，也不见她如何用力，甘蔗却已断成两截。

这一说一试，效用恰好相反，阿珠对她本就信赖，现在看她“露了一手”，益发放心，轻松地笑道：“我有个女镖客保镖，还怕什么？我跟你走定了！我也去收拾东西。”

“慢点，慢点。”七姑奶奶一把拖住她，想了又想，无奈点头，“你一定要去，我就依你。不过，说实话，像你这样人又漂亮，年纪又轻的人，我带了你走，责任很重。你要听我的话做，不然——”

“听，听！”阿珠抢着表示态度，“不管你怎么说，我都听。”

“那么，”七姑奶奶说，“你也不是没有在江湖上走过的，总晓得女人有女人的笨法子。你有没有粗布衬裤？”

阿珠也听人说过这种“笨法子”，很愿意试一试，但是——

“粗布裤子倒没有。”她说。

“那就多穿两条。”

阿珠依言而行，穿了三条衬裤，两件紧身小马甲，到了七姑奶奶那里，关紧房门，拿针线把裤腰裤脚和小马甲的前襟，缝得死死的。这样子，遭到强暴，对方就很难得逞了。

到了饭后，正预备下船，突然来了个意想不到的人，是陈世龙。他一身泥泞、十分狼狈，但精神抖擞，脸上充满了经历艰险，安然到达目标的快慰。

这一到，立刻为尤家的人所包围，都要听他从上海带来的消息。七姑奶奶和阿珠也就停了下来，先听他说了，再定行止。

“你是怎么来的？”尤五嫂急急问道，“我们的人都好吧？”

“都好，都好！”陈世龙大声答道，“都住在夷场，安稳得很。”

有这句话，大家都放心了。“那么，上海县城呢？”尤五嫂又问。

“县城失守了。”陈世龙所了解的情形，相当完整，于是从头细说，“小刀会要起事，早有谣言了，坏在吴道台手里——”

吴道台是指苏松太兵备道吴健彰。他跟刘丽川是同乡旧识，而上海县的团练又多是广东、福建人，因此，吴健彰对于小刀会利用团练起事的流言，不以为意——在他的想法，小刀会起事，就是跟他过不去，有彼此的交情在，刘丽川不会做出什么对不起人的事来。

谁知刘丽川已经跟太平天国的“丞相”罗大纲有联络，同时与英国领事温那治有所勾搭，决定于“丁祭”那天起事，先攻县衙门。

上海县知县名叫袁祖德，是袁子才的孙子，由捐班的宝山县丞，升任上海知县。这天一早他整肃衣冠，预备坐轿到文庙去上祭，人刚走出大堂，拥进来一群红巾裹头的乱民。为头的叫小金子，袁祖德曾经把他当流氓抓来办过罪。仇人相见，分外眼红，雪亮一把刀立刻递到袁祖德胸前。袁祖德倒也是个硬汉，破口大骂，不屈而死。吴健彰得到消息，溜到了英国领事署，总算逃出一条命。

于是道署、县署、海关，都被一抢而空。小刀会占据了小南门乔家浜、沙船帮巨擘郁馥山新起的大宅作巢穴。城内乱得很厉害，但“红巾”不敢入夷场一步，因此难民纷纷趋避，十里夷场反倒格外热闹了。

“官兵呢？”七姑奶奶问道，“难道不打一打？”

“官兵少得很，根本不敢打，带兵官是个守备，姓李，上吊死了。”

“鸭屎臭！”七姑奶奶不屑地，“有得上吊，为啥不拼？”

“不去管这些闲事了。”尤五嫂问，“你是怎么来的？”

“我特地来送信，口信。”陈世龙看了看说，“可以不可以到里面去说？”

这自是机密信息。引入内厅，陈世龙告诉尤五嫂说，尤五特地嘱咐，如果嘉定有人来，好好敷衍，千万不可得罪。

“原来是这么一句话！”七姑奶奶问道，“怎么会叫你来的呢？”

这话问得有理，尤五手下多的是人，传这样的信息，理当派自己人，何至于劳动来作客的陈世龙？

“其中有个道理，”陈世龙道，“胡先生叫我把珠小姐送回湖州，顺便就要我带个口信。”

“这——”七姑奶奶深感意外，“这是为啥？”

“胡先生说兵荒马乱，还是回去的好。张老板也是这么说。”

“这要问问她自己。”七姑奶奶忽然又说，“这样吧，我们已经约好一起到上海，船都备好了，你跟我们一起走，有啥话到上海再说。”

“好的。啥时候走？”陈世龙看着身上说，“我一身烂污，总得先洗个澡。”

等陈世龙到“混堂”里去洗澡的工夫，七姑奶奶才去找到因为他们要传机密口信而回避的阿珠，说了陈世龙此来的本意，以及她的决定。阿珠自然表示同意，但也不免奇怪，胡雪岩此刻正当用人之际，何以肯放陈世龙专程送她回湖州？

这就是七姑奶奶厉害了，一下子就看出是胡雪岩替陈世龙安排机会。漫漫长途，寡女孤男，而又当一个此身无托，一个爱慕不已，彼此都有了意思的时候，只怕如干柴烈火，生米很快可以煮成熟饭。但是，七姑奶奶自己觉得对他们俩的了解，比胡雪岩更深，有把握促成好事，所以自作主张，改变了胡雪岩的安排。

* * *

舟入吴淞江，顺风顺水，一夜工夫就到了上海。船不敢再泊小东门，在洋泾浜上岸，直接坐轿到了裕记丝栈。丝栈里乱得一团糟，连走廊上都打着地铺，全是县城里和浦东一带逃难来的，沾亲带故，半央求、半强占地住了下来。

七姑奶奶也是第一次到这里来，一看这情形就喊了起来：“这里怎么住法？五哥他们住哪里？”

“不要吵，不要吵！有地方。”

陈世龙引着她和阿珠，径自走到最后，另有道黑漆石库门，虚虚掩着，推开一看，别有天地，三开间一楼一底，堆满了丝包。

“咦！阿珠。”阿珠抬头一看，是她父亲正开了楼窗在喊。

“楼下堆丝，楼上住人。”陈世龙告诉七姑奶奶说，“上楼再说。”

老张下楼把他们接到楼上，父女相见，因为有了一番变乱的缘故，所以多少有恍如隔世之感。坐定下来，七姑奶奶问道：“他们呢？”

这是指尤五和胡雪岩。“洋人请他们吃番菜，谈生意，大概快要回来了。”老张又问她女儿，“我跟雪岩商量，叫世龙送你回湖州，你怎么跑到上海来了？”

“是我的主意。”七姑奶奶抢着答道，“好在也方便得很，闲话少说，张老板，对不起你，请你楼下坐一坐，我们要房间用一用。”

这话真说到了阿珠心里，自从用了那个“笨法子”，大不“方便”，她连茶都不敢多吃一口，急于解除束缚，轻松一下，所以帮着七姑奶奶催：“爹，你先请下去，快，快！”

老张莫名其妙，但女人的事也不必多问，提着旱烟袋就走。陈世龙自然也要下楼，指一指左右说：“两间房都开着，随便你们用哪一间。”

“阿龙，”七姑奶奶喊住了他，从来不晓得什么叫难为情的人，这时也不免有些忸怩，窘笑着说，“拜托你一件事，也不晓得他们这里有没有娘姨，大厨房在哪里？替我们提一桶热水来，好不好？”

“怎么不好？”陈世龙也很机警，“胡先生房间有个新买的脚盆，你们用好了。”说着，他“噔、噔、噔”一直下楼。

“你看，”七姑奶奶低声对阿珠笑道，“阿龙替你提洗脚水去了！”

阿珠无心理她的戏谑，匆匆奔进房去。七姑奶奶自然也跟着行动，两个人的手脚都很快，关紧门窗，相互帮忙，在黑头里摸索着，解除了束缚。

不久，楼梯声响，是陈世龙提了水上楼，一壶热水、一桶凉水，交代明白，便待下楼。

“阿龙慢一点！”七姑奶奶喊道，“黑咕龙冬的怎么办？要替我们拿盏灯来。”

那间房正就是他跟老张的卧室，因而答道：“我桌上有洋蜡烛，还有包红头洋火，在我枕头下面。”

“哪张床是你的？”

“靠壁的那张。”陈世龙说，“红头洋火，随便哪里一划就着，当心烧着手。”

“晓得了！你不要走，我还有事情要你做。”

七姑奶奶摸着洋火，取一根在地板上一划，出现小小一团火。她向阿珠那里一照，只见一身细皮白肉，阿珠正拿件布衫在胸前挡着。她刚想开句玩笑，只见阿珠一张口把火柴吹灭，低声说道："当心他在外面偷看。"

转脸一望，果然壁间漏光，有缝隙可以偷窥，七姑奶奶便问："阿龙，你在外头做啥？"

"我坐在这里，等你有啥事情吩咐。"

"你不是在'听壁脚'？"七姑奶奶格格笑着，"你要守规矩，不准在外头偷看。"

陈世龙笑笑不响，阿珠便低声埋怨她："你不是在提醒他？洋蜡烛不要点了！"

这句话让外面的陈世龙听到了，心里不知道是怎么一股滋味，他想想还是"守规矩"要紧，便大声说道："没有事我就下楼去了。"

七姑奶奶这时也觉得让他避开的好。"那谢谢你了。"她说，"你在楼梯口替我们把守，不要让人闯上来。"

有陈世龙把守楼梯，大可放心。七姑奶奶到外面胡雪岩房间里，找着脚盆，提水进来，两个人大洗大抹了一番，然后取出梳头盒子，重新涂脂抹粉，打扮得头光面滑，换了一身干净衣服，才开了房门出来。

巧得很，正好裕记丝栈的老板娘，听说有"堂客"到了，带了一个粗做娘姨和一个丫头赶来。七姑奶奶是认得她的，招呼一声"陈太太"，接着便替阿珠引见。

等娘姨在楼上替她们收拾了残局，宾主坐定寒暄，问了问路上的情形，陈太太邀她们到家去住。

七姑奶奶怕拘束不肯去，转身跟阿珠商量。阿珠也不愿住陈太太家，便以见了她父亲，马上就要回湖州，不必费事作推托。七姑奶奶也设词力辞，陈太太只得由她们。坐了一会儿，陈太太邀客到她家吃晚饭，七姑奶奶答应等他们兄妹见过面，谈完正事再赴约。

于是等陈太太一走，陈世龙动手替她们设榻。老张和他搬到楼下，在丝包旁边安设床位。原来的房间里有一张大床、一张小床，七姑奶奶占大床，阿珠用小床。而这张小床，正是陈世龙原来所睡的。

刚刚安置停当，胡雪岩和尤五回到了裕记丝栈。时地相异，感觉不同，胡雪岩固然神态自若，阿珠也还显得从容。七姑奶奶略略道了决定到上海来的缘由，随即向尤五使个眼色，示意避人密谈。尤五因为跟胡雪岩已到了共机密的程度，所以顺手把他一拉，一起来听七姑奶奶的报告。

“嘉定的人，昨天早晨来过了——”她把经过情形，细说了一遍。

“这样应付也好！”尤五很欣慰的。

默默在一旁听着的胡雪岩，不曾想到七姑奶奶如此能干，不免刮目相看。她发觉了他的眼色，心里觉得很舒服，便笑着问了句：“小爷叔，你看我说错了话没有？”

“当然不错！”胡雪岩转脸对尤五说，“这下了掉一件心事，我们在上海可以好好动一动脑筋。”

尤五先不答他的话，向他妹子低声叮嘱：“阿七，我一时不能回去，家里实在放不下心，趁这一两天，路上还不要紧，你赶紧回去吧！”

七姑奶奶点点头，问起他们在上海的情形：“生意怎么样？”

这话在尤五就无从置答了，只是微微叹口气，见得不甚顺手。

“生意蛮好！”胡雪岩却持乐观的态度，“正在谈，就要谈出结果来了。”

事实上不容易谈得出结果，胡雪岩坚持不卖，洋行方面因为小刀会起事的关系，是在观望之中，所以最大的两项“洋庄”货色——茶和丝都变成有行无市，混沌一团。尤五因为生意方面不大在行，而局势甚乱，自不免悲观，因而才叹气不答。

“阿七，”尤五又说，“你明天就回去吧！”

“晓得了！”七姑奶奶不悦，“我会走的。不过张家妹子是我带到上海来的，总要把她作个交代。”

“交代她爹就是了。”

话是不错，但七姑奶奶一心要牵那条红线，巴不得当时就有个着落，而这话又似乎不宜出口，因而沉默着。

“七姐！”胡雪岩看出她的热心，安慰她说，“事情是一定会有个好好交代的，急也急不得。我想把她先送回湖州，叫世龙送了去，那也就算是有交代了。”

“嗯，嗯。”七姑奶奶不置可否地，然后又说，“裕记老板娘今天请我们一起去吃夜饭，也该走了。”

“不行！”尤五摇头，“我们今天夜里约好一个要紧人在那里。你们去吧！”

于是乍一相见，匆匆又别，尤五和胡雪岩席不暇暖地，赶到一家“堂子”里去赴约会。

第二章

要会的那个要紧人姓古，广东人，是个“通事”，结交的洋朋友极多，对英国人尤其熟悉。而在上海的英国人，自从洪秀全在江宁“开国”，便有许多花样。尤五和胡雪岩去会那姓古的，就是要打听这些花样。

尤五在上海的路子也很广，他辗转打听到，英国洋行已经跟洪军展开贸易。曾经有两只英国兵船，从上海开到下关，洪军起初以为是官军邀来助阵的，大起戒备。谁知英国人带了一名通事上岸，一开口就表明，此来特为通商。英国人的商品是枪械火药，以货易货，换来的是洪军从长江东下沿路掳掠所获的珠宝古玩。那家洋行大获其利，而所带的通事，就是这个姓古的，名叫古应春。

于是胡雪岩又有了新的主意，他跟尤五商量，最好能够跟古应春结交，在珍宝和枪械方面都有生意好做。尤五对胡雪岩已到了言听计从的地步，便设法托人从中介绍。前一天几人已在吃花酒的场面上见过面，当时约定，这天是尤五回请，全班人马，一个不缺——但其实主客只有一个古应春。

设席的地点在宝善街怡情院。尤五是这家“长三堂子”的主政怡情老二的恩客，所以连带胡雪岩亦有宾至如归之乐。胡雪岩到了那里，在“大房间”落座，刚刚卸去长衫，便听“相帮”在喊客到。怡情老二亲自打开帘子，只见古应春步履轻快地踏上台阶了。

“古大少，真真够交情。”怡情老二盈盈笑着，“第一个到。”

“尤五哥请客不能不早点来。”古应春又说，“而且是在你这里请客，更不能不早到。”

“这是我沾尤五少的光，谢谢，谢谢！”

“承情之至。”尤五也拱手致谢，接着向里一指，“要不要里头躺一会儿？”

“我是过足了瘾来的。不过躺一会儿也可以。”

一听这话，怡情老二便喊：“点灯！”接着把古应春的哔叽袍子接过来，引入里间。

里间就是怡情老二的香闺，一色红木家具，却配了一张外国来的大铜床，雪白珠罗纱的帐子吊得高高的，床上已设着一副极精致的鸦片烟具。古应春略略客气了一下，先在上首躺下。对面的空位，尤五让胡雪岩，胡雪岩又让尤五。这是一番做作，胡雪岩是客，而且有话要问古应春，自然该他相陪。

“香”过两筒烟，说过一番闲话，怡情老二要去招呼“台面”，尤五也另有客要陪，小屋间里便只剩下胡、古二人。胡雪岩已经看出，古应春也是个很“外场”的人物，不难对付，因而一上来便用请教的口气说：“应春兄，我总算运气不错，夷场上得有识途老马指点，以后要请你多多指教。”

“不敢当。”古应春笑道，“尤五哥是我久已慕名的，他对你老兄特别推重。由此可见，足下必是个好朋友，我们以后要多亲近。”

“是，是！四海之内皆弟兄，况且海禁已开，我们自己不亲近，更难对付洋人了。”

“着！”古应春拿手指拍着烟盘，“雪岩兄，你这话真通达。说实在的，我们中国人，就是自己弄死自己，白白便宜洋人。”

这话就有意思了，胡雪岩心想，出言要谨慎，可以把他的话套出来。

“现在新兴出来‘洋务’这两个字，官场上凡是漂亮人物，都会‘谈洋务’，最吃香的也是‘办洋务’。这些漂亮人物我见过不少，像应春兄你刚才这两句话，我却还是第一次听见。”

“哼！”古应春冷笑着，对胡雪岩口中的“漂亮人物”做了个鄙夷不屑的表情，“那些人是闭门造车谈洋务，一种是开口就是‘夷人’，把人家看做茹毛饮血的野人；再一种是听见‘洋人’二字，就恨不得先跪下来叫一声‘洋大人’。这样子谈洋务、办洋务，无非自取其辱。”

“这话透彻得很。”胡雪岩把话绕回原来的话头上，“过与不及，就‘自己人弄死自己人’了。”

“对了！”古应春拿烟签子在烟盘上比划着说，“恨洋人的，事事掣肘；怕洋人的，一味讨好，自己互相倾轧排挤。洋人脑筋快得很，有机可乘，绝不会放过。这类人尤其可恶。”

胡雪岩看他那愤慨的神情，知道他必是受过排挤，有感而发。“不遭人妒是庸才”，受倾轧排挤的人，大致能干的居多。看他说话，有条有理，见解亦颇深远，可以想见其人。于是胡雪岩心想，自己正缺少帮手，尤其是这方面的人才。倘或古应春能为己所用，岂不大妙？

这个念头，几乎在他心里一出现，就已决定，但却不宜操之过急。想了想，他提出一个自信一定可以引起古应春兴趣的话题。

“应春兄！”他矍然而起，从果碟子抓了几粒杏仁放在嘴里大嚼，嘴唇动得起劲，说话便似乎格外显得有力，“我有点不大服气！我们自己人弄死自己人，叫洋人占了便宜，难道就不能自己人齐心一致，从洋人手里再把便宜占回来？”

古应春听了胡雪岩的话，只是翻眼，一根烟签子不断在烟盘戳着。好久，他说：“雪岩兄，从来没有人跟我说过这话。上次开了两条兵轮到下关去卖军火，价钱已经谈好，要成交了，有个王八蛋跑来见洋人，他会说洋文，直接告诉洋人，说洪军急需洋枪火药，多的是金银珠宝。说这句话，洋人反悔了，重新议价，涨了一倍还不止。这就是洋人占的大便宜！我也一直不服气。能够把洋人的便宜占回来，哪怕我没有好处也干。于今照你所说，自己人要齐心一致，这句话要怎么样才能做到，我要请教。”

“这话倒是把我问倒了。”胡雪岩说，“事情是要谈出来的，现在我还不大知道洋人的情形，说不出个所以然来。不过既说齐心一致，总要有个起头。譬如说，你、我，还有尤五哥，三个人在一起，至诚相见，遇事商量，哪个的主意好，便照哪个的做，就像自己出的主意一样。这样子一步一步把人拉拢来，洋人不跟我们打交道则已，要打，就非听我们的话不可！”

“好！”古应春也一仰身坐了起来，“三人同心，其利断金。就从你、我、尤五哥起头。我洋行里那个‘康白度’也不要做了。”

洋行里管事的人叫“康白度”，是洋文的译音，地位非仅仅负传译之责的通事可比。胡雪岩觉得他不须如此做法。

“应春兄，”胡雪岩首先声明，“自己人说话，不妨老实。你洋行里的职位，仍旧要维持，不然跟洋人打交道不方便，而且这一来，洋人那里的消息也隔膜了。”

古应春原是不假思索，是想到就说的一句话，即使胡雪岩不点明，他回想一下，也会改变主意的。因而他当然一迭连声地表示同意。

“我在想，”胡雪岩踌躇满志地说，“你刚才所说的‘三人同心，其利断金’。这句话真正不假。我们三个人，各占一门，你是洋行方面，尤五哥是江湖上，我在官场中也还有点路子。这三方面一凑，有得混了！”

古应春想一想，果然！受了胡雪岩的鼓舞，他也很起劲地说：“真的，巧得很！这三方面要凑在一起，说实在的，真还不大容易。我们明天好好谈一谈，想些与众不同的花样出来，大大做它一番市面。”

* * *

因为有此契合，这顿花酒吃得十分痛快。尤五的手面很大，请的客又都是场面上人，每人都叫了两三个局，莺莺燕燕，此去彼来，弦管嗷嘈，热闹非凡。吃到九点多钟，又有人“翻台”，一直闹到子夜过后，才回裕记丝栈。七姑奶奶和阿珠都已累了一天，早早入梦。老张是一向早睡早起的。只有陈世龙一个人，泡了一壶好茶在等他们。

“五哥，你困不困？”胡雪岩兴致勃勃地问。

“不困。”尤五问道，“你有啥事情要谈？”

“事情很多。”胡雪岩转脸说道，“世龙，你也一起听听，我今天替你找了个读洋文的先生。”

这一说，尤五立即明白：“你是说古应春！你们谈得怎么样？”

“谈得再好都没有了——”胡雪岩把他跟古应春在烟榻上的那一席对话，原原本本地说了给尤五听。

尤五比较深沉，喜怒不大形于颜色，但就算如此，也可以发现他眉目轩豁，这几天来阴沉沉的脸色，似乎悄然消失了。

“你的脑筋快，”他用徐缓而郑重的声音说，“倒想想看，跟他有什么事可以做联手的。”

“眼前就有一样，不过——”胡雪岩的尾音拖得很长。

“咦！”尤五诧异了，“有啥为难的话，说不出口？”

“我不晓得你跟卯金刀，到底有没有交情？”

“卯金刀”是指刘丽川。尤五当然明白，很快地答了句：“谈不上。”

“我这么在想，英国人反正做生意，枪炮可以卖给太平军，当然也可以卖给官军。今天我在席面上听说，两江总督和江苏巡抚，都为了卯金刀在伤脑筋。虽然奏报出去，轻描淡写，好像是地方上闹事，但其实是想多派兵，一仗把他打倒。既然如此，枪炮、火药是要紧的，我们好不好先替他们办个‘粮台’，等他们的兵一到，就好出队打仗。如果你认为这个办法可以，我马上到苏州去跑一趟，江苏巡抚许乃钊是我们杭州人，一定可以找得到路子见一见他。”

“主意倒是不错。不过我不能做。”

“是因为‘圈吉’的关系？”胡雪岩问。

"圈吉"周，是指周立春。尤五点点头说："一点不错，不过你跟他没有交情，你可以做。"

"那就算了。第一，要做，就是大家一起来；第二，人家也晓得我跟你的交情，如果你觉得有妨碍，我做了一样也有妨碍。"

尤五听得这话，大感快慰。他心里是巴不得胡雪岩不要做，但"光棍不断财路"，明明是笔好生意，自己不能叫他罢手，所以那样言不由衷地说"你可以做"。

"我还有第二条路子。浙江现在正在办团练，湖州由一位姓赵，名叫赵景贤的绅士出面。此人极其通达能干，跟王雪公的公谊私交都不错，我一说就可以成功。"

"那好！这笔军火生意，我们一起来做。"

"就有一样麻烦，要尤五哥你有办法才能成功。"胡雪岩说，"英国人的兵船开不到湖州，只能在上海交货。上海运到湖州，路上怕有危险。若被抢掉了怎么办？"

"危险也不过上海到嘉兴这一段，一进浙江境界，有官兵护送，哪个敢抢？至于这一段路，归我保险。"尤五又说，"反正我们漕帮弟兄现在都空在那里，要人要船都现成。借此让他们赚一笔水脚，事情再好都没有了。"

"这一说，在我们两个人就算定局了。说做就做，你倒再想想看，你那面还有什么事要我做到的？"

尤五仔细想了想说："你请浙江方面，替我们这里的督粮道来封公事，说要用松江漕帮的船运军火。这样，我对官面上就算有了交代。"

"这一定办得到。"胡雪岩转脸对陈世龙说，"又要你辛苦跑一趟了。"

"到杭州，还是到湖州？"

"先到杭州。如果王大老爷已经回任，你就再到湖州，寻着他算数。不错，"胡雪岩忽然又说，"你正好把阿珠送了回去。"

"好的。啥时候走？"

“最多两三天，等我在这里接好头，写了信，马上就走。”

接头是跟古应春接头。第二天在怡情老二的香闺中，三个人又见了面，胡雪岩说了经过，问古应春，英国人肯不肯将枪炮、火药卖给这方面。

“有啥不肯？他们是做生意，只要价钱谈得拢，什么都卖。”古应春问道，“你要些什么东西，我好去谈。”

这下把胡雪岩难倒了。“这上面我一窍不通。”他说，“只要东西好就好。”

“不光是东西好坏，还有数目多少。总要有个约数，才好去谈，譬如洋枪，应该多少支？”

“总要一千支。”

“一千支！”古应春笑道，“你当一千支是小数目？我看办团练，有五百支洋枪就蛮好了。还有，要不要请教习？洋枪不是人人会放的，不会用，容易坏，坏了怎么修，都要事先盘算过。”

“应春兄，”胡雪岩拱拱手说，“你比我内行得太多了。索性你来弄个‘说帖’，岂不爽快？”

古应春慨然应诺，而且立刻动手。怡情老二亲自照料，移过“叫条子”用的笔砚来，磨浓了墨，却无纸可写，好在是草稿，不妨拿“局票”翻过来，将就着用。

于是古应春一面提笔构思，一面过鸦片烟瘾。烟泡装上烟枪，枪嘴上接根橡皮管子，一直通到他嘴里。十六筒烟抽完，他精神十足，文不加点，洋洋洒洒地写完，递到了胡雪岩手里。

胡雪岩自己不能动笔，看却会看，不但会看，而且目光锐利。像这些“说帖”，最要紧的是简洁，要几句话就能把那些大官儿说动心，才是上品。古应春的笔下很来得，但流畅有余，不免枝蔓。他把洋枪、火药的好处，原原本本谈起，好虽好，看来却有些吃力。胡雪岩心想，这个说帖，王有龄、赵景贤一定会看完，但递到黄宗汉手中，他有没有看完的耐心，就难说了。

“高明之至！”胡雪岩先声色不动地把说帖递给尤五。

“我不必看了。”尤五笑道，“看也是白看。”

“雪岩兄，”古应春接口问道，“我是急就章，有不妥的地方你尽管说。”

“好极了！不过，应春兄，对外行不好说内行话，说了，人家也不懂。我看，前面这一段，有些地方要割爱。”

“我懂！”古应春点点头，“现在谈洋务，都是些闭门造车、自说自话蒙人的玩意。那些谈枪、炮怎么样制造的道理，说句实话，也真没有几个人懂，我可以把它删节。删归删、添归添，你看，哪里还可以多说两句？”

“很好了。还有些地方不说也可以。”

这显然是客气话，古应春便说：“我这个人做事，不做则已，一做一定要把它做好，何况是自己人，尽请直言。”

“既如此，我说出来请你斟酌。第一，说道光年间，‘英、法犯我，不幸丧师，症结所在，厥为刀矛不敌火器’，这句话一针见血，不过还可以着力说两句。”

“对！我自己也有这么个想法。”

“再有一层，应春兄，是不是可以加这么一段——”

胡雪岩所建议增加的是，说英国人运到上海的洋枪、火药有限，卖了给官军，就没有货色再卖给洪军及各地乱党，所以这方面多买一支，那方面就少得一支，出入之间，要以双倍计算。换句话说，官军花一支枪的钱，等于买了两支枪。

“你这个算法倒很精明，无奈不合实情。英国人的军械，来了一批又一批，源源不绝，不会有什么卖给这个，就不能再卖给那个的道理。”

“是的。应春兄，这种情形，我清楚，你更清楚，不过做官的不清楚，京里的皇上和军机大臣，更不会清楚。我们只要说得动听就是。”

古应春看着尤五笑了。尤五的话很爽直：“应春兄，这些花样，我的这位小爷叔最在行，你听他的，包定不错。”

“好！”古应春说，“我都懂了。如果没有别的话，我今天带回去，改好誊正，再连洋行里的估价单，一起开来交给你。”

“慢来！”尤五插嘴问道，“估价单怎么开法？”

“照例是二八回扣。”古应春答道，“如果要‘戴帽子’，我亦可以去说。”

听他的口气，显然不主张浮报价款的“戴帽子”。胡雪岩也觉得一方面不能叫洋人看不起，另一方面对浙江官方要建立信用，不宜在两成回扣以外，另出花样。

“对！”尤五很诚恳地接受，“我原是怕你们疏忽，提一句。既然都曾想过，那就怎么样都是不错的了。”

“不过，”古应春接下来问，“除了洋枪，还有大炮，要不要劝浙江买？”

“这慢一点。浙江有个姓龚的，会造炮——”

姓龚的福建人，名叫龚振麟，曾经做过嘉兴县的县丞，道光末年就在浙江主持“炮局”。从明朝中叶以来，一直在仿制的“红衣大将军炮”，都用生铁翻砂，龚振麟却发明了铸炮铁模，著成‘图说’，还著了一本《枢机炮架新式图说》，在铸炮技术上，颇有改良。他的儿子名叫龚之棠，能得父传。父子二人，都很得浙江大吏的重用。

“当然，打‘群子’的土造大炮，不及西洋的‘落地开花大炮’，但这话不能说！一说，炮局里的人当我们要敲他的饭碗，一定鸡蛋里挑骨头，多方挑剔，结果是连洋枪都不买。”

“雪岩兄，”古应春既感慨又佩服地，“你真正人情熟透，官场里的毛病，被你说尽了。”

“官场、商场都一样！总而言之，‘同行相妒’，彼此能够不妒，什么事都可以成功！”

古应春和尤五，都认为他这句话说得好，因此感情亦特别融洽。在怡情院中，浅斟低酌，谈了许多开展的计划，一直到午夜散席，约定第二天下午，仍旧在原处见面。

古应春走了，尤五宿在怡情老二那里，因为还有事要谈，所以胡雪岩就在怡情院“借干铺”。尤五要谈的是，他这天中午和胡雪岩分手以后，到怡情院重新见面以前，所得来的一个消息。

听说，刘丽川跟英国人联系上了。夷场四周，英国人预备建筑围墙，不让官军进驻，也不准官军借道，但是英国人却预备开放陈家木桥，让刘丽川能够获得军火和粮食的接济。

“照这样子，上海一年半载，不会光复。我们的丝生意，是不是做得下去？现在先要作个打算。”

“这倒要好好想一想。”胡雪岩提出疑问，“上海的关税，是两江的命脉，总不会一直让英国人张牙舞爪，一定有对付的办法。”

“这也听说了。”尤五答道，“两江总督怡大人怡良，因为洋人助逆，早就预备禁止内地跟夷场通商。来源一断，我们在上海还有什么发展？”

“这话分两方面来说，来源一断，货价必高，对我们有利，没有货色，货价再高也无用，对我们无利。”胡雪岩说，“生意还是可以照常做，只要对我们不利的这方面能够避掉。”

“怎么避呢？就是避不掉！”

有个办法，就是走私。以尤五在水路上的势力，呼应灵活，走私亦非难事，但犯法的勾当，胡雪岩不敢做，而且目前事事顺利，也犯不着去干犯法的勾当，就这一转念间，他把到口的话缩了回去。

“小爷叔，我想只有这么样，”尤五自己提出了一个办法，“尽量调动现款，就在上海收货，囤一段时间脱手。另外除了军火以外，有啥生意好做，我们再商量。顶好是我们漕帮弟兄能够一起出力的事，一则大家有口苦饭吃，二则也免得游手好闲去闯祸。”

胡雪岩听出尤五的话中，对漕帮的生计日窘怀有隐忧。既成知己，休戚相关，应该替他分忧，于是胡雪岩问起松江漕帮的困难，看有什么办法好想。这一谈就谈得深了，直到天色微明方始归寝。

一觉睡到近午时分，胡雪岩为怡情院一个“大姐”喊醒，说有客来。起床一看是陈世龙，他递上一封信，说是王有龄专程派人送了来的。胡雪岩启封细看，才知道新城县抗粮滋事案，大功已成，嵇鹤龄不负所望，协同地方绅士，设计擒获首要各犯，已经解到杭州审讯法办。

报告喜讯以外，接着便谈冬漕。因为上海失守，浙江的漕米海运，决定改由浏河出口。这一来便多了周折，所以必须提早一个月启运，连带也就要提早催征，王有龄得要赶回湖州。同时又因为上海失守的缘故，浙江人心惶惶，各地团练都在加紧办理，湖州亦不例外。虽说有赵景贤主持其事，但地方官守土有责，不能不问。所苦的是，海运局的差使还不能摆脱，王有龄分身乏术，希望胡雪岩无论如何回浙江一趟，他有许多事要当面商量。

看完信，胡雪岩又高兴、又为难，而且还有些困惑。高兴的是新城建功，为难的是他亦分身乏术，困惑的是嵇鹤龄应有酬庸，却未见提起。

怎么办？他定神想了想，决定回去一趟，但不能“空手而回”，有两件事，可以先为王有龄做好。想停当了他告诉陈世龙说：“你回去收拾行李，我们明天就走，阿珠也一起走。”

接着，他匆匆漱洗，去找尤五商量。一谈漕米由浏河出口，尤五皱着眉说：“这麻烦大了！”

“怎么呢？”

“浏河在嘉定北面。”

“啊！”胡雪岩失声而呼，漕米驶运到浏河，由青浦、嘉定这一条路走，是不可能了，“那么，该怎么走呢？”

“要兜圈子！”尤五蘸着茶在桌上画出路线，“从嘉兴往北，由吴江、昆山、太仓到浏河。”

“这真是兜了个大圈子。”胡雪岩又问，“太仓是不是靠近嘉定？”

“是啊，太仓在嘉定西北，四五十里路。”说着，他深深看了胡雪岩一眼，意思是要当心周立春劫漕米。

胡雪岩心里明白，灵机一动，笑嘻嘻地说道：“尤五哥，你的生意来了。靠交情卖铜钿，浙江冬漕最后到浏河那段路，归你包运好不好？”

这是顺理成章、极妙的事，但尤五因为来之太易，反有天下哪有这种好事的感觉，一时竟茫然不知所答。

“怎么样？”胡雪岩催促着说，“这件事我有把握，完全可以作主，只等你一句话，事情就算定局。”

“不晓得‘那方面’买不买我的账？”尤五踌躇着说。

出入关系，就在这一点上，所谓“靠交情，卖铜钿”也就是这一点。胡雪岩说道：“尤五哥，别的我都可以替你出主意，这方面要你自己才有数，我不便说什么！”

“是的。”尤五深深点头，“这要我自己定主意。说实话，既然答应下来，要有肩胛，不能做连累你和王知府的荒唐事。这样，为求稳当，我只能暂且答应你。好在日子也还早，我托人跟‘圈吉’去打个招呼看看，如果口气不妙，我立刻通知你，只当没有说过这回事。你看怎么样？”

“你怎么说，怎么做。我们假定事在必成，先商量商量怎么个办法。”

于是议定浙江漕船到吴江，归尤五接驳转运，到浏河海口为止。因为包运要担风险，水脚自然不能照常例计算。胡雪岩答应为他力争，多一个好一个。

谈完了一件谈第二件，胡雪岩这就要去找古应春。胡雪岩估计情势，浙江当道不但一定会买洋枪，而且因为上海失守，人心惶惶，防务亟待加强，所以对洋枪的需要，会备感急迫。胡雪岩看准了这一点，不妨双管齐下，一面带说帖回去，劝浙江当道大批购买，一面带着现货回杭州——如果团练不用洋枪，就劝王有龄买了，供他的亲军小队使用。

* * *

找到古应春家，只见他正衣冠整齐地，预备到怡情院赴约。等胡雪岩说明来意，古应春想了一下问道：“你想要买多少支？”

"先买两百支。"胡雪岩说，"我带了一万两银子在身上。"

"两百支，有现货。你怎么运法？"古应春提醒他说，"运军械，要有公事，不然关卡上一定会被扣。"

"是的。我跟尤五哥商量好了，由上海运到松江，不会有麻烦。我一到杭州，立刻就请了公事迎上来接货，这样在日子上就不会有耽搁了。"

"好！我此刻就陪你去看洋人，当面议价。"说着，古应春拉了胡雪岩就走。

"慢点，慢点！"胡雪岩怯意地笑着，"跟洋人打交道，我还是第一回。"

"你怕什么？"古应春打断他的话说，"洋人也是人，又不是野人生番，文明得很。"

"不是说野蛮、文明，是有些啥洋规矩？你先说给我听听，省得我出洋相。"

"这一时无从谈起。"古应春说，"中国人作揖，洋人握手，握右手。到屋子里要脱帽。洋人重堂客，回头你看见洋婆子要站起来。那个哈德逊太太很好客，最喜欢跟中国人问长问短，洋人的规矩是不大重男女大防的，你不必诧异。"

"这倒好，"胡雪岩笑道，"跟我们尤家那位七姑奶奶一样。"

"你说谁？"

"不相干的笑话，你不必理我。"胡雪岩摇摇手说，"我们走吧！"

于是两乘肩舆，到了泥城桥一座小洋房。二人下轿投刺，被延入客厅，穿蓝布大褂的听差也不奉茶，也不敬烟，关上房门就走了。

隔不多久，靠里的一道门开启，长了满脸黄胡子的哈德逊大踏步走了出来。胡雪岩已打定主意，亦步亦趋跟着古应春，看古应春起身，他亦起身，看古应春握手，他亦握手，只有古应春跟洋人谈话时，他只能看他们脸上的表情。

表情很不好，洋人只管耸肩摊手，而古应春大有恼怒之色，然后声音慢慢地高了，显然起了争执。

“岂有此理！”古应春转过脸来，怒气冲冲地对胡雪岩说，“他明明跟我说过，贸易就是贸易，只要有钱，他什么能卖的东西都愿意卖，现在倒又翻悔了，说跟长毛有协议，卖了给他们就不能再卖给官军。我问他以前为什么不说，他说是他们领事最近才通知的。又说，他们也跟中国人一样，行动要受官府约束，所以身不由主。你说气人不气人？”

“慢来！”胡雪岩问道，“什么叫协议，是不是条约的意思？”

“大致就是这意思。”

“那就不对了，朝廷跟英国人订了商约，开五口通商，反而我们不能跟他通商，朝廷讨伐的叛逆倒能够跟他通商。这是啥道理！”

古应春大喜道：“不错，不错。说得真有道理！等我问他。”

于是古应春转脸跟哈德逊办交涉。胡雪岩虽然听不懂意思，却听得出语气，看得出神色。古应春一派理直气壮的声音，而哈德逊似乎有些词穷了。

到最后只见洋人点头，古应春含笑，向胡雪岩说道：“成功了！他答应跟他们领事去申诉。看样子未必有什么协议，只因为我们的生意小，长毛的生意大，怕贪小失大而已。”

“请你告诉他，眼前我们的生意小，将来生意会很大，眼光要放远些，在目前留些交情，将来才有见面的余地。”

古应春便把他的话译了过去，洋人不断颔首，同时也不断看着胡雪岩，显然是心许其言。

“雪岩兄，”古应春说，“他说，你的话很有意味，要交你一个朋友，想请你去喝杯酒。问你的意思怎么样？”

“当然，应该叙叙，归我们做东好了。”

“那倒不必。让他做东好了。等生意谈妥，我们再回请。”

于是，等古应春转达了接受邀请的答复，哈德逊到屋角将一条在中国犯禁的“明黄”色丝绦一拉，外面叮叮当当的响了起来，接着便见原来的那个听差推门而入。这让胡雪岩学了个乖，洋人招呼听差，是打铃不是拉长了声音喊“来呀！”的。

哈德逊吩咐听差，是准备马车。哈德逊亲自拉缰，把他们两人载到一家外国酒店。入门一看，胡雪岩觉得有些头晕。四面镜子，映出无数人影、灯烛、桌椅，胡雪岩赶紧顺手扶住一张椅子，打算立定了脚再说。

“就是这里吧！”古应春喊住哈德逊，拉一张椅子坐下来。

于是胡雪岩也拉开椅子坐下，一抬眼，恰好看见镜子中出现的丽影。他转脸来望，见是个金发碧眼的美女，真正是雪肤花貌，腰如一捻，露出一嘴雪白的牙齿，笑着在问话。

于是哈德逊嘱咐了几句，那女侍转身走了。胡雪岩不便盯着她的背影看，只望着镜子。西洋女人见得还不多，他这一望，眼睛便舍不得离开镜子，看到那刚健婀娜的行路姿态，不由得想起穿着“花盆底”的旗下大姑娘，一摇三摆的样子，觉得各擅胜场，都比三寸金莲、走路讲究裙幅不动的汉人妇女来得中看。

正在这样想着，镜中的丽影又出现了。她手托银盘，盘中一瓶颜色像竹叶青的酒，三只水晶杯，又有一瓶凉水。摆设停当，哈德逊取了三块银洋，放在银盘里。

“这酒也不便宜。”胡雪岩说，“一块银洋七钱二，三块银洋就合到二两一钱多银子。”

“是啊！运费贵。”古应春答了他一句，帮着哈德逊倒酒，又加上凉水，然后彼此举一举杯。

“怎么？”胡雪岩问，“这就吃了？有酒无肴！”

“洋盘！”古应春用夷场中新近流行的谚语笑他，“洋人吃酒，没有菜的。”

“这我倒还是第一回。”胡雪岩喝了一口，酒味倒还不坏，但加了水，觉得劲道不够，便又把杯子放下了。

“我们谈生意吧！”古应春说了一声，跟哈德逊去交谈，然后又问胡雪岩说，“他问你货色什么时候要？”

“最多三天就要起运。”

“那价钱就不同了。”古应春说，“有一批货色，他已经答应了镇江一个姓罗的长毛，你要可以先给你，要三十两银子一支。如果你肯等半个月，他另有一批货色从英国运到，只要二十两一支。”

“三十两就三十两。货色要好。”

古应春点点头，又跟哈德逊去说。就这样由他居间口译，很快地谈妥了一切细节。两百支枪，一万发子药，总价一万一千两银子，二八回扣，实收八千八百两。另外由哈德逊派一名“铜匠”随货到浙江去照料，要二百两银子的酬劳。

“货款我带在身上，是不是此刻就交？”

“不必。”古应春说，“明天到他洋行里去办手续。”

“那就托你了。”胡雪岩取出银票，交了过去，“这里一万两，多的是你的。”

“用不着。”古应春急忙摇手，“大家一起做，回扣列入公账，将来再说。”

“这话也对。那么，多的一千两算存在你的手里好了。”

古应春点点头，指着银票又跟哈德逊去谈，只见洋人笑容满面，很快地说了好些话。据古应春传译，哈德逊认为跟胡雪岩做生意很痛快，他要额外送一支最新式的“后膛七响”以表敬意。

“请你替我说，谢谢！”胡雪岩又说，“再请你问问他，那种什么‘后膛七响’，可以不可以卖几支给我？我要带回去送人。”

这有些困难。哈德逊在中国好几年，深知贪小便宜的人多，留着几支好枪要用来应酬人情，不肯出售。

然而最后哈德逊却又让步了，愿意匀出两支来卖给胡雪岩，价钱是每支一百五十两银子。据他说，这完全是照成本出让。每支枪另配一百粒子药，也是白送。

做了额外的这笔小交易，哈德逊要开一瓶香槟酒庆祝。古应春心想，胡雪岩对那种带点酸味的淡酒，未见得会感兴趣，而开一瓶香槟很贵，让哈德逊破费还是小事，回头胡雪岩端起杯子一喝，皱眉摇头，浅尝即止，那就是件很不礼貌的事，不如辞谢了的好。

于是他告诉哈德逊，说胡雪岩喝不惯洋酒，不能领受他的好意，表示抱歉。哈德逊便问胡雪岩是不是不会喝酒，及至听说他的酒量很好时，哈德逊便表示奇怪，说桌上那瓶酒，来自苏格兰，不但是最有名的牌子，而且窖藏甚久，为何胡雪岩不喝？又说，他跟好些中国人有过交往，凡是会喝酒的，都欣赏苏格兰的酒，何以胡雪岩独异？接着又表示，如果胡雪岩不介意，他很想知道其中的缘故。

古应春想敷衍一下，就算过去。倒是胡雪岩看哈德逊不断指着酒瓶和他的酒杯，滔滔不绝地在说话，猜到是谈杯中物，便自己先问起此事。古应春自然照实回答。

“饮食一道，萝卜青菜，各人自爱，好像女人一样，情人眼里出西施，没有什么道理好讲的。”

古应春把他这一段话译给哈德逊听，洋人大点其头，说饮食没有道理好讲，这就是道理。接着又说，外国酒种类很多，胡雪岩不喜欢英国酒，也许喜欢法国的白兰地，于是招一招手把那女侍叫了过来，指明要一种名牌的白兰地。

喝这种酒又是一种杯子，矮脚敞口大肚子，但酒倒得不多，也不掺水。

哈德逊通过古应春，教胡雪岩喝这种酒的方法，说要双手阖捧酒杯，慢慢摇晃，等手心里的热气传入酒中，香味自发，便益觉醇美。胡雪岩如法炮制，试一试果如其言。

哈德逊告诉古应春说，他终于找到了一种为胡雪岩所喜爱的酒，觉得很高兴。接着便谈白兰地的制法，由采撷葡萄到装瓶出售，讲得非常详细。最后指着标贴纸上的一个洋字，读出它的译名叫“可涅克”，说选白兰地，一定要注意这个字，它是地名，法国出酒最好的地方。

“我懂了！”胡雪岩对古应春说，“好比中国的黄酒一样，一定要‘绍兴’才道地。”

“对，就是这意思。”

“现在——”哈德逊接着便跟古应春说，他的洋行刚刚取得这种法国酒的代理权，希望胡雪岩为他介绍买卖。

“原来他是推销货色！”胡雪岩笑道，“怪不得这么起劲。不过我不懂，什么叫‘代理权’？”

“就是归他包卖。”古应春为他解释，“这种酒在我们中华土地上，归他总经销，坐抽水子，这就叫代理权。”

胡雪岩立刻就懂了。这种坐享其成的事，完全要靠信誉，牌号响，信用好，货色销得出去，货款收得进来，到时候结账，不欠分文，人家才肯赋予代理权。他心里在想，自己也大可这么做，不过那是将来的事，眼前怎么样也谈不到此，所以不再往下说了。

酒味甚美，只是有酒无肴，胡雪岩还不习惯这样的饮酒方式，所以喝得不多，但为了酬答雅意，也为了馈赠所需，他决定买五箱白兰地带回去。哈德逊也很会做生意，马上又给他一个很优惠的折扣。他的目的是在推广。杭州是浙江省城，除了总督，各式各样的衙门都有，又是运河起点，商业相当繁盛，这个码头在哈德逊看，是可以有所作为的。他希望得到胡雪岩的助力，能够把他所代理的各种洋货，推销到杭州。

这番意思经由古应春表达以后，胡雪岩自然欢迎。但他跟古应春说了实话，他官商两方面，缠在手里的事情实在太多，一时无法给哈德逊任何确实的答复，看这话是如何说法。

“那就直接回头他！”

这里的“回头”是辞谢的意思。胡雪岩却又觉得这是个机会，弃之可惜，最好是拖延着，要能让哈德逊不找别人，为他保留着这个机会。

脑筋一动，胡雪岩想到了一番话：“你这样跟他说，本来我马上可以答应他，为他在杭州策划，但目前局势不稳，上海到杭州的路会断，货源不继，变成白贴开销。等局势稍微稳定下来，我马上替他动手。”

哈德逊认为他的看法很稳健，同意等一等再说，不过他要求胡雪岩在杭州先替他看看洋货的行情，预作准备。将来有任何代理承销的机会，他答应让胡雪岩优先承揽。

生意谈到这里为止，彼此都觉得很圆满。古、胡二人先起身告辞，安步当车，走回怡情院。

二人一路走，一路谈，谈的却不是生意。胡雪岩问道："怎么样？外国酒馆里的那个洋女人，算是啥名堂？"

"卖酒的还有啥名堂！"古应春笑道，"你想她卖啥？"

胡雪岩笑笑不答，不一会儿却又以抱憾的声音说："可惜我不懂洋文。不然，跟她谈谈说说，一定是蛮有趣的一件事。"

"我倒想不到，"古应春也笑了，"你会中意洋女人！"

"女人总是女人，管她是华是洋，只要动人就好。"

"慢慢来！"古应春说，"将来你在上海住长了，总有跟洋女人落个交情的时候。"

* * *

就这样谈着夷场风月，不知不觉到了怡情院。一进门就见相帮、娘姨、大姐聚在一起，指指点点在小声说笑，似乎遇见了什么神秘而有趣的事。胡雪岩便好奇地问道："你们在讲啥？"

"胡老爷，有位堂客在里面，跟二小姐谈得好亲热。"

"堂客？"胡雪岩诧异，"堂子里只住官客，哪来的堂客？"说着便站住了脚。因为有堂客在里面，虽未"放门帘"，他也不便乱闯。

"不要紧！胡老爷你请进去看了，就晓得了。"

古应春比胡雪岩更好奇，听得"不要紧"三字，首先就拔脚进门。他只觉眼前一亮，那位堂客如雪山皑皑，令人不可逼视。

这位丰腴白皙、艳光照人的少妇，正是七姑奶奶。她看见闯来的那个陌生男子，长身如鹤，英气勃勃，不觉心中一动——五百年风流冤家，就此在不该相遇的地方遇到了。

一半是不知如何招呼，一半是目炫心迷，正当他们错愕无语，而怡情老二也觉得为难之际，胡雪岩跟了进来，一看亦大感意外："咦，七姐！是你。"

有人搭腔，事情便好办了。七姑奶奶向来说话粗声大气，不堪领教，这时不知是受了怡情老二一口吴侬软语的感染，还是因为有古应春这个一见便生好感的陌生男客在，心存顾忌，居然斯斯文文地喊一声："小爷叔，你想不到我在这里吧？"

自然想不到。胡雪岩心想，兄弟一起逛堂子的事，听说过，兄妹一起逛堂子，却是天大的新闻。他点点头说："我道是哪位堂客？怎么样也想不到是你。"

"请坐，请坐！"怡情老二看古应春和七姑奶奶偷眼相望，随即说道，"胡老爷，你来引见吧！"

于是胡雪岩为古应春及七姑奶奶作了介绍。一个盈盈含笑，把双手放在左腰上，福了一福，一个抱拳作揖说道："原来是七姐！真正伉爽不让须眉。"

七姑奶奶懂了他那句话。这虽是恭维，却也有惊诧的意味在内。想想一个良家妇女，独闯娼门，说起来是有些不守妇道，所以她很难得地害了羞，红着脸报以微笑。她的笑容最甜，虽是窘笑，依然妩媚。古应春心里在想：倒不曾料到，尤五有这样漂亮的一个妹妹！

等怡情老二招呼着坐定，胡雪岩自然要问其来意。七姑奶奶坦率相告，因为尤五一夜不曾回家，而她回松江之前还有许多话要问他，心里焦急，所以找上门来。

"你一个人来的？"

"是啊！"七姑奶奶顽皮而得意地笑道，"我那位妹子不许我来，阿龙也不肯带路，我只好借故溜了出来，自己雇一顶小轿到这里。不曾遇着五哥，倒跟二小姐谈得好投机。”

“啊呀！七姑奶奶，”怡情老二不安地笑着，“真正不敢当你这么的称呼，叫我老二好了。”

“或者叫小五嫂。”胡雪岩打着趣问，“那么，人呢？”

这是指尤五。怡情老二答道：“有朋友约了出去了。说八点钟一定回来，请胡老爷、古老爷务必等他。”

“自然要等。”胡雪岩问七姑奶奶，“想来你也还没有吃饭，我们是上馆子，还是就在这里吃？”

“自然是在这里吃。”怡情老二急忙接口，“我请七姑奶奶吃便饭，请你们两位作陪客。”

“理当奉陪。”

古应春都答应了，胡雪岩还有什么话说？七姑奶奶却是外场人物，招招手把他叫到一边，悄悄问道：“小爷叔，这里的规矩，我不大懂。你看，这顿饭该不该吃？”

“来都来了，还讲什么规矩？”

七姑奶奶脸一红。“本来是没有这种规矩的，我大着胆子乱闯。只怕叫人笑死了！”说着，她一双眼睛俏伶伶地瞟了过去。

胡雪岩顺着她的眼光看过去，恍然大悟，怪不得“女张飞”这般斯文！当时他只有一个念头，要成人之美。于是他轻轻说道：“七姐，你请过来，我有句话说。”

怡情院的那个“大房间”甚大，西面用个“多宝槅”隔开。他领着她到里面，在窗下红木太师椅上坐下。两人的脸都朝外，透过多宝槅，只见古应春和怡情老二也正谈到起劲，不会注意到他们的谈话，于是胡雪岩才出言规劝。

“七姐，”他用兄妹般、极恳切的声音说，“你不开口，是尊观音，开出口来，说句实话，别人吃你不消！今天总算难得，替五哥做了面子。回头你自己再忌讳些，那样子人家就不会笑你了。”

在平日，七姑奶奶对他这话一定不服帖，这时却是窘笑着点一点头说：“我晓得了。就是这句话吗？”

“就是这句话。”胡雪岩说，“你是玲珑七窍心，自己有数就是，何必还要我多说呢？”

这话有言外之意。七姑奶奶想再问些什么，到底还不好意思出口，只很妩媚地笑着道谢：“谢谢你，小爷叔！”

两人走到外面，怡情老二迎上来说：“古老爷的话不错，这里太嘈杂，请到我‘小房子’去吃吧！”

姑娘与恩客另营不虑人干扰的双宿双飞之处，叫作“小房子”。怡情老二的小房子就在这条弄堂的末尾，也是尤五每个月贴开销，但尤五的朋友多，在怡情院会客比较方便，所以难得到小房子去，想不到这时候倒派上了用场。胡雪岩自然赞成，回头对七姑奶奶说道：“那是老二住家的地方，比较清静，走吧！”

于是怡情老二关照相帮，凡有“局票”来，只说病了，不能出“堂差”，又关照，等尤五一来，请到小房子去。

这一下倒提醒七姑奶奶了，依然是把胡雪岩喊到一边，悄悄说道：“我是溜出来的。不见我的人，他们会发急。”

这是指阿珠和陈世龙而言。“那好办！”他说，“叫人去通知一声就是了。”

当时写了个便条，说七姑奶奶与尤五在一起，到时自回，不必着急。胡雪岩掏了个银角子做力钱，叫怡情院的相帮立刻送交陈世龙。

办妥了这一切，他们一起走到怡情老二的小房子。这是一楼一底的石库门房子，楼下是另一家，怡情老二住楼上，布置得楚楚有致，看上去是很舒服的地方。

刚刚坐定，怡情院里自己做的酒菜已经送到。怡情老二和古应春都要推七姑奶奶上座，她则一定不肯，结果是古应春首座，她和胡雪岩两对面，主人末座，正好各据一方。

款客的是红葡萄酒，古应春送的洋酒。据说那是补血的，连宫里都经常饮用。怡情老二把它看得很珍贵，殷殷相劝。七姑奶奶的酒量也还不坏，但一心只记着胡雪岩的忠告，强持着不肯多喝，也不多说话。席面上只听古应春在谈胡雪岩上外国酒馆的经过，七姑奶奶和怡情老二都听得只是笑。

古应春这天的兴致很好，谈笑风生，滔滔不绝，一直到尤五出现，话锋才被打断。

兄妹相见，都有些不自然的表情。尤五的不悦，还可以想象得到，但对七姑奶奶的微现惧惮，胡雪岩却有些意外。在他的印象中，七姑奶奶行事任性，从不知什么叫害怕。平日只见尤五有些怕她，此刻为何她怕尤五?

这就是为了有古应春在座的缘故。胡雪岩很快的想通了，她怕她哥哥责备她几句，当着古应春下不得台。既然如此，倒要小心防护她，因此，胡雪岩首先就替她解释不能不来的缘故。接着便谈与哈德逊会面的经过，算是让尤五忘掉了对七姑奶奶的不快。

自此开始，就没有工夫说笑了，许多正事要商量，头绪纷繁，一件事没有办妥，又扯到第二件。直到午夜，还未安排停当。

“怎么办呢？我非早早赶回杭州不可。”胡雪岩有些着急，“一直都觉得人不够用，此刻越觉得摆布不开。”

半天未曾开口的七姑奶奶开口了：“也没有什么摆布不开！小爷叔你明天尽管动身，路上没有人送，我送，保你到了嘉兴，我再回松江。”

“这倒也是个办法！”尤五点点头，“好在一路上阿七都熟。就这样吧！你到了杭州，赶快派世龙拿了公事到松江来接洋枪。”

他们兄妹这一番对答，使得古应春大为惊奇。“原来七姐是这么能干！”他自愧不如以外，也为她担忧，“这条路上，这几天很不好走，要当心！”

“谢谢你！”她报以矜持的微笑，“不要紧的。”

“真的不要紧！”到这时候，尤五总算找到机会，可以说她一句了，“我们家这位姑奶奶，一个人乱闯闯惯了的。”

"也不是什么乱闯。"七姑奶奶觉得必须分辩，"有把握的地方我才敢去，摸不清路道的地方，我也不敢乱闯。像这里，我就晓得是不要紧的。"

"对啊！"怡情老二接口说道，"要是不嫌弃，常常请过来，这里就跟自己家一样。"

"听见没有，五哥！"七姑奶奶得意地，"就跟自己家一样！"

"只有一件，"古应春也凑趣说笑，"回去在五嫂面前瞒着点。"

"这倒不碍事。我五嫂最贤惠，不管他这笔账。"

"好了，好了！"尤五看看钟说，"该走了。"

于是古应春首先告辞，却悄悄拉了胡雪岩一把。胡雪岩知道是有话说，跟着古应春下楼出门，站定了脚笑道："你可是要跟我打听一个人？"

"咦！"古应春诧异，"你怎么知道？"

"你别管！说吧，可是要问七姑奶奶？"

"是的。"古应春说，"我听老二告诉我，她似乎居孀多年。可有这话？"

"有的。不过也不算多年。"

"倒守得住？"

这是指七姑奶奶守节为何守得住。胡雪岩觉得他的话问得好笑，而且难以回答，只好半开玩笑地答道："你何不自己去问她？"

古应春也发觉自己失言，只好报以苦笑。就这时候，他看到尤五兄妹和怡情老二已经走下楼来。古应春心想，明天胡雪岩就要走了，此一去又有多日睽隔，而自己有一番心事非要跟他商量不可，因而便向尤五说道："五哥，你们先请。我跟胡雪岩还有些事要商量。"

尤五还不曾开口，怡情老二便说："何不请到我那里去谈？"

这就是胡雪岩机警了，不等古应春开口，他先就搭话："实在是我有点私事托应春兄，就在这里谈一谈好了，你们先请过去，我们马上就到。"

"那么，快点来。"怡情老二说，"等你们来吃消夜。"

等他们走远了，胡雪岩便问："应春兄，是在这里谈，还是找个地方坐坐呢？我看你要谈的事，不是三言两语所能谈得清楚的。”

“你大概也猜到了。”古应春说，“七姑奶奶的相貌、风度，很对我的劲。我托你做个媒。”

胡雪岩想不到他这么开门见山就说了出来，一时倒有些无从答复，愣在那里，半晌无声。

“怎么样？”古应春很关切地问，“是不是有难处？”

“有没有难处，还不知道。”胡雪岩说，“你总先把你的情形跟我说一说。”

“对，对！这是我的疏忽。”

古应春说了他的家庭。他父母都在广东，自己也娶过亲，只是妻子已经过世；有个女儿，今年十六岁，随祖父母在乡，如此而已。

“那倒好，没有什么啰唆。”胡雪岩说，“七姑奶奶就因为跟她婆太太合不来，才回的娘家，照你府上这情形，如果不回广东，大概她也愿意。”

“那——”古应春反倒迟疑了，“不回广东是办不到的。无论如何要回去见一见家父、家母。”

“那自然。我是说不回广东乡下去住，你们夫妇在上海自立门户。这都是以后的事。”胡雪岩沉吟着说，“看样子，七姑奶奶对你倒也还中意。不过，我有句话，一定要说在前面。”

“是，是。你说！我总尽力照办。”

“不是要你什么‘照办’！是要你忍耐。你晓不晓得七姑奶奶有个外号，叫作‘女张飞’！”

“是不是说她脾气暴躁？”古应春摇摇头，“我看倒不像‘女张飞’！”

这一半是“情人眼里出西施”，一半也是七姑奶奶特意收敛，看样子好事可谐，但情愿还是先把话说得深些，劝他慎重的好。

“应春兄，”他说，“日子太浅，相知不深，好在以后见面的时候有的是，你何不看一看再说？”

听语气是七姑奶奶有着不便说破的缺点，自己去看，当然最好。但古应春鳏居十年，一下子动了心，有如古井重波，心澜难平，急于要问个明白，所以接下来又说："看归看，听归听！你多告诉我些。"

胡雪岩不知该告诉他些什么。七姑奶奶的情形，他耳闻目见的很多，但不能一味说好话，更不能一味说坏话。如果是寻常女子，品貌过得去，他一定尽说好话，促成美事，因为那可以断定，决不会成为怨偶。但七姑奶奶与众不同。做媒的责任甚重，真仿佛一言可兴邦，也可丧邦。谁能受得了她的脾气，一定是个贤内助，否则，感情会搞得极坏，媒人挨骂一辈子，于心何安？

"说实话，你们都是一见钟情，瞒不过我，我也用不着你说，就已经想来做这个媒。应春兄，"胡雪岩非常恳切地说，"你知道我的，我做事一向性子急，但这件事，实在急不得！为啥呢？七姑奶奶的好处，是别人没有的，她的叫人啼笑皆非的脾气，也是别人没有的，所以你要我说，我实在说不像。要你自己看，反正我总一定帮你的忙，做你的参赞。再透个信息给你，七姑奶奶的愿守不愿守，她兄嫂都作不得她的主，现在她似乎也看中你了，那你就请放心，好事迟早必成。"

这番话对古应春是颗定心丸，而且启发甚多。大致七姑奶奶是个巾帼须眉，个性极强，遇事敢当。这样性格刚强的人，要看自己能不能驾驭得住她，驾驭得住，百炼钢化为绕指柔，闺房中仍有画眉之乐；驾驭不住，一辈子是她系在裤腰带上的裙下之囚。

"多谢，多谢！就你这几句话，我已受惠非浅。走吧！"

两个人一起回到怡情院，只见七姑奶奶跟怡情老二，并坐在床边，喁喁细语，亲热得像姐妹。尤五显然对此感到欣慰，含笑坐在一旁，神态显得很恬静。

"来了，来了！"他站起来，兴致勃勃地，"有人送了我一篓蟹，刚才忘了拿到那里去吃了，尝一尝！"

于是怡情老二急忙站起来招呼，七姑奶奶也要下手帮忙，做主人的一定不准她动手。这是堂子里，七姑奶奶是客，下手帮忙变得也成了主人，那不像话，但她想不到此，最后是胡雪岩递了个眼色，她才会过意来。

这使得古应春又得了个极深的印象，他觉得她只是凡事热心，所以显得有些鲁莽。好在她也肯听人教导，绝不是那种蛮不讲理，死不认错的泼妇。这就没有可怕的了。

摆好桌子，娘姨端出两大盘热气腾腾、加紫苏蒸的阳澄湖大蟹，此是文人墨客笔下的天下第一名物，阳澄湖的尤其出名。特征是“金毛紫背”，通常每只八两，两只一斤，所以称为“对蟹”。七姑奶奶嗜蟹如命，但这时却很斯文，先挑了一只团脐送到尤五面前。

“先敬客嘛！”尤五完全是做哥哥教导弟妹的派头。

客是两位，论客气应该是古应春，七姑奶奶不知不觉地又有些着急，便拿那只蟹送到胡雪岩面前。

“七姐，我们自己人。我自己来！”胡雪岩有些促狭，不但话里挤得她非把那只蟹送给古应春不可，而且还用手往外推谢。

“那就你来！”七姑奶奶被逼到差不多的地步，“冲劲”就来了，大大方方地对古应春说，并且还把一小碗姜醋推到他面前。

“谢谢！”古应春含着笑说，同时深深看了她一眼。

七姑奶奶装作不见，只拿一只蟹在手，看胡雪岩已经自己动手，便拿向她哥哥面前，然后自己也取一只，同时转眼去看怡情老二。

怡情老二正取了一副吃蟹的家伙出来，纯银打造，小钳小锤子的，看来十分精巧。七姑奶奶觉得好玩，取过小锤子来，一下打在蟹螯上。在她自觉未曾用力，但那只蟹螯已被砸得甲碎肉烂，一塌糊涂了。

大家都笑，七姑奶奶也笑。“这东西不是我用的。”她说，“还是用手方便。”

她的那只手仿佛生来就是为剥蟹用的。她手法熟练非凡，只用一根牙筷帮忙，须臾之间，把一只蟹吃得干干净净，蟹螯、蟹脚和那个“盖”拼凑在一起，看来仍旧是一只蟹。

“这倒着实要点本事。”古应春颇为惊异，“我还是第一次见！”

广东人的古应春，吃蟹自然没有苏、锡、嘉、湖一带出蟹地方的人来得内行。他表里不分，胡嚼一气，吐了一桌子的渣滓。七姑奶奶直性子，实在看不过去，便打趣他说：“你真是猪八戒吃人参果。看我来！”

她取了一只蟹，依然只用一根筷子，很快地剥了一盖子的蟹肉，黄白杂陈，倒上姜醋，却不是自己享用，一推推到了古应春面前。

这真叫古应春受宠若惊了，但也知不宜显示心中的感觉，所以只是接连说了两声：“多谢，多谢！”

巧得很，怡情老二正好也用小钳子小锤子，敲敲打打，外带嘴咬手剥，也弄了一盖子蟹肉，送给尤五。于是胡雪岩笑道：“你们都有人代劳，只有我没有这份福气！”

古应春知道他在打趣七姑奶奶，怕她脸上下不来，有意要把“美人之贻”这回事看作无所谓，便将那蟹盖推过去说：“你来，你来！”

“你舍得？”胡雪岩抓住题目，越发要开玩笑。

这话很难回答，要说“舍得”，马上就会惹七姑奶奶在心里骂一句：没良心！他想了想这样答道：“在别人，自然舍不得，你老兄又当别论。”

“承情之至。不过，只怕你舍得，人家舍不得。”胡雪岩说，“人家辛辛苦苦剥了给你吃的，让我吃掉了，一定会心痛！”

话还不曾完，七姑奶奶发急了。“小爷叔！”她用笑容掩饰窘态，“罚酒！你的话真正说得气人。”

“是啊！”怡情老二在一旁帮腔，平她的气，“胡老爷话里有骨头，应该罚酒。”

“好，好！”胡雪岩原是为古应春试探，看七姑奶奶虽然羞窘，但并无愠色，便觉得试探的结果大可满意，欣然引杯，一饮而尽。

一直坐在那里不说话的尤五，到这时才恍然大悟。但他是做哥哥的想法，觉得七姑奶奶有些放浪形骸，心里便不大舒服。胡雪岩鉴貌辨色，看出风向不对，很知趣地把话题引了开去，同时也不肯再多作流连，找个机会，提议散席。

时近午夜，而怡情院所在地的那条弄堂，却还热闹得很，卖熟食的小贩往来如梭，吆喝不停。弄口停着许多小轿，流苏轿帘，玻璃小窗，十分精致，专做深宵寻芳倦客的生意，唯有这天抬着一位堂客——七姑奶奶。

回到裕记丝栈，她第一个下轿，往后直奔，刚上楼梯，便扯开喉咙大喊："张家妹子，你睡了没有？"

阿珠还没有睡，先是不放心七姑奶奶，要为她等门，后来是跟陈世龙吃零食闲谈，谈上了劲，倒把要等的人忘掉了。这时听得楼下一喊，阿珠方始惊觉，赶紧起身迎了出去。

两人在楼梯口相遇，只见七姑奶奶双颊如霞，眼波如水，一片春色，阿珠不觉大声而问："你在哪里？吃得这么醉醺醺地回来？"

"你看，我带了什么好东西来给你吃！"七姑奶奶把一只细竹篮递了过去。

这时胡雪岩和尤五亦已上楼，加上阿龙和闻声起床的老张，他们挤得满满的一屋子，却只听得七姑奶奶一个人的声音，大讲在怡情院消磨了这一晚上的经过。

在老张父女这是闻所未闻的奇事，就连陈世龙也觉得这位七姑奶奶胆大得惊人。

"你们吃嘛！"最后她揭开了篮盖，里面是六只阳澄湖大蟹。她粗中有细，特别周到，连姜醋都是现成带着的。

一则情不可却，再则那蟹也实在诱人，老张父女和陈世龙，便一面剥蟹，一面听七姑奶奶谈怡情院的风光。尤五却向胡雪岩使个眼色，两人避到里面谈心去了。

"小爷叔，"尤五皱着眉头说，"你看我这个妹子越来越不像样，怎么得了？"

"不要这么说！"胡雪岩笑嘻嘻地答道，"五哥，我要讨喜酒吃了。你晓得老古跟我怎么说？他要托我做媒！"

尤五大为诧异，愣了好一会儿才问：“是想娶我们阿七？”

“对！这才叫一见倾心。姻缘，姻缘，真正是缘分。”

“什么缘分？”尤五的双眉皱得更深，“说起来是在堂子里见过面，那有多难听！”

这个回答大出胡雪岩的意料，一时不知如何为他和七姑奶奶譬解，愣在那里，好半晌作声不得。

“我倒不懂了，老古怎么会知道阿七此刻住在娘家？”尤五又问，“他当阿七还是大小姐？”

“不！他晓得七姐居孀。是老二告诉他的，不对！是他跟老二打听的。”接着，胡雪岩便把古应春家里的情形说了一遍。

“那么，小爷叔，你怎么回答他的呢？”

“我说，要他自己看。我看——他们有缘，这杯喜酒吃得成功的。”

尤五不以为然，大摇其头：“算了，我看不要害人！”

“你倒也不必把我们这位姑奶奶贬得太厉害！”胡雪岩以不平的语气说，“像她这样的人才，嫁给老古，照我看还是委屈的。至于说她脾气不好，这话要说回来，女人家心思最怪不过，只要她自己愿意，自然会改。看今天的样子，斯斯文文，大大方方，可见已经在改了！”

话虽说得动听，却无结论。事实上婚姻大事，一时也不可能有什么结论，只有摆着再说，先料理第二天动身的事。

下船是在中午。胡雪岩“师徒”、老张父女，加上七姑奶奶一共五个人。除去老张，各有只可促膝密谈、未便公然表露的心事，加以路上不太平，风吹草动，需要随时当心，所以就连七姑奶奶这样爱说话的人，也是保持沉默的时候居多。

第二天快到松江了，胡雪岩该当作个决定，要不要将七姑奶奶送到嘉兴。如果认为不需要，把她留在松江，扬帆而走，至多停泊半日，将他自己和阿珠寄在尤家的行李搬上船，否则，至少得在松江停一天，让七姑奶奶先打听消息，或者带个把可供奔走的人同行。

“小爷叔！”等胡雪岩刚一提及，七姑奶奶便抢着说：“不管我送不送你，无论如何在我们那里住一天再走。”

“杭州等得很急。”

“急也不急在一天，我五嫂有话跟你说。”

这倒奇了，尤五嫂会有什么话？就有话要说，七姑奶奶怎么会知道？凡是遇到艰难，胡雪岩总要先通前彻后想一遍，等自己想不通时再发问。

他的脑筋特别快，察言辨色，觉得只有一个可能。“七姐，”他问，“是不是你自己有话不便说，要请五嫂来问我？”

七姑奶奶笑了，带些顽皮，也有些忸怩。“小爷叔，”她说，“你顶聪明。”

“既然如此，你何不直接告诉我？”

“还是等五嫂自己来问你的好。”

这话倒像是关于尤五夫妇的事，胡雪岩有些困惑，细想一想，莫非是有关怡情老二的话？也许七姑奶奶多事，要到她嫂子那里去“告密”，所以尤五嫂会有些话要问。或者七姑奶奶倒是好心，与怡情老二投缘，在她嫂子面前下说词，劝她为夫纳妾，这样尤五嫂就更会有些话要问。

同样是问，有的话可说，有的话不可说。到底是怎样的一问？先得把方向弄清楚，临事才不致窘迫。于是他问：“七姐，你晓不晓得五嫂要问我的话，是好事还是啥？”

“自然是好事。”

这下胡雪岩放心了。船抵松江，胡雪岩上岸直到尤家。歇一歇脚，他趁空去拜访了老太爷，在他那里吃了饭，再到尤五家。谈不到三五句话，尤五嫂起身说道：“小爷叔，我有件事拜托你。”

是拜托胡雪岩做媒，却不是为尤五娶怡情老二进门，是替七姑奶奶促成良缘。尤五嫂告诉他说，当他在裕记丝栈跟尤五密谈古应春时，七姑奶奶在外屋趁老张父女和陈世龙吃蟹吃得起劲时，悄悄在“听壁脚”。古应春的意思她已经知道了，表示非古应春不嫁。因为七姑奶奶听出尤五似乎不赞成这头亲事，所以特为跟尤五嫂谈过。

听完经过，胡雪岩失笑了。笑自己误解了七姑奶奶的语气，上了自己的当。如果是跟人做一笔出入甚巨的生意，也是这样子胡思乱猜，自以为是，那就非大蚀其本不可。

“小爷叔，”尤五嫂问道，“阿七怎么会认识那姓古的，好像是第一次见面，在哪里？”

这一问就不易回答了，尤其是对她。诚然如尤五所说的，在堂子里见的面，这话提起来难听。若尤五嫂再问下去：她怎么跑到了那种地方去？那又要牵涉到怡情老二。尤五这样的人，在花街柳巷走走，尤五嫂自然不会干涉，但如说是怡情老二的恩客，在外面置了“小房子”，就难保尤五嫂会不吃醋。

于是他说：“在裕记丝栈。老古现在跟五哥、跟我，三个人合伙。这头亲事说起来倒也是顺理成章的事，郎有意姐有情，哪还有啥话说？至于做媒的话，不但义不容辞，而且是所谓非我莫属。不过，五嫂，我们有这样一个想法，说出来你看，对不对！”

“你的话没有错的，小爷叔，你说。”

“我们杭州说媒人‘吃十三只半鸡’，意思是说要媒人一遍遍传话，事情极慢。别的亲事嫌慢，但这头亲事嫌快，我看还是慢一点的好。”

“我懂小爷叔的意思，是怕太快了，彼此都看不清楚，将来会懊悔？”

“对了，就是这个意思。”

“意思是好的。不过，你晓得的，我们家这位姑奶奶是急性子。”

“这就要你劝她了。”胡雪岩放低了声音说，“还有一层，听七姐的意思，好像有点跟五哥怄气：你不大赞成，我偏要嫁他。婚姻大事，怄气就不对了。”

尤五嫂想了想，深深点头：“小爷叔，你的话不错的。我倒没有想到。”

胡雪岩探头望了一下，弄清楚七姑奶奶没有在“听壁脚”，才向尤五嫂说："她性急，你不能依她，事情拖它一拖，等五哥回来大家好好商量。你就这样说好了，做媒要按规矩行事，你要先相一相亲。这一来就半个月拖过去了。"

"我懂，我懂！我会想办法来拖。不过，我再问小爷叔一句话：那姓古的，人到底怎么样？"

"你最好自己去看。"

胡雪岩这样回答，不像一个媒人的口吻，其实他确是有了悔意。七姑奶奶的性子太急，而且在怄气，尤五又有意见，这使他隐隐然感觉到，这件事将来会有纠纷，一片热心顿时冷了下来。

就因为如此，他要躲着七姑奶奶，所以坚辞她送到嘉兴的好意。第二天胡雪岩上船沿运河下驶，总算一路顺利，风平浪静地进入浙江省境，从此到杭州，就不会再有什么危险了。

第三章

放下一颗悬着的心，胡雪岩又把全副精神放在正事上。船上无事正好算账，但结出总账一看自己都有些不相信了。

不过短短半年工夫，自己经手的款项，已有五十万两银子之多，杭州、湖州、上海三处做生意，局面搞得确是很热闹，事情也十分顺手。但万一出了意外，牵一发动全身，自己倒下来不说，还要牵连许多人。第一个是王有龄，第二个是张胖子，第三个是郁四，第四个是尤五。

这样转上念头，他便觉得河上秋风，吹到身上格外冷了。推开算盘，独对孤灯，思前想后，生出无限警惕，他告诉自己：不要自恃脑筋快、手腕活，就毫无顾忌地把场面拉开来；一个人的精力到底有限，有个顾不到，就会出漏洞，而漏洞会很快地越扯越大，等到发觉，往往已不可收拾。

想到这里，他自然而然生出两点觉悟：一是节省精力，不必去多管那些无谓的闲事；二是还要多寻帮手。刘庆生算是找对了，已可独当一面；陈世龙是块好材料，却未曾善加利用。于是胡雪岩决定，趁这到杭州的一段旅程，将生意场中的各种“门槛”好好教他一教，教会了就把上海这方面的事务都交给他。

但是没有让陈世龙“学生意”以前，先要为他安排亲事。这也就是连带了清了胡雪岩自己跟阿珠之间的关系，从此心无牵挂，也是节省精力之道。于是胡雪岩盘算了好一会儿，想定了入手的办法。

第二天一早开船，除了老张在船艄上帮同把舵以外，其余的人都没有什么事。胡雪岩特意叫陈世龙进舱谈话。从一上船，阿珠便常在后舱，就是一起吃饭的时候，也不大交谈。当然，陈世龙是常到后舱去找她的。胡雪岩料定他跟陈世龙在中舱谈什么，她一定会在后舱留心静听，所以他预备装作“言者无意”，其实是有心要说给她听。

“世龙！”他说，“我现在的场面是撑起来了。不过饭是一个人吃不完的，要大家一起来动手。我现在问问你的意思，你是想在湖州，还是想在上海？”

陈世龙不知道他胸有成竹，有意如此发问，只当真的要他自己挑一处。上海虽然繁华，做事却无把握，在湖州是本乡本土，而且又厮守着阿珠，自然是湖州好。

“我想先在湖州，把丝行弄好了再说。”

“我晓得你要挑湖州，”胡雪岩背对后舱，不让阿珠看见他的脸，向陈世龙使劲挤一挤眼睛，表示下面那句话别有用心，叫他留神，“你是舍不得阿珠！”

陈世龙也很聪明，做一个不好意思的笑容，表示默认。

一个如此说，一个如此承认。除非阿珠自己走出来明明白白说一句，不愿嫁陈世龙，否则，他们三个人之间的关系，就在这一句话中交代清楚了。在后舱听壁脚的阿珠，十分气恼，心想：简直把一个人看成一包丝一样，凭你们一句话，就算交易过手了？世上哪有这样自说自话的事！

想归想，气归气，人还是坐在那里不动，屏声息气，细听外面。胡雪岩又在说了。

“我的意思，丝行有你丈人、丈母娘在那里。”

听到这里，阿珠惊异不止。“丈人、丈母娘”是指谁？她自己这样在问。

细听下去，明明白白，陈世龙的丈人、丈母娘，不是自己父母是哪个？阿珠惊疑羞愤，外带一种说不出的兴奋，心里乱得如万马奔腾，自己克制了又克制，才能勉强听得清外面的话。

“说起来，阿珠的娘的想法也不大对！她以为我帮了她家的忙，她就得把女儿许配给我，作为报答。其实桥归桥，路归路，我帮他们的忙，又不是在想他们的女儿。”

哼！假正经！阿珠不由得在心里骂，同时想起胡雪岩当初许多勾引的行径，脸上有些发烧，暗暗地又骂了句：不要脸！

再听下去，她比较舒服了。“讲句良心话，”胡雪岩说，“我喜欢不喜欢阿珠呢？当然喜欢的。不过，我不肯委屈阿珠。冰清玉洁，大家小姐也不见得有她那样子的品貌！世龙，她嫁了你也是委屈的。”

“我晓得。”陈世龙自惭地点一点头。

“你晓得就好。”胡雪岩又说，“总要格外对她体贴。”

陈世龙依然是那句话：“我晓得。”

口口声声顺从着，倒像真的已把人家娶到手了似的。阿珠心里非常不服气，同时也有些奇怪。听口风他们好像早就瞒着自己，暗中做了“交易”。这倒要仔仔细细先把事情弄清楚，然后再想报复的主意。

这回是陈世龙在说话：“胡先生，那么，你看我这件事该怎么办？赤手空拳，一点底子都没有。”

“有我！”胡雪岩答得极其爽脆，“我今天一共有三头媒要做，一头已经成功了，还有一头要看看再说，再有就是你这头媒。老张那里我一说就成功，你丈母娘更不用说，最听我的话。阿珠最孝顺，只要跟两老说好了，不怕她不答应。”

原来如此，阿珠心想：拿我父母来压我，所以有这样子的把握，那也太目中无人了；于今之计，第一步先要在爹面前说好，不可轻易答应，到时候叫你干瞪眼！

阿珠刚想得好好的，立刻又是一愣，因为胡雪岩说破了她的心思。“不过，”他说，“阿珠的性子最傲，服软不服硬，也要防她一脚！就算父母之命，勉强依从，心里一千一万个不甘心，将来也不会对你怎么样好的。所以说到头来，两厢情愿最要紧。你总要记住我这句话，阿珠服软不服硬。处处依她，包你一辈子有福享。”

听到这几句话，阿珠心里又酸又甜，同时也觉得泄了气，什么劲道都拿不出来了。不过她总还有些不甘，不甘于如此受人摆布，同时也觉得不能就这么便宜了陈世龙。

“我的打算是这样，看看年底办喜事来不来得及。如果来不及，就今年‘传红’，明年‘入赘’……”

“入赘？”陈世龙大声插嘴。光听声音，就知道他不愿，在后舱的阿珠不由得就把心悬了起来。

“又不是要你改姓张，不过两家并作一家，也不是什么失面子的事！”

“不改姓就可以。”

“你不要得福不知！”胡雪岩故意这样说给阿珠听，“就算你想改姓，阿珠也许看你不上眼。”

陈世龙露着一嘴雪白的牙齿，不好意思地笑了。这笑容正落在壁缝中向外张望的阿珠眼中，她的感觉是得意的舒服。

“老婆虽好，但吊在裙带上一步不离，也太没有出息了。”胡雪岩说，“湖州丝行有你丈人、丈母娘在，尽可以照料得了。我希望你在上海帮我的忙，跟老古把洋文学学好，将来受用无穷。”

“好啊！”陈世龙很兴奋地道，“古先生的洋文，说得真是呱呱叫，我一定跟他学会了它！”

“这才是！”胡雪岩用欣慰的声音说，“好在丝生意上有关联，常常要回湖州，有得你跟阿珠亲热的时候！”

要死！阿珠一下子绯红了脸，顿时觉得坐也不是，站也不是，却又不敢弄出声响来，怕前面发觉她在偷听。于是她蹑手蹑脚，掩到自己铺位上，手抚着一颗突突在跳的心，细细去想他们所说的那些话。

这一想想得忘掉辰光，直到老张在喊，她才警觉，朝窗外望了一下。太阳当头，已经中午了。

“来吃饭！”老张问道，“阿珠，你在做啥？一直不见你的人。”

“我睡着了！”她自己觉得这句话答得很好，睡着了便表示根本没有听见胡雪岩和陈世龙的话，见了面就容易装糊涂了。

她装人家也装，在饭桌上胡雪岩和陈世龙一如平时，倒是老张有许多话。因为这天下午船泊德清，就要分手，胡雪岩和陈世龙往南到杭州，老张带着女儿原船往北回家，自然有些事要交代交代。

当天下午，船很早就到了德清。船一泊定，胡雪岩就邀老张上岸走走。阿珠立刻想到，他们是有关自己的话要谈。她上午躺在床上想心事，就已经盘算过，这件终身大事，不管怎么样，要自己回到湖州先告诉了娘，再作道理。如果她爹一答应，便毫无商量的余地。她不甘于随人摆布，因而打定主意，这一天要一直跟爹在一起，不容胡雪岩有开口的机会。

那么此刻怎么办呢？唯一的办法，仍是跟着不放。胡雪岩总不见得当面锣，对面鼓，有自己在场，便好意思提做媒的话！

于是她接口喊道：“爹，我也去！”

胡雪岩自然不要她去。这容易得紧，想都不用想，他便有了话：“阿珠，拜托你，替我把零碎东西收拾收拾，好不好？”

“是啊！”老张老实，“要掉船了，各人的东西该归一归。你不要去！”

这一说，胡雪岩又有了话。“对的！”他喊道，“世龙，你也看一看，哪些东西该带到湖州送人的，跟阿珠交代清楚，不要弄错了！”

说完，他跟老张扬长上岸，有意把陈世龙留在船上，好跟阿珠细诉衷曲。

阿珠心里实在有些气不过，想想自己真像《西游记》里的孙悟空，怎么样也翻不出胡雪岩的手掌。这份闲气，此刻自然要发在陈世龙头上了。

“他们上岸去做啥？”她气鼓鼓地问。

陈世龙本来就聪明，加以这阵子跟着胡雪岩，耳濡目染，学会了许多待人处事的诀窍。这样一件有关自己一辈子的大事，他当然更不敢疏忽，所以这时不忙着答阿珠的话，先抬眼看，用心想，要把她的态度弄明白了再说。

他在想：阿珠问到这句话，就可以证明，他们上午的那一番谈话，她已经听得清清楚楚，此刻是疑心胡雪岩跟她父亲去谈她的终身。既然如此，上午为何不站出来说话，此刻却大光其火？可见得光火是闹脾气。她的脾气他也摸透了，越顶越凶，最好的应付办法是让她发不出火。

于是他赔笑答道："这我倒不晓得。要不要我追上去问一声？"

"难为你！"阿珠一波刚平，一波又起，"你们师父徒弟，一上半天，乱七八糟在讲些什么怪话？"

既然叫穿了，陈世龙何可否认？但怎么样承认呢？笑而不答，会惹她反感；细说从头，就会把胡雪岩苦心设计、说到了她心里的那番话的效用付之东流。左右不是，十分为难，而阿珠看他不答，似乎又要光火了。

一急急出一个计较，陈世龙觉得就像筑堤防水一样，多少日子，多少人工，辛辛苦苦到了"合龙"的那一刻，非要眼明手快，把握时机不可。河官到了合龙的时候，如果情况紧急，往往会纵身一跳，跳在缺口里，身挡洪流。别人看他如此奋不顾身，深受感动，自然一起着力，得收全功。现在自己也要有那纵身一跳的勇气，大事方得成功。

想到这里，他毫不犹豫地双膝一跪，直挺挺地跪在阿珠面前说："既然你已经都听见了，也就不用我多说了。阿珠，我一条命都在你手里。"

阿珠不防他有此一着，急得胸头乱跳，怕人看见不像话，便低声喝道："怎么这副样子？快起来，快起来！"

"起来也容易，你说一句，我就起来！"

这一句是什么？阿珠自然知道。但她就是心里肯了，也说不出口，那便只有先吓他一吓："你越是这么赖皮，我越不说！起来，起来！不然，我永远不理你。"

陈世龙是打定了主意，非要一下子有个了局不可，因而用毫无商量余地的声音说："你不说一句，我永远跪在这里！"

“没有见过你这样的人！”阿珠恨声说道，“你要我说什么？”

“你自己晓得的。”

“对了！你晓得，我也晓得，不就行了吗？”

听得这一句，陈世龙一颗心踏实了，笑嘻嘻地问道：“真的‘行了’？”

“不要啰唆！”阿珠把脸一沉，“你再不起来，行了也不行！”

到此地步，不能再不听她的话，但陈世龙还要试探一下。“起来可以，”他说，“你拉我一把！”

“不拉！为啥要我来拉你？”阿珠拿手指刮着脸羞他，“‘男儿膝下有黄金’，就是你两个膝盖不值钱。”

“就看在‘膝下有黄金’的分上，扶我一把！”陈世龙一面说，一面把手一伸。

阿珠真不想理他，但她那只右手跟心中所想的不一致，莫名其妙地就伸了出去。等陈世龙拉住她的手，可就不肯放了！他站起身来，一只手紧握着她的手，坐向她身旁，另一只手很快地伸向船窗。只听“喀喇”一响，舱中顿时漆黑，木板船窗被拉上了。

阿珠轻声喝道：“这是干什么！”

“不干什么！只要亲亲你！”

“你敢！”

“敢”字不曾出口，她已让陈世龙一把搂住。也不知他的一双眼睛是怎么生的，伸手不见五指的地方，他那两片嘴唇一下子很准确地找着了她的嘴唇，压得她透不过气来。

阿珠又羞又急，却又有种夏天伤风闭汗吃酸辣热汤面的味道，是说不出的刺激而痛快。但舱里虽然黑漆一团，外面却是朗朗乾坤，如果让人发觉，怎么还有脸见人？因而，一颗心提到了喉头，口干舌燥，满头大汗。

“放手！”她好不容易才能扭过头去，这样低声说了一句。

“再亲一个！”

“还要？”阿珠发怒了，“你不要弄得人怕了你！”

这是极严重的警告。陈世龙适可而止，放开了手，拉她坐了起来，温柔地问道：“要不要开窗子？”

“自然要开的。”说着，她自己伸手去拉开了窗子。等光亮扑了进来，她赶紧避开，缩向外面看不到的角落，理理鬓发，拉拉衣襟，闭着嘴，垂着眼，仿佛受了什么委屈似的。

“阿珠……”

“你不要再跟我啰唆！”她抢着说道，“安安分分说几句话，不然，你就给我出去！”

陈世龙不响，只嘻嘻地笑着，一双眼睛盯着阿珠，从头到脚，恣意赏鉴，把阿珠看得既窘且恼。

“你不要这样子盯着人看，好不好？”阿珠白了他一眼，“又不是不认识。”

“对不起！”陈世龙笑道，“我舍不得不看。”

这话说得她别有一股滋味在心头，于是语气缓和了：“好也好在心里好了！何必一定都要摆在脸上呢？你脸皮厚，不怕人笑，也要给人家想想。”

说到这话，陈世龙便把视线避开。但立刻又拉了回来，不见阿珠的脸，就像失落了一样什么要紧的东西，一定得找着了，才能安心。

就这片刻的沉默，阿珠觉得自己的一颗心比较平伏了，摸一摸脸，也不再那么发烫，于是便说：“我要好好问你几句话。你是不是规规矩矩地告诉我，就看你自己的良心！”

“好！”陈世龙斩钉截铁地回答，“我一定凭良心。你说好了。”

“你跟你师父，老早就谈过我的事？”

“是的。老早谈过。”

“怎么说法？”

“这话就难说得清楚了。”陈世龙说，“话很多，不晓得从哪里说起。”

“照这样看，你们不知道打过我多少遍主意了！”阿珠又想起他们“私相授受”的可恶，便发怨声，“只怕让你们把我卖到外国，我都不晓得。”

“哪个敢打你的主意？”陈世龙故意装得很认真地说，“第一个我就不依！”

“哼！”阿珠撇一撇嘴，“你是好人，如果你是好人，为什么这许多日子，你一句口风都不肯透露？”

“不是不肯，是不敢！”

“为啥不敢？”

“怕碰你一个钉子，以后的话就难说了。”

想想这也是实话。但她同时也想到，自己在小姐妹淘里，被公认为厉害角色，不过比起胡雪岩和陈世龙来，差得就太远了，如果他们真的起下什么没良心的意思，自己一定被他们摆布得走投无路。然则自己所倚恃的是什么呢？是陈世龙的一颗心，能收服了他的心，自己才可以放心。

想到这里，阿珠觉得要恩威并用，体贴固然要紧，但也要立下许多“规矩”，不可迁就。当然，这是以后的话，眼前还得多打听一些关于自己的事。

“胡先生到底怎么说我？”

“胡先生”这个称呼，在陈世龙听来非常新鲜，以前他从没有听她这样叫过。此刻改口的意思，一面是表示与胡雪岩的关系到此告一段落；另一方面表示“夫唱妇随”，他怎么叫，她也怎么叫。意会到这一点，陈世龙觉得非常欣慰，不由得又傻兮兮地瞪着她看。

这是她在胡雪岩脸上从没有见过的表情，像个顽皮的大孩子的笑容，另有一种使人醉心之处。这时反倒是她想伸手去摸一摸他的脸了。

突然，陈世龙问道：“你刚才说的什么？”

阿珠心不在焉，被他问得一愣，不过对这样的场面，她有个“倒打一耙”的法子。“你看你！”她不满地说，“刚刚说过的话，就忘记得干干净净！你哪里有一点心在人家身上？”

“对不起！”陈世龙赔笑致歉，“我实在高兴得有些昏头了。”

在这一迁延之间，阿珠已想起了自己的那句问话，便又说一遍：“我是问，胡先生到底怎么说我？”

“你自己总听见了！千言万语一个字：好！”

这是指她“听壁脚”而言，不便否认。“我是说平常，总还有些话。”她说。

“不要去打听了。”陈世龙摇一摇手，“我们只谈我们的事。”

“对！”阿珠脱口说了这一个字，接着便问，“他们上岸谈啥？是不是谈我？”

“一定是的。”

“那么你刚才怎么‘装佯’，说不晓得？”

“刚才是刚才，现在是现在。现在我可以不叫你阿珠了，叫你一声：太太！”

“啀！”阿珠红着脸说，“不要肉麻！”

“想想真妙！”陈世龙有些不胜感叹似的，“先叫你张小姐，以后叫你阿珠，现在叫你太太！几个月的工夫，变得这么厉害！”

阿珠想一想，深有同感。人生在世，实在奇妙之至，从认识胡雪岩开始一直到今天，不知经历了多多少少新奇的事。这半年工夫，过得真有意思。

“我在想，”陈世龙又说，“一个人全要靠运气，遇着胡先生就是我交运的日子到了。”

“也不要这么说！一个人不能光靠运气，运气一时，总要自己上进！”

话中带着些教训的意味，陈世龙觉得有点刺耳，但转念想到，这正是阿珠心里有了做成夫妻，休戚相关的想法，才会有这样的话头。于是他的那一丝反感，很快地消失了。

他没有再作声，阿珠也不开口，沉默并不表示彼此无话可说。你看着我，我看着你，不管是他的长伺眼波，还是她的一瞥即避，无不意味深长地传达了太多的心曲。

“天黑了！”阿珠讶然说道，“爹还不回船？”

“一定是在镇上吃酒。有一会儿才得回来。”

“你饿不饿？”

“我不饿。”陈世龙问道，“你呢？”

“我也不饿。不过——”阿珠顿住了，在想心事。

不饿就是不饿，“不过”这个转语下得令人莫名其妙。陈世龙忍不住追问：“不过，怎么样？”

“我们到外头去！”阿珠站起身来，“黑咕隆咚的，两个人在这里，算啥一出？”

照陈世龙的心思，最好就在这样的黑头里，相偎相依，低声密语。但为了顺从阿珠，他言不由衷地答道：“好，好！到外头点了灯等他们！”

走到中舱，阿珠点起煤油灯一看，方桌上已摆了四个碟子、四副杯筷、一壶酒。也不知船家是什么时候进来过，一舱之隔，竟无所知，令人惊讶。

再多想一想，阿珠的脸又红了。“你看！”她低声埋怨陈世龙，“我们在里头说的话，一定叫人家都听了去了。”

他也明白，必是船家来陈设杯盘时，听见他们在后舱密语，不肯惊动，所以摆好了这些东西，也不点灯，也不催他们吃饭，听其自然。看来倒是个极知趣的人。

“我们都是些大大方方的话，听了去，也不要紧。”陈世龙设词宽慰，“好在总归瞒不住他们的，再说也用不着瞒。你索性毫不在乎，像七姑奶奶那样，反倒没有人拿你取笑了。”

提起七姑奶奶，阿珠既关切又好奇，而且心里还有种说不出的、不大好过的感觉。“我倒问你，”她说，“七姑奶奶口口声声叫你‘阿龙’，你心里是怎样个味道？”

陈世龙还不曾想到自己，先辨出她的话中，微带酸味，心里立刻便生警惕。“她要那么叫，我只好那么答应，说实在的，”话到口边，陈世龙觉得有些刻薄，摇摇手说，“啊，啊，不谈了。”

“怎么？”阿珠盯紧了问，“为啥不谈？”

“不相干的事，何必谈它？”

“说说也不要紧嘛！”

看她如此认真，陈世龙不能不答，昧着良心说道：“听了实在有点肉麻！”

阿珠微微笑了，这是对他的答复颇为满意的表示，因而没有再问下去。

陈世龙有如释重负之感，帮阿珠点好了灯，对坐吃饭。平日是各管各，即使心中有意，也不便公然献殷勤，此刻不同了，他替她盛饭、夹菜，自嘲是个“大脚丫头”。这是他从杭州听来的，嘲笑喜欢服侍娘儿们的男人的一句俗话。

这顿饭吃了有一个钟头，是陈世龙的话多。他谈这个、谈那个，不大谈到他自己，但阿珠仍旧听得趣味盎然。

“回来了！”

突然间，陈世龙一喊，阿珠回头去看，只见两盏灯笼冉冉而来。她顿时心慌，不知见了她父亲和胡雪岩持何表情。当然她也没有躲到后舱的道理，那怎么办呢？唯有尽力装得平静，收拾收拾饭桌，等他们上了船，随机应付。

陈世龙很快地迎了出去，帮着船家搭好跳板，扶着老张上了船，又来扶胡雪岩。胡雪岩趁机把陈世龙的手，重重一捏，暗示大事已经谈妥。

“咦！”胡雪岩一进舱就开玩笑，“你们两个人这一顿饭，吃了多少辰光？”

“都是等你们，一直等到现在。”阿珠看他们都是满脸通红，酒气熏天，便先提出警告，“不要吃醉了，来说疯话！”

“不说，不说！”胡雪岩醉态可掬的，“不说疯话，说正经话。”

“吃醉了酒，有啥正经话好说？我替你们去泡浓浓的一壶茶来，吃了去睡，顶好！”说着，她喊着船家来拾掇残肴，自己拿着瓷茶壶去沏茶。

人在外面，心在舱中，阿珠注意着听胡雪岩会说些什么。哪知所听到的，却是老张的声音："世龙！"

"嗯！"陈世龙重重答应。

就这一呼一应，把阿珠的一颗心悬了起来，这只手捏着一把茶叶，那只手捏着一把汗，不知道她父亲会说出什么来。偏偏老张又没有声音了，越发使得做女儿的惊疑不定。

"老张，"胡雪岩打破了难耐的沉默，"你跟阿珠去说，我来跟世龙说。"

"好，好！我不晓得跟世龙说啥好，你来！"接着老张便喊，"阿珠，阿珠！"

听这语气，想来爹爹已经答应了！阿珠心想，这话要悄悄来说，怎好大呼小叫的？心里有些气，便大声答道："我在泡茶！"

"泡好了你出来，我有话说。"

"有啥话你不会进来说？"

"我就进来。"老张答应着，果然走出舱外。酒是喝得多了些，他的脚步有些跌跌撞撞走不稳。

阿珠赶紧扶住了他，埋怨着说："黄汤也少灌些！为啥吃这许多？"

"我高兴啊！"老张答道，"人生在世，就是像今天晚上这样子，才有个意思。"

慈爱之意，溢于言表，阿珠不但感动，而且觉得自己的福气真不坏，不过口头上当然还带着撒娇埋怨的语气。

"一开口就是酒话！"她说，"从来也没有听你说过什么'人生在世'，文绉绉的，真肉麻。"

说是这样说，孝顺还是很孝顺。她把父亲扶着坐下，沏好了茶，先倒了一杯过来。

于是老张一把拉住她，抬眼望着她说："阿珠，你要谢谢胡老爷。"

"为啥？"

"他替你做了一头好媒，"老张放低声音说了这一句，又连连点头，

"这样最好，这样最好！"

阿珠有些好笑，但却不便有所表示。她心里也矛盾得很，一方面希望父亲就此打住，不再多说，免得受窘；一方面却又想听听，胡雪岩到底跟他说了些什么？

老张当然还要说。"阿珠，"他一本正经地，"胡老爷做媒，我已经答应他了。希望你们和和气气，白头偕老。"

说了半天，到底是指的谁呢？虽明知其人，也知道她父亲不会说话，但阿珠心里仍有些着急，总觉得要听到了"陈世龙"这个名字，才能放心。然而她口中却是害羞的话："爹，说你说酒话，你还不肯承认。好了，好了，不要说了。"

"是啊！你总也晓得了，我不说也不要紧，不过婚嫁大事，总得跟你说一声。"

老张话说得颠三倒四，而且有些不着边际。外面的胡雪岩忍不住了，大声说道："你们父女俩请出来吧！我有几句话说。"

"好，好！"老张也高声答道，"还是要你来说。"

说完，他站起身来去拉女儿。阿珠怕羞，不肯出去，却禁不住她父亲硬拉，到底还是进了中舱。她灵活的眼珠在陈世龙脸上绕得一绕，马上收了回来，低着头站在舱门口。

"阿珠！你一向最大方，用不着难为情。"胡雪岩说，"媒是我做的，你爹也答应了，陈世龙更是求之不得。只等你答应一句，我就要叫世龙给你爹磕头，先把名分定了下来。你大大方方说一句，到底喜欢不喜欢世龙？"

"我不晓得。"阿珠这样回答，声音又高又快，而且把脸偏了过去，倒有些负气似的。

"这大概不好意思说。这样，你做一个表示，如果不喜欢，你就走了出去，喜欢的就坐在这里。"

胡雪岩真促狭！阿珠心里在骂他。走出去她自然不愿，坐在这里却又坐不住，那就依然只有装傻了："我不懂你的意思。"

“说不懂就是懂！”胡雪岩笑道，“好了，玩笑也开过了，我正正经经问一句话，你如果不好意思跟我说，就跟你爹说了来告诉我。世龙算是我的学生，所以我又是媒人，又是他的长辈，百年大事，不同儿戏，有啥话这时说清楚了的好。你对男家有啥要求？”

这就是胡雪岩做事老到的地方，明知这桩亲事，一方面阿珠和陈世龙两情相悦，千肯万肯；一方面自己于张家有恩，媒人的面子够大，但仍旧要问个清楚，省得女家事后有何怨言。

说到这话，老张首先觉得他是多问。“没有，没有！”他摇着手说，“哪里谈得到什么要求？你大媒老爷怎么说，我们怎么依！”

“就因为你是这么想，我不能不问。”胡雪岩转脸又说，“阿珠，终身大事，千万不可难为情。你现在说一句，我看做不做得到，做不到的，我就不管这个闲事了。”

这是一句反逼的话。阿珠心想，如果真的不肯说，他来一句“那我只好不管了！”岂非好事落空，成了难以挽回的僵局？这样一急，她便顾不得难为情了，低着头，轻声说道：“我也没有啥要求，只要他肯上进，不会变心就好了！”

“你听见没有？世龙！”胡雪岩说，“你如果不上进，好吃懒做，或者将来发达了，弄个小老婆进门，去气阿珠，那你就是存心要我媒人的好看！”

“日久见人心，胡先生看着好了。”

“好，我相信你。”胡雪岩又说，“阿珠，你放心！有我管着他，他不敢不上进，至于变心的话，真的有这样的事，你来告诉我，我替你出头。”

阿珠想说一句“谢谢你”，但不好意思出口，只看了他一眼，微点一点头，表达了感激之意。

“好了！世龙，你给你丈人磕头，就今天改了称呼。”

听得这话，阿珠拔脚就走，老张也连连表示“不必”，但陈世龙仍旧跪倒在地，磕了个响头，笑嘻嘻叫一声：“爹爹！”

“请起来，请起来！”老张又高兴，又不安，一面笑口大开，一面手忙脚乱地来扶陈世龙。

陈世龙起来又跪倒，给胡雪岩也磕了个头，接着便受命去取了个拜盒来。胡雪岩早有打算，在上海就备好了四样首饰：一双翡翠耳环、一副金镯子、两朵珠花、四只宝石戒指。这些算起来总要值五六百两银子，用它们作为送女家的聘礼。

老张当然很过意不去，但也不必客气，道谢以后，高声喊道：“你来看看！你真好福气，你娘也不曾戴过这样好的首饰。”

躲向后舱，在缝隙中张望的阿珠，原来就激动得不得了，一听她爹这两句，不知怎么心里一阵发麻，滚烫的眼泪一下子流得满脸，同时忍不住发出哽咽的声音。

“咦！好端端地。”

“不要去说她！”胡雪岩摇手打断老张的话，“阿珠大概是替她娘委屈。”

阿珠觉得这句话正碰在心坎上，也不知是感激亲恩，还是感激胡雪岩，索性倒在床上，呜呜咽咽地哭个不住。心里是越哭越痛快，越哭越胆大，哭完了擦擦眼睛，她大大方方地走了出去，不过笑总还不好意思笑，绷着脸坐在那里，预备等她爹或者胡雪岩一开口，便好搭腔。

胡雪岩说了话：“阿珠，你替我们泡的茶呢？”

“啊呀！我倒忘记了。”阿珠站起身来，“只怕已经凉了。”

“就是凉茶好！你拿来吧！”

于是阿珠去取了茶来，倒一杯给胡雪岩，再倒一杯给她父亲。还有腼腼腆腆坐在一旁，蛮像个新郎官的陈世龙。她迟疑了一会儿，终于替他倒了一杯，只是不曾亲自捧给他，也没有开口，把茶杯往外移了移，示意他自己来取。

“你自己看看！中意不中意？”胡雪岩把拜匣打了开来。

望着那一片珠光宝气，阿珠反倒愣住了。这是我的东西？她这样在心里自问，仿佛有些不大能相信它是真的。

“财不露白！”久历江湖的老张，还真有些害怕，“好好收起来，到家再看。”

这一说，阿珠不能不听，但不免怏怏。她盖好拜盒，低着头轻轻说了句：“胡先生，谢谢你！”

“小意思，小意思，”胡雪岩笑嘻嘻地说，“等世龙将来发达了，给你买金刚钻。”

“世龙！”老张也有些激动，口齿亦变得伶俐了，“胡先生待你们这样子好，你总要切记在心里，报答胡先生。”

陈世龙深深点头，正在想找一句能够表达自己感激的话来说明，胡雪岩先开了口。

“老张，你这话不完全对，谈不到什么报答！我请你们帮我的忙，自然当你们一家人看，祸福同当。把生意做好了，大家都有好处。好了，”他向老张使个眼色，“我们上床吧，让阿珠和世龙替我们把东西理一理齐，明天上午好分手。”

这是有意让他们能够单独相处，说几句知心话。陈世龙掌灯把他们送回铺位，走回来先把船窗关上，然后取了一面镜子放在桌上，温柔地说道：“这些首饰，你倒戴起来看看！”

这是极可人意的话。阿珠听他的话，打开拜匣，首先把那副翡翠秋叶的耳环戴上，然后双腕套上金镯，又取了个红宝石戒指戴。只有珠花没有办法上头，因为那是戴在发髻上的，而她一直是梳的辫子。

坐在对面的陈世龙，含笑凝视，显得异常得意。阿珠原来就不大有小家碧玉的味道，这一戴上首饰，越觉她那张鹅蛋脸雍容华贵，绝不像摇船人家的女儿。

在镜子里左顾右盼的阿珠，突然收敛了笑容，慢慢摘下首饰，一件件放好。陈世龙倒有些奇怪了，不懂她这意兴阑珊的表情，从何而来。

“你——”他很吃力地说，“好像有点不大高兴。”

“不是不高兴，有些可惜。”

“什么可惜？”陈世龙急急说道，“难道像你这样的人，还不配戴这些东西？”

“不是这话！‘好女不穿嫁时衣’，这些首饰，可惜不是你买给我的。”

这句话让陈世龙震动了！心里千周百折，一遍遍在想，要如何争气，才对得起她？这样愣了半天，终于逼出几句答复：“你有志气，我也有志气！不过，你如果不肯跟着我吃几年苦，将来想替你办这样子的首饰，是做不到的事。”

“你当我吃不来苦？”阿珠答一声，“你看着好了！”

“我相信，我相信。”陈世龙笑道，“说实在的，我哪里肯让你吃苦？照现在的样子，生意十分顺手，日子会过得很舒服。这都是胡先生的提拔！”

“为人总不好忘本。”阿珠终于说了一句心里的话，“我们总要先把他的生意，处处顾到，才对得起人家。”

夜深人静，即令是他们低声交谈，睡在铺上的胡雪岩，依然隐约可闻。他觉得这件事做得极好，不但欣慰，而且得意，于是心无挂碍，怡然入梦。

* * *

一到杭州，胡雪岩回家坐得一坐，立刻便到阜康，陈世龙已押了行李先在那里等候。行李虽多，但尽是些送人的礼物，由刘庆生帮着料理，一份份分配停当，派了一个“出店”陪着陈世龙一家家去分送。胡雪岩则趁此刻工夫，听取刘庆生的报告。

“胡先生，请你先看账。”刘庆生捧着一摞账簿，很郑重地说。

“不忙，不忙！你先跟我说说大概情形。”

“请你看了账再说。”

听他如此坚持，料知账簿中就可以看出生意好坏，于是胡雪岩点点头先看存款。一看不由得诧异了，存户中颇多“张得标”“李德胜”“王占魁”“赵虎臣”之类的名字，存银自几百到上万不等，而名下什九注着这么四个小字：长期无息。

“唷，唷！”胡雪岩大为惊异，“阜康真的要发财了！怎么会有这么多的户头？”

“胡先生！”刘庆生矜持着说，“你再看这一笔账。”

他翻到的一笔账是支出，上面写着：“八月二十五日付罗尚德名下本银一万一千两。息免。”

“喔，原来罗尚德的那笔款子，提回去了？”

“不是！”刘庆生说，“罗尚德阵亡了，银子等于是我送还的。我不知道这件事做得对不对。”

刘庆生细谈这件事的经过。八月二十五那天，有两个军官到阜康来，说是听闻罗尚德曾有一笔款子存在阜康，问可有其事，又说罗尚德已经阵亡，但他在四川还有亲属，如果有这笔款子，要提出来寄回去。

罗尚德的存折在刘庆生手里，倘或否认其事，别无人证。但他不肯这样做，一口承认，同时立即取出存折，验明银数。但他表示，不能凭他们两个人的片面之词就付这笔存款。

“那么该怎么办呢？”

“我知道罗老爷跟抚台衙门的刘二爷是朋友，要刘二爷跟你们营官一起出面，出条子给阜康。”刘庆生说，“只要罗老爷是真的阵亡，你们各位肯担责任，阜康立刻照付。”

于是那两个军官，当天便找了刘二爷来，共同具了领条。刘庆生即捧出一万一千两银子，还要算利息，人家自然不肯再要。这样到了第二天，张得标、李德胜等等，便都上门来了。

胡雪岩听他讲完，异常满意。“庆生，”他说，“阜康的牌子打响了！你做得高明之极。”

“老实说，”刘庆生自己也觉得很安慰，“我是从胡先生你这里学来的窍门。做生意诚实不欺，只要自己一颗心把得定就可以了。诚实不欺要教主顾晓得，到处去讲，那得要花点心思。我总算灵机一动，把机会抓住了。”

“对！做生意把握机会，是第一等的学问。你能够做到这一点，我非常高兴。庆生，我现在帮手不够，你还是替我多管点事，以后钱庄的生意都归你。”胡雪岩说，“我一切不管，都归你调度。”

“这——”刘庆生兴奋之余，反有恐惧不胜之感，“这副担子我怕挑不下。”

“不要紧！你只要多用心思，凡事想停当了去做，就冒点风险也不要紧。不冒风险的生意，人人会做，如何能够出头？只要值得，你尽管放手去做。”

“这话就很难说了，怎么叫值得，怎么叫不值得？各人看法不同。”

“人生在世，不为利就为名。做生意也是一样，冒险值得不值得，就看你两样当中能不能占一样。”胡雪岩停了一下指着账簿说，“譬如这笔放款，我知道此人是个米商，借了钱去做生意，你就要弄弄清楚，他的米是运到什么地方？运到不曾失守的地方，不要紧，运到长毛那里，这笔放款就不能做！为啥呢，万一这笔账放倒了，外面说起来是：哪个要你去帮长毛？倒账活该！这一来名利两失，自然犯不着冒险。”

“我懂了！”刘庆生深深点头，“凡事总要有个退步。即使出了事，也能够在台面上说得过去。”

“对啊！庆生，”胡雪岩拍着他的肩说，“你完全懂了！我们的生意，不管是啥，都是这个宗旨，万一失手，有话好说。这样子，别人能够原谅你，就还有从头来起的机会，虽败不倒！”

“虽败不倒！”刘庆生把这句话在心里念了好几遍，颇有领悟。接着便谈了些业务扩充的计划，胡雪岩因为自己在杭州只有几天耽搁，一拖便无结果，所以或可或否，当时便要作出决定。

正在从长计议时，只听有人一路喊了进来：“二弟，二弟！”

听这称呼便知是嵇鹤龄，胡雪岩急忙迎了出去。只见他红光满面，梳一条又黑又亮的辫子，身上穿一件极挺括的紫酱色线春夹袍，外面套一件黑缎“巴图鲁”坎肩，平肩一排珊瑚套扣，卷着袖子，露出雪白纺绸的袖头；左手盘一对核桃，右手拿着支湘妃竹镶翠的短烟袋，十足一副纨绔公子的打扮。以前的那副不修边幅的名士派头，连影子都找不到了。

“大哥！”胡雪岩笑道，“你年轻了十几岁，差点都认不得了。”

“都是瑞云啊！”嵇鹤龄有着掩抑不住的喜色，“打扮了几个孩子，还要打扮我。不作无益之事，何以遣有生之涯？这且不去说它。我是奉命来邀客。瑞云叫我来说，晚上为你接风，没有什么菜吃，但一定要到。”

“一定到。只是时候不会太早。”

“你是要先去访雪公？”嵇鹤龄说，“那就不必了。我已约了雪公，他到舍间来会你，吃完饭，你们一起走好了。”

“那好，省了我多少事。”胡雪岩笑着问道，“瑞姑娘怎么样？”

“那是尽在不言中了。总而言之一句话，承情不尽。”

“新城的案子，雪公已经写信告诉我了，说得语焉不详，我在上海记挂得很。”胡雪岩问道，“对你总有个安排？”

“是的，我正要跟你详细谈。”嵇鹤龄略一踌躇，接着又说，“话太长，一说开头，就无法收场了。这样吧，我还要去办点事，瑞云要我去买几盆菊花，我把轿子留在这里，回头你坐了来。最好早些到，雪公未来之前，我们先可以好好谈一谈。”

看他春风满面，服饰华丽，此时又知道养了“轿班”，可知情况很不坏，胡雪岩先就放心了，点点头答应，尽快赴约。

在阜康把几件紧要的事处置完毕，胡雪岩坐了轿子径到嵇家。嵇鹤龄也刚回来不久，正穿着短衣在指挥花匠陈设菊花，一见他来，便说一声：“你到里面坐，我洗了手就来。”

这时张贵已来肃客，看见胡雪岩异常恭敬，也格外亲热。他一面伛偻着身子引路，一面殷殷问讯，直接领胡雪岩到后厅，迎面遇着瑞云。

“二老爷！”因为胡雪岩与嵇鹤龄拜了把子，所以她这样含笑称呼。她略一凝视，接着又说：“清瘦了些，想来路上辛苦了！不过精神气色都还是老样子。”

“你像是发福了。”胡雪岩笑着问，“日子过得还称心吧？”

“托二老爷的福。”瑞云向里喊道，“荷官，领了弟弟、妹妹来见二叔！”

“噢！”里面娇滴滴地答应一声，只见丹荷领头，带着一群小家伙，摇摇摆摆走了来。他们一个个都穿得很干净，等丹荷一站定，便也都站住了。

“叫啊！二叔。”瑞云看着丹荷说。

于是丹荷先叫，她叫过了再叫弟、妹们叫。胡雪岩一看这情形，对瑞云佩服得不得了。她是用的“擒贼擒王”的手段，不知怎么一来，把最调皮的丹荷笼络得服服帖帖，那一群小家伙便也都安分了。

“老大呢？”他问。

“我送他‘附馆’去了。”嵇鹤龄进门接口，两个小的立刻便都扑了过去。

胡雪岩心里着实羡慕嵇鹤龄，自然也深感安慰，拉着丹荷的手问长问短，好半天不放。

“好了好了！”瑞云大声说道，“都跟着二姐到里头去，不要来烦你们二叔！”

遣走了孩子们，瑞云也告个便回到厨下。于是嵇鹤龄跟胡雪岩谈起别后的光景。新城之行，先抚后剿的宗旨定得不错。嵇鹤龄革枪匹马，深入危城，当地士绅都佩服他的胆气，也了解他的诚意，因此都愿意跟他合作，设法把为首的“强盗和尚”慧心，引诱到县自首。蛇无头而不行，乌合之众，一下子散得光光。前后不过费了半个月的工夫。

功成回来，王有龄自然敬礼有加，万分亲热，私人先送了五百两银子，作为谢礼。嵇鹤龄不肯收，王有龄则非送不可。“到后来简直要吵架了。”他说，“我想你跟他的交情不同，我跟你又是弟兄，就看在这一层间接的渊源上，收了下来。”

“你真是取与舍之间，一丝不苟。”胡雪岩点点头说，“用他几个也不要紧。这且不去说他，你补缺的事呢？雪公说过，补实缺的事，包在他身上。现在怎么样了？”

“这件事说起来，有点气人，”嵇鹤龄急忙又加了一句，“不过，雪公对我是没有什么好说的。他保我署理归安县，黄抚台不肯；又保我接海运局，黄抚台也不肯，说等‘保案’下来再说。”

地方上一件大案子，或则兵剿，或则河工，或则如漕运由河运改为海运等等大事曲张的案子，办妥出奏，照例可以为出力人员请奖，称为“保案”。保有“明保”“密保”之分，自然是密保值钱。

“黄抚台给了我一个明保，反是雪公倒是密保。”

“这太不公平了。”胡雪岩打断他的话说，“莫非其中有鬼？”

“嗨！”嵇鹤龄一拍大腿，“真正机灵不过你！黄抚台手下一个文案委员，要我两千银子，我也不知道这两千银子是他自己，还是他替黄抚台要。反正别说我拿不出，就拿得出来，也不能塞这个狗洞。”

“那么，雪公怎么说呢？”

“雪公根本不知道。我没有告诉他。”嵇鹤龄说，“我跟他说了，他一定为我出这两千银子。我何必再欠他一个人情？”

官场中像他这样耿介的人，已经不多了，胡雪岩不由得肃然起敬。但他可以这么想：自己应该跟王有龄说清楚，无论如何要把海运局的差使拿下来，哪怕“塞狗洞”也只好塞了再说。

“大哥！”他说，“这件事你不必管了，雪公必有个交代，等我来跟他说。”

“其实也不必强求。”嵇鹤龄摇摇头，“官场中的炎凉世态，我真看厌了。像我现在这样也很舒服，等把那五百两银子花光了再说。反正世界上决没有饿死人的。”

“你真正是名士派。”胡雪岩笑道，“不是我说句大话，像你这样的日子，我也还供给得起，不过你一定不肯，我也不愿意让你闲下来不做事。人生在世，不是日子过得舒服，就可以心满意足的。”

“一点不错。”嵇鹤龄深深点头，“我自然也有我的打算，如果浙江混不下去，我想回湖北去办团练。”

“那不必！我们在浙江着实有一番市面好做，等雪公来了，大家好好谈一谈。”

说到曹操，曹操就到。因为已成熟客，刚听得张贵来报：“王大老爷到！”王有龄已经进门，一面走，一面在喊：“雪岩，雪岩！”

“雪公！”胡雪岩迎了出去，拱拱手招呼。

“我天天在盼你。等你一来，我就有回湖州的日子了。”

“老爷！”是瑞云在喊，她仍旧用他在家的称呼，“请里面坐，就吃酒吧！只怕胡老爷也饿了。”

“好，好，吃酒，吃酒！”王有龄很高兴地说，“今天要痛痛快快吃几杯。”

于是延入后厅，只见已摆了一桌子的菜：有瑞云的拿手菜红糟鸡，也有她别出心裁，将嵇鹤龄家乡口味的鱼杂豆腐和杭州菜的鱼头豆腐烩在一起的一品锅——烹制得浓腴非凡，正宜于这西风落叶的黄昏食用。

“胡老爷送的洋酒。”瑞云拿着一瓶白兰地笑道，“我竟不知道怎么开法。”

“我来，我来！”嵇鹤龄接过酒来，很自然把双手抚在她肩上说，“喝这酒省事，不必烫。你请到厨房里去吧！菜慢一点好了。回头你也来敬酒。”

他这样款款而言，一点都不觉得有什么不合适。瑞云却很不好意思，微微窘笑着白了他一眼，然后低声埋怨：“你真啰唆！”

王有龄向胡雪岩看了一眼，等瑞云的背影一失，忍不住哈哈大笑。“雪岩！”他说，“我现在才知道你的乐趣，看天下有情人都成眷属，实在是件赏心乐事。”

"愿天下有情人终成眷属"是西湖月老祠的对联，嵇鹤龄随即笑道："这一字改得好！雪公有此襟怀，自然常乐。"

"好说，好说！都亏你们两位帮了我的大忙。今天先借花献佛，聊表寸心。"

于是三个人先干了一杯。白兰地不比绍兴酒，嵇鹤龄喝得太猛了些，呛了嗓子，咳得面红脖子粗，连瑞云在厨房里都听到了。她赶了出来一看，便一面问原因，一面替他捶背。王、胡两人看在眼里又相视而笑了。

"你那位珠小姐呢？"王有龄问胡雪岩，"现在是要看你的了！"

"那也是件赏心乐事。"

"怎么？"王有龄很关切地抢着问，"莫非好事不谐？"

"在阿珠仍旧是件好事，这也不去谈她了。倒是畹香，"胡雪岩说，"我在上海叫人去看过她，还住在梅家弄，不曾受到什么惊吓。她有意思来玩一趟，雪公，你看如何？"

"看看再说吧！"王有龄的神色很冷淡，是不大愿意谈及此事的神情。

嵇鹤龄本来想问畹香是何许人，看见他这样的神色，见机不言。胡雪岩当然更不会再提，话题一扯，谈到他自己在上海的交游及生意。

此刻有两件事要谈，一件是代买的洋枪，一件是海运由浏河出口，交尤五驳运。后者又跟嵇鹤龄的出处有关，胡雪岩灵机一动，认为可以当作嵇鹤龄的见解提出来，显得他在这方面也有过人的才干，因而决定先谈洋枪。

"雪公！"他问，"湖州的团练怎么样了？"

一问到此，王有龄大为兴奋。"很好哇！全省各地的团练，就数我湖州顺利。平心而论，都是赵景贤的功劳。"他对嵇鹤龄说，"此人的才具，不逊于老兄。几时我介绍你跟他交个朋友。"

"我亦听说此君既贤且能，很想交这个朋友。若蒙雪公引见，真是快事！"说着，他陶然引杯，一仰脖子干了酒。

"雪公！"胡雪岩把话题拉了回来，"我替你买了一批洋枪。"他把整个经过说了一遍。

“我也要浮一大白！”王有龄极高兴地说，“雪岩你这件事，办得好极了！前两天，抚台还跟我谈起，兵在精而不在多，又说欲善其事，先利其器。龚振麟父子，对造炮虽有经验，无奈不会造枪。现在能够买到洋枪，对防务大有裨益。我明天就‘上院’去见抚台，筹个通盘的办法出来，洋枪多多益善。”

“那是以后的事。目前这批枪呢？”

“这一批枪，当然是我们湖州买！有了这批洋枪，将来的效用如何，且不去说它，起码眼前就可以激励团练的士气，关系甚重。”王有龄又说，“赵景贤知道了这个消息不知道会高兴成什么样子！”

“雪公！”嵇鹤龄插进来说，“既然湖州志在必得，事情就不是这么个做法。明天要防黄抚台截留这批枪，还是暂时不说的好。”

“那么到什么时候再说？”

“我看要用这么个步骤，”嵇鹤龄慢条斯理地答道，“先跟藩司请一张洋枪的运照，接着了这批枪，送到湖州，然后再跟黄抚台去说。那时枪支已经发了下去，莫非黄抚台倒说，统通收了回来，给他的亲兵用？”

“对，对！”王有龄说，“有你们两个人替我划策，真正是万无一失！来，吃酒！”

一面喝酒，一面胡雪岩又谈买这批洋枪，还有拉拢英商，叫他们少跟洪、杨打交道的好处。嵇鹤龄在一旁默默地听着，心里便在为胡雪岩想。等他们谈话告一段落，嵇鹤龄便用提醒的语气说：“雪岩，这批货色的价款如何算法，你要不要先跟雪公谈一谈？”

胡雪岩还不曾开口，王有龄矍然说道：“提到这一层，我倒想起来了。团练都是官督民办，地方上自己筹了饷，自己保管。湖州富庶，地方上也热心，团练经费很充裕。我本来想跟赵景贤说，教他把公款存在阜康，又怕碰个软钉子，面子上下不来，所以一直不曾开口。现在好了，有了这批洋枪，是个很好的‘药引子’，赵景贤一定很见你的情，我就容易说话了。至于这一批货色的价款，说多少是多少，回扣当然是你的。”

胡雪岩此刻最感困难的，第一是人手不足，第二是头寸调不转。有了湖州团练的大笔经费存进来，如鱼得水，再妙不过。有了大生意，他就不肯贪小利了。“不！”他说，“我的事需要做得漂亮。回扣或者归公，或者归景贤手下的人去分，我完全当差。”

“白当差也不必。”王有龄说，“这件事你不必管了，我来跟赵景贤说。”

要谈的两件事谈妥了一桩，另一桩得要从嵇鹤龄身上谈起。“雪公！”他开门见山地问，“鹤龄的事怎么了？”

一提到这话，王有龄把已送到唇边的酒杯又放下，意兴阑珊地先叹了口气。

“为这件事，我睡觉都不安枕。”王有龄说，“我也正要等你商量。抚台不知打的什么主意，迹近过河拆桥，叫我怎么对得起鹤龄兄？”

于是他把几次为嵇鹤龄的事，跟黄宗汉去谈的经过，说了一遍。他先是请求，没有确实答复，便改做保荐；保荐依旧不得要领，就只好力争。无奈至今争不出名堂来。

“雪岩！”王有龄说到最后，又要请教他了，“你料事比别人来得准，倒看看，是何道理？”

“无鬼不死人！”胡雪岩很坦率地说，“其中必定有鬼。”

“我也想到了这一层。”王有龄答道，“问过文案上的人，说要不要有所点缀？文案上的人，回话很诚恳，说这件事全看抚台的意思，他们此刻还不敢受好处，怕受了好处，事情办不成，对不起人。等将来嵇某人的委札下来，自然少不得要讨他一杯喜酒吃。雪岩，你听，这话不是说到头了吗？”

王、嵇两个人两样的话，摆到胡雪岩心里一辨味道，立刻就懂了。两千银子是黄宗汉要，却又不肯叫王有龄出，所以才有这样的话。如果是文案上要钱，管你这银子姓王姓嵇，只要成色足就行了！

懂是懂了，却不肯说破。说破了，王有龄即或花了钱，仍旧会觉得替嵇鹤龄不曾尽到心而感疚歉。在嵇鹤龄则既有那样不愿花钱买官做的表示，说破了更会成僵局。

于是胡雪岩笑笑说道："他们闹鬼，我就是专捉这路鬼的'茅山道士'。且看我的手段！"

"那么，你预备如何'捉鬼'？"王有龄问。

"天机不可泄漏。"胡雪岩拿手一指嵇鹤龄，"雪公，鹤龄给我的信上，谈到漕米海运，由浏河出口，但因为小刀会起事，怕出乱子，所以出了个主意。你看行不行？"

听得这话，嵇鹤龄大为诧异，自己何尝出过什么主意？正要开口，发觉有人轻轻踢了他一脚。这自然是胡雪岩递过来的暗号，嵇鹤龄便不作声了。

"什么主意？"王有龄极注意地问，"上头正为这件事在担心，我也很头痛。派兵护漕，原是公事，谁知百端需索，绿营兵真正都该裁撤！"

"那好！这个主意用得着了。"胡雪岩不慌不忙地说道，"鹤龄晓得我跟尤五的交情，也晓得尤五的手面，出的主意就是包给尤五驳运。你看如何？"

王有龄思索了一下，拍案称赏："这个主意想绝了！尤五是松江漕帮，说起来便宜不落外方，哪方面都交代得过。鹤龄兄，你真正才气纵横。这样吧，请你今天就做个说帖，我明天上院面递。如果抚台再有啰唆，那就真正是出了鬼了！"

"是，是！"嵇鹤龄答应是在答应，不免有些面红耳热，只是借酒盖脸，一时看不出来。

"甚好，甚好！"王有龄举杯说道，"白兰地我也喝过几回，似乎都不如今天的来得香，来得醇。"

"与周公谨交，如饮醇醪！"嵇鹤龄引了句《三国志》上的话，端杯向王有龄一举，眼却看着胡雪岩。

干了这一杯，王有龄说："酒差不多了。鹤龄兄今晚上还要写说帖，明天晚上到我那里再喝个痛快！"

话刚完，只听瑞云一面掀帘子走了出来，一面笑道："我还没有敬胡老爷，敬老爷呢！”

“敬胡老爷应该，谢媒！”

瑞云原有这意思，让王有龄一说破，便不好办了。她一手执壶、一手持杯，僵在那里有些手足无措。幸好，这不过眨眨眼的工夫，因为嵇鹤龄很机警地替她解了围。

“还是应该先敬雪公！”他接过壶来说，“雪岩跟我弟兄，那是自己人。”

“糟了！”王有龄笑道，“你们都是自己人，只剩下一个我是外人。”

“老爷也不要这么说，”瑞云窘意消失，依然很会应酬了，“胡老爷跟嵇老爷都没有拿老爷当外人看。”

“对了！”有了几分酒意的王有龄，词锋特别锐利，“女心外向，倒是你拿我当外人看了。”

“我不敢！”虽是戏言，瑞云却当作正经话回答，“我在老爷家十几年，不敢忘记老爷、太太待我的好处。”

说到这样的话，王有龄就是借酒盖脸，也不好意思跟她再说笑话，规规矩矩受了她一杯酒。接着，瑞云又敬了胡雪岩。才放下杯子要走，胡雪岩喊住了她，要她也敬嵇鹤龄。这时候的瑞云可大方不起来了！但她越是不肯，胡雪岩越闹得厉害，把几个小把戏都招引了来，在门帘后面遮遮掩掩地看热闹。特别是最调皮的丹荷，格格地笑个不住。嵇鹤龄借着去叱斥儿女的机会，算是替瑞云又解了围。

饭罢回到书房里去喝茶，又谈正经。王有龄问起胡雪岩说：“驳运一节，你跟尤五谈过没有？”

“谈是谈过，没有定局。因为不知道你的意思究竟如何？”

“其实你就作了主也一样。”王有龄问，“尤五怎么说？”

“尤五还不是一句话！费用好商量，不过要浙江给他们江苏督粮道一件公事。”

“公事现成！哪怕就是给江苏许抚台，也不费什么事。倒是费用一层，还要有个大概数目，才好筹划。”

“我想，”胡雪岩说，“总比请派绿营兵保护，要便宜得多。”

“那行！”王有龄很仔细地想了想说道，“只要尤五真的能够保险，这件事就太妙了！”

胡雪岩听出他的意思，是有些不放心尤五。但许多话胡雪岩亦不便跟他说，譬如尤五跟周立春的交情之类。不过既然王有龄有这话，而且又扯上嵇鹤龄，算是他的“条陈”，那么一出纰漏，于他们两个人的前程，都有妨碍，不能不重新考虑。

“事情是有七分把握，不过‘不怕一万，只怕万一’，我想，”胡雪岩看着嵇鹤龄说，“条陈里写活动些，让黄抚台去作主。”

“不行，不行！”王有龄摇着手说，“他不肯担责任的。”

这一下，事情变得就要重新再谈。胡雪岩因为责任太重，总觉得很难有万全之计。方在沉思之际，嵇鹤龄开了口。

“此事要盘马弯弓，有一番做作。”嵇鹤龄说，“现在防务吃紧，各地方都要增添兵力，原有的兵勇尚不敷用，何能再抽人护送漕米？”

“啊，啊！”王有龄恍然大悟，“我懂了。”

“我也懂了。”胡雪岩说，“不过这话，最好不由雪公来说。”

“你是说由绿营自己来说？”王有龄摇摇头，“他们不肯说的，这是趟好差使，又舒服，又有出息，何乐不为？”

“舒服却未见得，真的遇见小刀会，开起仗来，绿营不是他们的敌手。”

“无奈他们不这么想。我也不能这么说。”王有龄下了个决定，“准定由我面见抚台，相机行事。”

“那么，”胡雪岩问道，“条陈呢？”

“条陈还是今夜把它拟好，我带了去，宁可备而不用，不可要用而未备。”

“既如此，我连夜赶起来。”嵇鹤龄慢了一下说，“我想把雪岩留下来，一起商量，斟酌尽善。雪公看如何？”

“也好！”王有龄看着胡雪岩说，“我们就明天上午碰头好了。”

这样说停当了，王有龄告辞回家。胡雪岩和嵇鹤龄也就毫无耽搁，立即动手。一个条理清楚，一个笔下来得，不费什么事就已把草稿拟好，重新斟酌一遍，做成定稿，随手誊清，由胡雪岩带走。

第二天上午王有龄不出门，专程在家等候胡雪岩，一到便在书房里闭门密谈。自从新城之乱平服，王有龄愈得黄宗汉的信任，因而妒忌他的人也不少，办事不免多掣肘的人，为此他有许多苦恼，要向胡雪岩倾吐。

“雪岩，”他说，“我现在有件大事，要跟你商量。听说黄抚台有调动的消息，如果他一走，来接他的人不知怎么样。所以我颇有急流勇退之想。”

一听这话，胡雪岩大吃一惊，急急说道：“雪公你怎么起了这么个念头？局面刚刚摆开，正搞得顺手，为啥要打退堂鼓？”

“一则我怕后任一来，如果彼此不甚对劲，我许多经手的事，收拾起来就会有啰唆，趁黄抚台在这里，办交卸比较容易；二则江忠源由湖北臬司调升安徽巡抚，他跟我有旧，来信问我，愿意不愿意到安徽去。他跟曾国藩两个，现在圣眷甚隆，我想到他那里去也不错。”

“不然！”胡雪岩大为摇头，“安徽地方你不熟悉，我也不熟悉。而且说句老实话，你到安徽，我不会去的，因为我去了也帮不了你的忙！”

“好！”王有龄点点头，“你说到这话，我不必再多说，今天就写信，回谢江忠源的好意。”

听他这样表示，胡雪岩自然感到安慰了，然而也不免觉得责任愈重，想了想说：“黄抚台调动的消息，确不确？”

“有此一说，不可不防。”王有龄又说，“现在浙江各地，都有土匪滋事的情形，黄抚台对这方面非常认真。因为新城的案子办得不错，所以这些差使，以后怕都会落在我头上。海运局的事又不能不摊在那里，实在有点心余力绌。”

这就见得嵇鹤龄的事，格外重要。说实话，王有龄比嵇鹤龄本人还急，但他在黄宗汉面前，却是有力使不上。因为论功行赏，王有龄走错了一着棋，或者说，这一着棋，他没有去走。在黄宗汉来看，对新城一案的酬佣，是早就分配好了的。王有龄和嵇鹤龄两人，给一个密保，一个明保，谁密谁明，他没有意见。当初出奏的时候，如果王有龄说一句："嵇鹤龄出的力多，请抚台赏他一个密保。"黄宗汉也会照办。但就因为少了这一句话，王有龄把自己搞成了密保，如果这时候再力荐嵇鹤龄，仿佛投机取巧，他怕黄宗汉心里不高兴，因而始终不敢多说。这一层苦衷，甚至在胡雪岩面前，他都难启齿。时间隔得愈久，那种近似"冒功"的疚歉愈深，他渴望着胡雪岩能出个主意，把这件事早早办成。

"照现在看，恐怕还不是三天两天的事。"王有龄说，"先要谈防务，让黄抚台晓得抽不出兵，然后就让他自己来问，可还有别的好办法？那时我才能把鹤龄的条陈拿出来。你想想，这是多绕弯子的事？"

胡雪岩同意他的说法，重新把前因后果考虑了一遍，发觉自己错了！他错在想为嵇鹤龄"显显本事"。其实，那个条陈对嵇鹤龄能不能接海运局差使的关系不大。关系还在文案那里。"火到猪头烂，钱到公事办！"怎么连这两句话都想不起？

于是他说："雪公，我请你缓一缓，快则明天，迟则后天，再去见黄抚台。"

"怎么呢？"王有龄问，"你又有什么安排？"

"还是那句话。"胡雪岩笑道，"天机不可泄漏。"

"好吧！我也不问了，听你的招呼好了。"

于是彼此又谈了些在上海、在杭州的情形，话太多一时说不尽，加上王太太又出来很应酬一番，谈起瑞云，越发说个没有完，胡雪岩也索性丢开正事，聊了些闲天。在王家吃了午饭后，他告辞出门，一直来到阜康替嵇鹤龄办事。

他就用本号的银票，开了两张，一张两千，一张两百，用个封套封好，上写“菲仪”二字，下面具名是“教愚弟嵇鹤龄”。

“庆生！拜托你走一趟，托刘二爷代为递到文案上的陈老爷。说我还有几天忙，杂务稍为定一定，请他过来叙一叙。”

“好的。”刘庆生又问，“要不要回片？”

“不必了。”胡雪岩说，“他给你就带了回来，不给也不必要，反正心到神知。”

刘庆生办事极快，不过一个时辰，就已回店。他带来抚署文案委员陈老爷的一张名片，上面有四个字：拜领谢谢！

于是胡雪岩当夜就通知王有龄，说可以去见抚台谈这件事了。王有龄不知道他葫芦里卖的什么药，反正照他的话做绝不会错，因而第二天衣冠整肃地到了抚台衙门。手本递了进去，刘二回说：“上头交代，上半天客多，准定请王大爷下半天三点钟来。”

凡是上宪专约时刻会商，皆是格外看重的表示，意思是要抽出一段时间，可以从容细谈。王有龄听得这话，便打道回府，到了下午再来。

黄宗汉在巡抚衙门后花园的“船厅”接见王有龄。一到便叫王有龄先换了便衣，接着便邀他一起吃点心。千层糕、燕皮汤、地力糕，甜咸俱备，冷热皆有，都是他们八闽的家乡口味。

一面吃，一面谈。先谈时局，黄宗汉说起向荣的江南大营，每月耗饷甚巨，公文急如星火，催索不已，是件很伤脑筋的事。

“这也不该浙江一省出。”王有龄表示意见，“需索无底，难以为继，大人似乎可以跟向帅商量，是不是通盘筹划，由江苏、江西、浙江三省，每月确定额数，到期报解？这样子，大家筹措起来也比较容易。”

“你这个主意不错，我可以试一试。”黄宗汉又说，“你湖州这方面，关系甚重，通省的饷源，主要的就靠你那里。我看，海运局你真有点兼顾不到了！”

王有龄心里有些嘀咕，听这意思，抚台夹袋中似乎有人。倘或此时就提了出来，一个上司，一个下属，直来直往，中间没有缓冲的余地，嵇鹤龄岂不是就落空了？

这还在其次，如果换一个人来，立刻就得办移交，海运局的亏空，除非能找一笔钱来补上，否则就会原形毕露，那怎么得了？

一想到此，额上便见了汗。黄宗汉不知就里，随即说道：“十月小阳春，天气太热。你请升冠吧！”

升冠就是脱帽，是不礼貌的，王有龄拿块手巾擦擦汗说：“不要紧，不要紧！”

这是小事，黄宗汉也不再多说，又谈公事：“那个姓嵇的，我看倒有点才气。”

听得这一句，王有龄顿觉心头一宽，耳目清凉，赶紧答道：“大人目光如炬，凡是真才，都逃不过大人的耳目。”

这一声恭维，相当得体，黄宗汉瘦刮刮的脸上有了笑容。“让他接你的海运局。”他用征询的语气说，“你看怎么样？”

“那是再适当不过。”王有龄乘此机会答道，“嵇鹤龄此人，论才具是一等一的。有人说他脾气太傲，但也不见得。有才气的人，总不免恃才傲物，不过所傲者，是不如他的人。其实他也是颇懂好歹的，大人能够重用他，我敢写包票，他一定会感恩图报，让大人称心如意。”

最后一句话，意在言外，不尽关乎公事妥帖。黄宗汉其实也不需他“写包票”，胡雪岩那张阜康的银票，比王有龄的“包票”更来得有力。所以他点点头说：“我知道！你就回去准备交卸吧！”

“是！”王有龄站起身来请了一安，“大人容我暂息仔肩，真是体恤我。”

“不敢当，快请起来。”黄宗汉也站起来，虚扶一扶。这一站起来，不再坐下，便是等待送客的表示。

“我就告辞了。”王有龄敲钉转脚地加了一句，“我回去就将大人这番栽培的德意，告诉嵇某人，叫他实心报效。”

“可以，你就告诉他好了。我马上叫人下委札。”

于是王有龄告辞回家，第一件事就是派人去请胡雪岩和嵇鹤龄。自然是胡雪岩先到。因为阜康离王家不远，而他是早就关照了王家门上的，有事到阜康招呼，所以一请就到。

"佩服，佩服！"王有龄翘着大拇指说，"雪岩，你具何神通，料事如此之准？"接着，他把会见黄宗汉的经过，细说了一遍。

胡雪岩也不曾料到事情是这样子的顺利，因而也有喜出望外之感，想了想问道："那么，条陈是怎么说法？"

"条陈不曾上。"王有龄答道，"一拿出来，倒显得早有成算似的。大人物分两种，一种喜欢先意承志，事事先替他想到；一种是喜欢用不测之威，不愿意别人知道他的心思，黄抚台就是这一类人。我觉得等鹤龄接了事，或者谢委的时候，当面请求比较好。"

"事情要快，就让他谢委的时候请求吧！"胡雪岩又问，"运枪的公事——"

"啊！把这件事给忘记掉了。"王有龄说，"不要紧，我写封信就行了。"

刚把信写完，嵇鹤龄到了。王、胡二人一见他先道贺，然后略说缘由，嵇鹤龄有点摸不清首尾，不知道是谁的力量使然，唯有向他们两个人都道了谢。

这时王家的男女佣仆也都来磕头道喜，嵇鹤龄正带着一张三十两银子的银票在身上，很大方地发了"总赏"，还有人说要给瑞云道贺，又说她福气好！尤其是待嫁的两名丫头，眼看瑞云"飞上枝头作风凰"，艳羡之意，溢于词色。这就不但是嵇鹤龄，连胡雪岩也觉得很得意。

这样喜气洋洋地乱过一阵，王有龄便说："鹤龄兄，你请回去吧！说不定已有送喜信的人到府上去了。雪岩帮着一起去招呼招呼，我们晚上再谈。"

叫胡雪岩去招呼，是招呼放赏。这方面的"行情"胡雪岩不大熟悉，少不得先要向王有龄问清楚了，然后顺道往阜康交代了几句话，才一起回到嵇家。

“二弟！”嵇鹤龄在轿子里把事情想通了，一到家率直问道，“可是你走了门路？”

因为嵇鹤龄说过不愿买官做的话，所以胡雪岩的回答很含蓄：“也不过托人去说过一声。”

“怎么说法？”

“无非拜托而已。”

嵇鹤龄静静地想了想说：“我也不多问了，反正我心里知道就是！”

正说到这里，刘庆生也到了嵇家。他是奉了胡雪岩的指示，送东西来的，一千两银票、五百两现银，另外一扣存折，上面还有三千五百两。

“二弟！”嵇鹤龄把存折托在手里说，“我觉得沉重得很，真有点不胜负荷。”

这是说欠他的情太多了，怕还不清。“自己弟兄，何必说这话？”胡雪岩答道，“而且水帮船，船帮水，以后仰仗大哥的事还多。”

“这用不着说，你的事就是我的事。海运局的内幕，我还不大清楚，要你帮我的忙，才能顶得下来。”

刚谈到这里，只见听差引进一位客来，是抚台衙门的一名戈什哈。这“戈什哈”是满语“侍奉”的意思，转用为护卫的名称，到了后来，凡是督抚左右跑腿的差官，都叫作“戈什哈”。此人戴着个金顶子，也是个八品官儿，但遇见候补州县七品官的嵇鹤龄，不敢以官自居，抢上来请两个安，一面口称：“恭喜嵇大老爷！”

这自是报喜信的。嵇鹤龄连称：“不敢当！”扶起来请教，“贵姓？”

“不敢！敝姓朱。抚台派我在文案上当差，文案陈老爷特别派来跟嵇大老爷报喜。”说着，他从“护书”中取出来一封盖着紫泥大印的委札，双手捧向嵇鹤龄。

委札不曾封口，取出来一看，不错，是接王有龄“海运局坐办”。嵇鹤龄顺手交了给胡雪岩，转脸向姓朱的说一声：“劳你的驾，请坐了说话！”

“不敢！”姓朱的说，“陈老爷交代，说先跟嵇大老爷道喜，晚上再来拜会，又交代：抚台今天身子不大爽快，嵇老爷今天不必谢宴，等到明天上院好了。”

“好，好！费心你转达陈老爷，多承他关照，心感万分。准定我今天晚上到他府上去拜访。”

“是，”姓朱的又说，“请嵇大老爷赏个名片，我好回去交差。”

这是早准备好的，一张名帖，一封二十两银子的红包。刚打发了姓朱的，只见瑞云走了出来。她穿一件紫缎夹袄，系一条雪青绸裙，一朵红花，盈盈笑道：“嵇老爷我来道喜！”

“怎样！”嵇鹤龄像有些意外，也有些手足无措似的，“你也来这一套，何必！免了，免了。”

“应该的。嵇老爷大喜！”说着，她手扶左腰裣衽为礼，随后又喊，“荷官，带了弟弟、妹妹来替爹爹磕头。”

于是丹荷领头，一群小把戏，推推拉拉地都从门边出现。这显然是瑞云早就安排好的，一个个都像过年的样子，穿得整整齐齐的衣服，在一长条毡条上，七跌八冲地，一面磕头，一面笑着。嵇鹤龄扶住这个，抱住那个，嘴里还要应付调皮的丹荷“讨赏”，乱到十分，也热闹到了十分。

“瑞云！”嵇鹤龄等乱过一阵，这样说道，“实在要谢谢二老爷——”

“是啊！”瑞云抢着接口，“不过倒不是谢谢二老爷，也是要跟二老爷道喜。”

“同喜，同喜！双喜临门，喜酒吃不完。”胡雪岩笑道，“瑞云，都是你带来的运气。”

这句话说得瑞云心花怒放，不自觉地就瞟了嵇鹤龄一眼，然后正一正脸色说道：“这有好几天可以忙了。马上就有道喜的人来，茶烟点心，都要早早预备，二老爷请宽坐，我不陪你了。”说着又福了福，转身而去。

大家妇女的派头，讲究稳重，行路无声，裙幅不动，才是福相。瑞云居然亦有这副风范，使得胡雪岩大感意外。大概婢学夫人，早就有心了，于此见得她的志气，胡雪岩不由得赞了一声：“实在不错！”

嵇鹤龄也看到了瑞云那俨然命妇的派头，自然也很得意。得意思往，嵇鹤龄想到两个月前与胡雪岩初见的光景，恍似梦寐。这是一个令人沉醉的春梦，而且一时不会醒，还有更妙的梦境在后面。

无量欢喜竟化作浓重感慨。“提起来也真好笑！”他说，“记得我们第一天见面，我还埋怨你跟雪公做下圈套，令人拒之不可，受之不甘。谁知是这样的圈套，只怕再耿介的人，也要去钻一钻。”

提到这个回忆，胡雪岩更觉得意。从与王有龄认识以来，他出过许多奇奇怪怪的花样，而以“收服嵇鹤龄”最足以自豪。因为第一，救了新城地方一场刀兵之灾；第二，帮了王有龄一个大忙；第三，好人出出头，使得嵇鹤龄不致有怀才不遇之叹；第四，促成了一头良缘；最后，自己交了一个亲如骨肉的好朋友。一举而众善备，自觉这个脑筋动得实在不坏。

于是他半开玩笑地说道：“我听你谈过，说汉高祖的陈平，出过多少条奇计。我的奇计也很多，大小由之。大才大用，小才小用，只看对方自己怎么样。”

“是的！”嵇鹤龄说，“你应该是诸侯的上客，像现在这样是委屈了。”

“那也不见得。事在人为！”胡雪岩跟嵇鹤龄交谈，话中不知不觉就有书卷气了，“俗语说得好，‘将相本无种，男儿当自强’，我现在虽不是诸侯的上客，帮人做到诸侯的位分，自然就是上客了。”

“这话说得好！乱世本来是出人才的时候，征诸史书，历历可见。”

“书上怎么说，我不晓得。不过，大哥，”胡雪岩的脸上，显出那种在他难得有的、古板正经的神色，“你说现在是出人才的时世，我相信！乱世故事，不必讲资格例规，人才容易出头。再有一层，你到过上海，跟洋人打交道，就晓得了。洋人实在有洋人的长处，不管你说他狡猾也好，寡情薄义也好，但有一点我们及人家不来。人家丁是丁、卯是卯，你说得对，他一定服你，自己会认错。不像我们，明明晓得这件事错了，不肯承认，仿佛认了错，就失掉了天朝大国的面子。像洋人那样，不会埋没你的好处，做事就有劲了，才气也容易发挥了。凡是有才气的人，都是喜欢做事的，不一定为自己打算。所以光是高官厚禄，不见得能出人才，只出旗人对皇上自称的‘奴才’！”

“嘿！”嵇鹤龄睁大了眼说，“想不到你能这么痛快的议论。书，我比你多读了几句，论世故，我实在不及你。”

“我是瞎说的。”胡雪岩谦虚着，“吃亏还在书读得少。”

“不然，不然！”嵇鹤龄不断摇头，换了个话题，“我说过，我想认识几个江湖上的朋友，第一个是尤五，这一回少不得要借重他了。我想接了事，先到上海、松江走一趟，一则看看海口的情形，再则专程去拜访尤五，不晓得你能不能陪我一起走？”

“可以，我本来在上海也还有好些事要料理。不过，此刻来说，言之过早。等你明天谢了委、接了事再来商量，也还不迟。”

说到这里，张贵来报，有道喜的客来了。

这位贺客是裘丰言，向主人道过喜，便来跟胡雪岩招呼，将他奉若神明。因为裘丰言原来最佩服嵇鹤龄，而胡雪岩能使得恃才傲物的嵇鹤龄服帖，进而结为昆季，这就像如来佛收服孙悟空一般，不能不令人倾倒。

胡雪岩也很喜欢裘丰言，此人生来心肠热、脾气好、肯吃亏，最难得的是眼力高，识得人的长处，而且衷心敬服。同时他的趣味别具一格，说他俗，俗到不堪言状；说他雅，做两件别出心裁的事，比雅人还雅，这就是嵇鹤龄能够跟他成为好朋友的一大原因。至于胡雪岩喜欢他，是喜欢他那副生气勃勃的劲道。哪怕家里等米下锅，他外面看来仍是吃饱睡足只想找乐趣的样子。

胡雪岩因材器使，马上替他想到了一桩“差使”：“老裘，你今天就不要走了！替主人陪陪客。”

“义不容辞！”裘丰言笑嘻嘻地答道，“鹤龄兄春风得意，声名鹊起，贺客必多，都归我招呼。摆酒唱戏‘开贺’，我心里也有谱了，起码有十天好热闹。”

“嗳，老兄，老兄！”嵇鹤龄连忙拦着他说，“你少给我出点花样，弄出暴发户的样子来！”

“做此官，行此礼，哪个不是这样子热闹热闹的？”

“斯世何世？长毛打到黄河以北，上海又是小刀会起事，我们在这里瞎起哄，给京里‘都老爷’晓得了，随便什么奏陈时政的折子上，带上一笔，吃不了还兜着走呢！”

“这倒也是实话。”胡雪岩一想是该当心，“老裘，眼前不必铺张，自己人悄悄玩一两天，有个庆贺的意思，也就够了。好在至迟年底，总还有一场热闹。”

“对，对！”裘丰言“从善如流”地连声答应，“鹤龄兄，年底纳宠之喜，也就跟洞房花烛的‘小登科’一样。到那时候，你总不能委屈我们那位才貌双全，既贤且惠的如嫂夫人了吧？”

“这也再说。如果公事顺手，年下无事，倒不妨热闹热闹。”

“好，有这句话就行了。年下办喜事，自然也是我的‘总管’？”

“当然，少不得要奉烦。”嵇鹤龄又问，“老裘，你现在忙不忙？”

“你晓得的，我是无事忙。”

“那就忙点正经的。”嵇鹤龄向胡雪岩问道，“你看，请老裘来帮忙如何？”

“那还有什么话说？”胡雪岩忽然想到一件事，便接下来问一句，“你请老裘在哪方面帮忙？”

“自然是押运。”

“我也猜到是这方面。”胡雪岩问裘丰言说，“老裘！请你当海运局的押运委员，你肯不肯屈就？”

“谈不到这两个字。海船我还没有坐过，不晓得会不会晕船。这都不去说它了，反正你们两位说怎么，就是怎么！”

“承情之至！”嵇鹤龄拱拱手，又向胡雪岩说道，“我猜你另外还有事托老裘？”

“是啊！‘烧香看和尚，一事两勾当’，等你那个条陈准了，先请老裘到松江跑一趟。”

“我懂了！”嵇鹤龄说，“你想把那批枪托老裘带了回来？”

“对了！”胡雪岩说，“我本来想叫我那个‘学生子’去办，一则怕他年纪轻，不够老练；再则，‘一品老百姓’的身份，到底比不上我们裘大老爷！”

“好了，好了！”裘丰言用告饶的语气说，“雪岩兄，你不必调侃我了。说了半天是怎么回事？我还不甚明白。”

于是胡雪岩把海运转驳和向英商购枪两事，说了个大概。裘丰言好热闹，爱朋友，对尤五这样的人，跟嵇鹤龄一样，渴望结交；运洋枪的差使，也觉得新鲜有趣，所以满口答应。

“不过，说句实话，此行也不是全无意外！”嵇鹤龄提出警告，“这年头，萑苻遍地，洋枪这样的利器，暗中颇有人眼红。老裘，你是有名的‘酒糊涂’，一路上要少喝。”

“少喝一点可以。你放心好了，我每顿总喝到快要糊涂为止。”

嵇、胡二人都笑了。“老裘！”胡雪岩好奇地问道，“你平生醉过没有？”

“只醉过一趟。”裘丰言说，“是我娶亲那天，特意喝醉的。”

“为什么？”胡雪岩诧异地问。

“负气！”裘丰言说，“我那头亲人，是先父定下的。照我的心意，想娶东邻之女，先父说什么不许。我心里存个拙见，花轿要抬进门，我没法阻挡，洞房之中，同床异梦，是我自己的事。所以吃喜酒的时候，同学少年起哄来灌，我来者不拒，已吃到了六七分。一进新房，我不揭新娘子的盖头，去揭酒坛子的盖头，吃得颓然大醉，人事不知，整整睡了一天一夜才醒。”

“该打屁股！”胡雪岩好奇地笑着，“新娘子必是哭了一夜？”

“新娘子倒没有哭，先母从没有看我醉过，吓得哭了！你道我醉得如何？十一月的天气，一块豆腐放在胸口，要不了多久就滚烫了。”

“好家伙！”胡雪岩咋舌，“你这么喝，不把命都喝掉了？”

嵇鹤龄没有听他谈过这一段，此时感兴趣的是他的新娘子，便抢着问道：“尊夫人如何？虽不哭，必是苦苦相劝？”

“没有那话！”裘丰言摇摇头，“你们道内人如何？只怕猜到天亮也猜不着。”

“那就不要猜了，你自己从实供来！”

“内人当时叫‘伴房’的回娘家，说新姑爷好酒若命，叫她娘家送二十坛好酒来——”

“妙！”嵇鹤龄失声而呼，“那你怎么样呢？”

“我还有怎么样？人生难得一知己，我好酒，她寻好酒来我吃，你想想，我怎么能不服帖？”

嵇鹤龄跟胡雪岩都大笑，裘丰言回忆着少年的妙事，自己也笑了。

“说也奇怪！”他又说，“从那一天起，我对内人的看法就两样了。原来看她胖得有些蠢，这时候想想，杨贵妃是胖的，明朝的万贵妃也是胖的，《红楼梦》上的薛宝钗也是胖的。脚是大了点，她的三寸金莲——”

“慢来，慢来！”嵇鹤龄抢着问道，“三寸金莲怎么说是大脚？”

“我的话还没有完。”裘丰言不慌不忙地答道，“内人的三寸金莲是横量，跟观音大士一样。”

这一下，里里外外都是笑声。孩子们未见得听懂裘丰言的妙语，但极易受大人的感染。丹荷就不曾看见他父亲与客人们这么笑不可抑过，因而颇有滑稽之感，便忍不住笑得比什么人都厉害。而瑞云则已内心充满了笑意，一触即发，况且裘丰言谈他那位大脚的胖太太，措词甚“绝”，她也是听得懂的。

就在这一片笑声中，又有位贵客翩然而临，是王有龄。这下场面自然变得严肃了，有裘丰言在座，宾主都不便说什么涵意较深的话，一个道了贺，一个致了谢。王有龄便说：“鹤龄兄，我的移交现成，你随时可接，我看拣日不如撞日，你明天谢了委，就请移驾到局先视了事，也好让我早卸仔肩，稍松口气。”

“雪公！”嵇鹤龄拱拱手用歉意的声音说，“这一层实在不能从命，容我先好好跟你老请教了再接事，如何？”

“那么，”王有龄看了看裘丰言说，“丰言兄，一起到舍下便饭吧！”

裘丰言也是熟透了人情世故的，听这话便知他们预先有约，当然有好些体己话要说，自己决不能去惹厌。然而他也不肯实说这层意思。“改天到府上叨扰，”他指指地下说，“鹤龄兄见委，要我为他接待贺客。我今天晚上一顿酒，就扰嵇府上的了。”

这样安排也很好。于是嵇鹤龄特地入内，关照瑞云款待嘉宾，然后道声“拜托，偏劳”，与王有龄、胡雪岩一起出门。

到了王家，王太太已特地从“小有天”闽菜馆叫了一桌席，为嵇鹤龄贺喜，兼为胡雪岩接风。三个人吃酒席，虽是盛馔，亦难下咽。因此胡雪岩出个主意，索性请些海运局的同事来赴席，一则作为王有龄酬谢他们平日帮忙，再则也为嵇鹤龄引见。

临时飞笺召客，原是不甚礼貌的举动，不过都是局内同事，也就无所谓了。在等候的这段时间，王有龄延客入书房，商谈移交。王有龄在海运局有亏空，但历来相沿的习惯，大致前任亏空总归后任接收，作为一笔宕账，能弥补就弥补，不能弥补就再移交给后任。到了移交不过去时，那就要出大乱子了。

当然这和前任是红是黑，后任是忠厚还是精明，以及彼此的交情，都有关系。在目前这种情况下，前后任等于一个人，自然没有话说。但胡雪岩觉得这件事应该有个明确的处置，否则就变成让嵇鹤龄受累，不仅于心不安，而且出了乱子，也就无异于为自己找麻烦。

“雪公！”他一开始就这样说，“现在等于做生意盘一爿店一样，亲兄弟明算账，账尽管宕在那里，算不能不算清楚。该如何归清，我们再想办法，等我上海的丝卖掉，我想就不要紧了。”

听胡雪岩一说，王有龄心里有数，赶紧答道：“应该应该。我们休戚相关，灾福相共，决不能把个烂摊子甩了给鹤龄兄就算数。”

这一说，事情就好办了。那笔宕账，能报销的报销，不能报销的，宕在那里，宕不过去再说，反正有胡雪岩在，不会叫嵇鹤龄为难。至于张胖子那里，继续维持旧有的关系，也就没有什么可说的。

嵇鹤龄一路听，一路点头，保持沉默，这是最适当的态度，这个差使由王有龄和胡雪岩身上而来，此刻便不宜有所主张，等接了事，只要不伤害到他们两人，自己尽可发挥，亦无须在此时有所主张。

接着就谈到用人，这下嵇鹤龄却有话了。“雪公！”他问，“局里哪几位是非留下不可的？”

王有龄懂得他的意思。“我没有什么人。”这是表示没有什么利害关系深切的私人，“不过，有一两位平日颇为出力，你能维持就维持，真的以为不行，当然也由你自己处置。”

接着，王有龄说了两个司事的名字，嵇鹤龄都把他记了下来，表示一定设法维持。

“那么，雪公另外有没有人要安插呢？”

王有龄想了想说：“我有个远房侄子，最近从家乡来，我不想把他带到湖州，怕有人说闲话，‘官亲’太多。你如果能设法安插，那就求之不得了。”

“好！请雪公叫令侄开个履历给我。”嵇鹤龄又说，“我跟雪岩商量好了，预备用裘丰言。雪公看如何？”

这是嵇鹤龄的手腕，有意表示恭敬亲切。当然，王有龄即使不赞成，因为有胡雪岩的意思在内，也不会反对，而况事不干己，且对裘丰言的印象不坏，所以他连连点头：“很好，很好！”

“再有，”胡雪岩接着说，“到松江去接洋枪，我想请老裘顺便去跑一趟，请雪公再弄件公事。”

“公文方便。不过‘酒糊涂’办这种事，会不会出纰漏？”王有龄说，

“我看最好叫你那个姓陈的后生跟了他去，这个人年纪虽轻，人倒能干。”

“既然雪公看他能干，不妨在湖州给他一个什么差使。”胡雪岩毫不思索地说了这一句，想想又不对，赶紧再接一句，“当然是挂名差使。”

“挂名差使又何必？”

“有个道理。”胡雪岩说，“陈世龙年底要成亲了。有个差使，便算衣冠中人，男女两家的场面上都好看些。”

“这可以！”王有龄随口答道，“女家是哪一家？”

“新娘子就是阿珠。”

“咦！”王有龄和嵇鹤龄不约而同地面现诧异之色，而且都非常困惑，不知这话怎么问下去。

也不需他们动问，胡雪岩自己把那段移植蓬门清卉的经过，讲了一遍。

王有龄和嵇鹤龄自然都极注意地在听，但两人的反应不同。王有龄是替他惋惜，嵇鹤龄则颇为赞成，说胡雪岩这件“快举”，大有唐人侠义之风。

第四章

当天回家，胡雪岩叫阿福把住在附近客栈里的陈世龙去找了来。胡雪岩是要告诉他一个好消息，到松江接枪，已经用不着他了。眼前他在杭州也没有什么事，可以先回湖州一趟，去见一见“丈母娘”。

“不必！”陈世龙说，“接枪的事情，也很麻烦，我跟了裘老爷去好了。”

“为什么呢？”胡雪岩倒有些诧异，心想这是求之不得的“美差”，陈世龙不该不领情。

他何尝不领情，心里也巴不得去看一看小别数日便如数年的阿珠，只是为了感恩图报，自愿出力。而这话他又不愿说，觉得说了便没意思了，因而沉默不答。

胡雪岩是察言观色，只需稍为用点心，便可以看透他的腑肺。胡雪岩心里暗暗欣慰，也不说破，只这样告诉他：“叫你去看丈母娘是‘顺带公文一角’，湖州我一时去不了，有好些事，要你替我去办。你不必到松江去了！”

最后一句话，完全是长辈的口气，没有讨价还价的余地。陈世龙只好点点头。

“第一件，你跟你郁四叔去说，如果有多余的头寸，我要用，请他汇到阜康来，期限最好长一点，利息我特别加厚。第二件——”

说到第二件，他沉吟了。他的意思是想把黄仪调开，但丝行才开始做，总得把这一“季”做出个起落来，净赚多少，该分多少花红，有个实实惠惠的交代，则宾主尽欢而散，才是正办。但照目前这样子，仿佛有些过河拆桥，传出去于自己的名声有损。

“世龙，”他问，“你看黄仪这个人怎么样？”

“本事是有的，不大合得来群。”陈世龙直抒观感。

“对！你说到了他的短处。”胡雪岩说，“你丈人自己说过，‘吃不住他’，我要想个办法，把他调开，不过目前还不到时候，你跟你丈人说，好歹先敷衍敷衍他，到明年我自有妥当办法。”

“我晓得了。”陈世龙又说，“郁四叔那里，最好请胡先生写封信。”

“信我是要写的，还有东西带去。啊！”胡雪岩突然喊了起来，“我倒想起来了，老黄文墨很不错，我想请他来帮忙，专门替我写写信，你倒探探他的口气看！送他的酬劳，一定够他用，你看他的意思如何？写信来告诉我。”

“这倒也不错。老黄这个人也只有胡先生能收服，他做事最好自己做自己的，不跟人联手，一定做得好。”

这样商量定了，陈世龙便整整忙了两天，把胡雪岩要带到湖州送人的土仪什物，以及他自己“孝敬”丈人丈母娘的衣料与食物，向阿珠献殷勤的胭脂花粉，一起采办齐全，再下一天就下了航船，直放湖州。

陈世龙一上岸先到大经丝行，迎面就遇见阿珠的娘。他心里没有预备，顿时搞得手足无措。首先称呼就为难，自然不能再叫“张太太”，但又老不出面皮喊声“娘”。

阿珠的娘却是又惊又喜。“你怎么回来了？”她说，“来，先坐了再说，你丈人也在里头。”说着，她自己先转身走了进去。

陈世龙定定神，心里在想，看这样子，丈母娘对自己是中意的，他唯一的顾虑，是怕阿珠的娘觉得受胡雪岩的好处太多，不一定以这头亲事为然，或者口中不说，心里起了个疙瘩。现在，这个疑虑似乎是多余的了。

由店堂绕过屏风，走入第二进就是客房，这时不是收丝的季节，空荡荡的一个客人都没有，但旁边厢房却有人。是黄仪，他在窗子里望见了陈世龙便喊："啊呀，新贵人上门了！"一路喊，一路抢了出来，笑脸迎人。

陈世龙有些发窘，站定了脚招呼一声："黄先生，你好！"

"你发福了！"黄仪歪着头，从上到下把陈世龙端详了一遍，"上海住了几个月，样子变过了！"

这一说引起了阿珠的娘的注意，也是退后两步，直盯着陈世龙看。夷场上的衣饰总要漂亮些，又是"丈母娘看女婿"，所以她脸上的笑意越堆越浓，这样就更要惹得黄仪开玩笑。

"张太太，"他笑着说，"回去慢慢看！新贵人脸嫩，看得他不好意思了。"

"晓得他脸嫩，你就少说一两句！"阿珠的娘已经在卫护女婿，笑着说，"都到里头来坐！"

"对！"黄仪兴味盎然地，"我到里头来看你们'见礼'。"

阿珠的娘心里一动，立刻有了个主意。她是体恤女婿，看陈世龙有点发窘，心里便想："毛脚女婿"第一次上门，总要有个媒人，或者男女两家都熟悉的亲友陪着，彼此才不致尴尬。现在陈世龙像个"没脚蟹"似的，要请黄仪来帮忙。媒人照规矩是两位，有了一个胡雪岩，另一个不是现成在眼前？

于是她说："黄先生，我们女家的大媒是胡先生，男家的大媒老爷，拜托了你好不好？"

"怎么不好？现成的媒人，求之不得。"

陈世龙也听出丈母娘意存体恤，这样安排，再好不过，便向黄仪拱手作揖："黄先生，我重重拜托！"

“好说，好说！”黄仪很高兴地，“那么，张太太，我要叫你亲家太太了！”

就这样说笑着，他们一起进了胡雪岩以前所住的那个院子。老张闻声迎了出来，也有意外的惊喜。陈世龙喊一声：“爹！”有了爹自然有娘，黄仪以媒人的身份，从中牵引，陈世龙便又替老张夫妇磕了头，正式见过礼，改了口，把阿珠的娘笑得合不拢口。

这时大经丝行里用的伙计，出店、烧饭司务，还有两三个缫丝的女工，都跑了来看热闹。因为陈世龙平常人缘极好，所以大家都替他高兴，但也多要开几句玩笑。陈世龙觉得最艰难的是见丈母娘这一关，这一关一过就不在乎，脸皮也厚了，随他们去说，只报以矜持的微笑。

然而另一个难关又来了。这一关不是他自己难过，是替阿珠担心。说巧不巧，阿珠从家里到丝行，一路走进来，就看见大家想笑不笑，已在怀疑，等踏入院子，第一眼就看见陈世龙，心里一慌，赶紧想溜，已来不及。

“阿珠！”老张在里头喊。

阿珠不理，依旧往外走。有个缫丝的女工叫阿翠，生性最好事，偏偏就在她身后，堵着门不让她出去。

“走开！”她低声怒喝。

“你不要逃嘛！”阿翠笑道，“又不是不认识。”

于是里面也笑，外面也笑，终于让阿珠夺门逃走，陈世龙才算松了一口气。

阿珠的娘记挂着女儿，同时为女婿设想，料知他一颗心也早就飞了出去，因而看一看天色，提议回家，顺便邀黄仪一起去吃晚饭。

黄仪大喜。他不喜欢赌钱，也不会花花草草在外头搞女人，甚至连旱烟都不抽，唯一的嗜好，是口腹之欲。这位“老板娘”的烹调手段，他是领教过的，只是在老张父女到上海去的那些日子，只有阿珠的娘带着个使女爱珍在家，他不便上门去叨扰。从老张回来以后，才又去吃过两次饭，家常肴馔，精洁有余，丰腆不足，未能大嚼，今天又是款待“毛脚女婿”，又是请媒人，自然有一顿称心满意的晚饭好吃了。

“你先去！”老张对他妻子说，“胡先生带来送人的东西，我跟世龙先料理料理，弄好了就回来。”

“今天也晚了，留到明天再说。”阿珠的娘这样嘱咐，“世龙就住在店里好了，要茶要水也方便。要住哪一间自己挑，挑好了叫他们打扫，铺盖到家里去拿。”

这番体贴，完全是父母之心，陈世龙极其感动，但也很不安。就此刻他已觉得岳家的恩情太重，不知何以报答。加上胡雪岩的一手提拔，越有恐惧不胜之情，于是不由得又想到阿珠的那番激励：“‘好女不穿嫁时衣’，这些首饰，可惜不是你买给我的！”同时也记了胡雪岩对阿珠说过的那句话：“等世龙将来发达了，给你买金刚钻。”两下凑在一起，陈世龙死心塌地了。

“爹！”等阿珠的娘一走，陈世龙这样对老张说，“你先陪了黄先生回去。我把胡先生交代的事，办完了就来。今天我仍旧回家去住，省得麻烦。”

“何必？”黄仪劝他，“明天一早来料理也一样。”

“不！”陈世龙固执地，“今日事，今日毕，明天有明天的事，积在一起，拖到后天，那就永远料理不清楚了！”

听这一说，已入中年的黄仪不断点头。“老张！”他说，“你这个女婿，人又变过了，不但聪明勤快，而且老成扎实！真正是乘龙快婿，恭喜，恭喜！”

老张是忠厚老实到了家的，自然更欣赏陈世龙的作风。要这样，后半世才有依靠！照他的想法，当时就想下手帮忙，但既邀了黄仪回家吃饭，也不便让他空等。就这踌躇之间，老张有了个主意，正不妨趁此机会跟黄仪先谈一谈如何办喜事。

陪他到家，刚一进门，里面阿珠便躲了开去。爱珍来开了门，第一个先寻陈世龙。她看看不见，便失望地问了出来：“咦！姑少爷呢？”

骤然改口，老张倒是一愣，想一想才明白，随即答道：“在收拾东西，要等下才来。”

听这一说，爱珍便急忙到厨房里去报告消息。阿珠跟她一样失望，但似乎又觉得轻松。不过，还有个黄仪，这时一走出去，必定受窘，因而又有些上心事。

她娘看不出她的心事，正忙得不可开交。她要在个把钟头以内，弄出一桌像样的菜来，着实要费一番手脚。而且她不但手脚忙，口中也不闭，一面调理咸酸，一面不厌其详地讲解，让阿珠都听得有些烦了。

“娘！”她说，“这时候哪里有工夫讲空话？”

“你当是空话？”做母亲的大为不悦。

“马上要自己做人家了，我教得你一样是一样，你还不肯学！”阿珠的娘埋怨女儿，“虽然上头没有婆婆，但旁人要说闲话。一把锅铲刀上没有点功夫，你想想，男人怎么会在家里待得住？”

话是不中听，但看娘忙成这个样子，阿珠不肯再跟她争辩。只是她一向撒娇惯了的，不顶句嘴办不到，便笑着说道：“随你，随你！你老太太喜欢啰唆，尽管去啰唆好了！”

阿珠的娘，实在也没有工夫“啰唆”了，却又惦记着外面。“你去听听！”她说，“黄先生跟你爹讲些什么？”

这句话正中下怀。阿珠随即出了厨房，躲在窗下，用发簪在窗纸上戳出个小孔，悄悄向外窥探。

外面一主一宾，神态各别。老张正襟危坐，显得极为郑重，黄仪却是跷着“二郎腿”，很随便的样子。这时正是黄仪在说话。

“换个庚帖，方便得很。回头叫你们大小姐去买全帖来，我马上就写。男女两家，归我一手包办。还有啥？”

“还有，‘送日子’归男家。”老张停了一下又说，“世龙预备啥时候办喜事，拜托你问他一声。”

“这何必还要我问？”黄仪笑道，“你们翁婿这么熟的人，用得着我这个现成的媒人传话？”

“这也是规矩。总要请大媒老爷。”

“老张！”黄仪突然打断他的话说，“所谓六礼：纳采、问名、纳吉、纳征、请期、亲迎。这只有一项，是我该替女家效劳的。‘纳征’怎么说？”

“六礼”二字，老张倒听见过，“纳征”他就不懂了。后面的阿珠也在纳闷，听语气是不知出了什么花样，所以越发侧耳细听。

“纳征就是聘礼。这个上头，你们自己不好开口，我倒可以替你去问。”

“原来是聘礼，这个已经有了。想来你还不晓得，应该请你过目。”

于是老张亲自入内，小心翼翼地捧了个朱漆描金的拜盒出来，打开一看，是这么四件首饰。黄仪大出意外。

“是胡先生代世龙送的。”

这句话使黄仪更感意外。他对胡雪岩的接触不算多，但却听见过许多说他慷慨的话，于今一看，果不其然。这位“东家”本性着实宽厚，就跟他一辈子亦何妨。

“好极，好极！”黄仪也替阿珠高兴，“将来新娘子珠围翠绕，打扮出来，格外出色。我看老张，现在凡事有胡先生替世龙作主，啥事情你不必问我，问他好了。”

这一句话，确是要言不烦。老张爽然若失，问了半天，原是白问，照现在这样子看，只怕陈世龙也作不得自己的主。说不定胡雪岩已有话交代，等下倒不妨问问他。

又闲谈了好一会儿，黄仪肚子饿得咕咕叫，正想开口先向主人家要些什么点心来吃。总算还好，陈世龙到了。

一路上他是想好了来的。虽说结成至亲，但不过就多了一重名分，在岳家他仍旧应该像从前一样，才显得亲切自然，而且也为自己减除了许多窘相。所以招呼过后，一直就往厨房里走去。

一踏到后面，顶头就遇见阿珠，双方都以猝不及防而微吃一惊，但亦随即都在心头浮现了莫可言喻的喜悦。陈世龙只叫得一声：“阿珠！”便把一双眼睛瞪住在她身上不放。

“你有几天耽搁？”她很快地说，声音也很轻。

不问来，先问走，便已见得她的不舍之意。就这样一句平淡的话，已使得陈世龙回肠荡气，真想终老家乡，一辈子厮守着阿珠。

然而他也马上自谴，觉得起这种念头就是没出息，因而放出那种无所谓的神态说：“要看胡先生的意思，他差遣我到哪里，就到哪里，信一来就走。”

阿珠不响。她心里有许多话要说，但此时此地不是细诉衷曲的时候，便侧着身子努一努嘴，意思是让他到厨房里去跟她娘招呼。

陈世龙会意，微笑着点一点头，走过她身边时，在暗头里捏住了她的手。柔荑一握，入手心荡，他倒又舍不得走了。

阿珠不赞成他这样的行为，只是不忍拒绝。倚恃母亲的宽容，就看见了也不会责备，她便尽着由他握着。偏偏不识相的爱珍一头冲了出来，阿珠眼尖，夺手便走。陈世龙也有些吃惊，搭讪着说：“爱珍，我有两样东西从上海带来送你。一样是象牙篦箕，一样是一个五颜六色的木头镶嵌得很好看的盒子，不晓得你喜欢不喜欢？”

“喜欢的！”爱珍很高兴地说，“谢谢姑少爷！”

“少爷”这个称呼在陈世龙已觉得很新鲜，何况是“姑少爷”？他自己把这三个字，默默念了两遍，忽然发觉，他和张家的身份，都在无形中提高了！这自是受了胡雪岩的惠，但自己和张家的身份，是不是真的提高了呢？这一点他却有些不大明白。

这些念头如电闪一般在心头划过，他一时也不暇去细思，因为人已到了厨房。他先喊一声：“娘！”然后去到他丈母娘身边去看她做菜。

“厨房里脏！”阿珠的娘一面煎鱼，一面大声说道，“你外头坐。”

“不要紧！”陈世龙不肯走。

这时是一条尺把长的鲫鱼刚刚下锅，油锅正“哗哗”地响，阿珠的娘全神贯注着，没有工夫跟他说话。等下了作料，放了清汤，盖上锅盖以后，她才用围裙擦一擦手，笑嘻嘻地问：“东西都料理好了？”

“都料理好了，请出店一份份连夜去送，也挑他挣几个脚力钱。娘，”陈世龙又说，“我给你剪了两件衣服。天气快冷了，我又替你买了个白铜手炉。”

“我哪里有闲下来烘手炉的辰光？”做丈母娘的说，“下次不要买，啥也不要买，何必去花这些钱？再说，你现在也挣不到多少钱，一切总要俭朴。”

话是好话，陈世龙不大听得进去。不过他也了解，天下父母心都是如此。所以不答这句腔，把话题扯了开去。

就这样，他绕着丈母娘的身子转，谈到在上海、在松江的情形，絮絮不断地，真有那种依依膝下的意绪。阿珠的娘一面忙着做菜，一面也兴味盎然地听他讲话。有些事已听阿珠讲过，但再听一遍，仍然觉得有趣。

等厨房里整备停当，入座时又有一番谦让，结果当然是黄仪上座。阿珠和她母亲原可入席，而这天是例外。母女俩等前面吃完了，方始将残肴撤下来，叫爱珍一起坐下，将就着吃了一顿。

母女俩吃完收拾，洗碗熄火，请事皆毕，而前面却还谈得很热闹。老张回来多日，上海的情形他也很清楚，但一向不善词令也不喜说话，所以黄仪从他嘴里听不到什么。跟陈世龙在一起就不同了，他说话本有条理，记性又好，形容十里夷场的风光，以及各式各样的人物，把个足不出里门的黄仪，听得神往不止。

这种不自觉流露的表情，不要说陈世龙，就连老张都看出来了。因此当谈话告一段落时，陈世龙向黄仪说道：“上海倒是不可不去，几时你也去走一趟？”

“那一定要的。”黄仪也是个不甘雌伏的人，此时听了陈世龙的话，对胡雪岩有了一种新的想法，觉得跟了这个人去闯市面，是件很够劲的事。不过这番意思他却不知如何表达，只问了声："胡先生啥时光到湖州来？"

"他一时怕没有到湖州来的工夫。"陈世龙说，"上海、杭州方面的事，怕生了四只手都忙不过来。"

"其实，我们在这里也是闲坐。"

陈世龙听出因头，当时不响。辞出张家时，陈世龙表示要送黄仪回店，那一个谈兴未央，欣然表示欢迎。于是他们回到大经丝行，泡了壶茶，剔亮了灯，继续再谈。陈世龙依照胡雪岩的指示，以话套话，把黄仪所希望的"进账"，探听清楚，然后说道："胡先生很佩服你的文墨，他现在就少一个能够替他代代笔的人。胡先生经手的事，官私两面都很多，有些事情是不便叫第三者晓得的，只有心腹知己才可以代劳。这一个人很难找。"

"怎么样？"黄仪很注意地问，"胡先生是不是想叫我去？"

"他没有跟我说。"陈世龙本来想说，如果你有意思，我可以写信给胡先生。转念一想，这样说法，即表示自己在胡雪岩面前的关系比他深，怕黄仪多心，因而改口说道："如果胡先生有这个意思，当然直接会跟你商量的。"

"嗯，嗯！"黄仪忽然想到，大经丝行的事也不坏，不必亟亟乎改弦易辙，便即答道，"一动不如一静，看看再说。"

陈世龙一听话风不对，知道是因为自己话太多了的缘故，心里深为懊悔。同时再也不肯多说，告辞回到自己住处。多日不曾归家，灰尘积得甚厚，他又忙了大半夜，草草睡下。这一天实在太累了，他头一着枕，便已入梦。

* * *

睡梦头里陈世龙仿佛听得屋里有脚步声，但双眼倦涩，懒得去问。但翻个身想再寻好梦时，他只觉双眼刺痛，用手遮着睁眼看，但见红日满窗，阳光中有一条女人的影子。急切间辨不出是什么人，只是睡意却完全为这条俏拔的影子所驱除，他坐起来掀开帐门细看，不由得诧异道："是你！"

"是我！你想不到吧？"

"真是不曾想到。"

陈世龙不曾想到水晶阿七会突然出现。梦意犹在，而又遇见梦想不到的情况，他的脑子被搅得乱七八糟，茫然不知所措，只是看看窗外，又看看阿七，先要把到底是不是在做梦这个疑问作个澄清。

"我盼望你好几天了！"阿七幽幽地说，同时走了过来，由暗处到亮处站住脚，拿一双水汪汪的眼睛，在陈世龙脸上瞟来瞟去。

这下陈世龙才把她看清楚。脂粉未施，鬓发蓬松，但不假膏沐，却越显她的"真本钱"。白的雪白，黑的漆黑，一张嘴唇不知是不是上火的关系，红得像榴花。身上穿一件紧身黑缎夹袄，胸前鼓蓬蓬，大概连肚兜都未带。这触目惊心的一番打量，把他残余的睡意，驱除得干干净净。他跳起身来，先把所有的窗子打开，然后大声说道："你请外面坐！"

"为啥？"

"不方便！"

"怕什么！"阿七答道，"我们规规矩矩说话，又没有做啥坏事。"

"话不是这么说——"陈世龙心里十分着急，就无法跟她好好讲了，紧皱着眉，连连挥手，"你最好请回去！我这个地方你不要来。"

这一说，阿七脸色大变，但愤怒多于羞惭。同时也不能期望她能够为这么一句话气走，她不但不走，反倒坐了下来，冷笑说道："小和尚，我晓得你已讨厌我了。"

看样子，她要撒泼。如果换了几个月以前，他倒也不在乎她，对骂就对骂，对打就对打，如果她要哭，自己就甩手一走，反正没有她占的便宜。但现在情形不同了，这中间关碍着身份、脸面，而最要紧的是嫌疑。在郁四面前分辩不清楚，固然麻烦，若是风声传入阿珠耳中，更是件不得了的事。因而他只好想办法敷衍。

"不是讨厌你，是不敢惹你。"陈世龙这样答道，"你不想想你现在啥身份？我啥身份？”

“你啥身份我不晓得！不过吃饭不要忘记种田人，不是我在胡老板面前替你说好话，你哪有今天？这话不是我要表功，要你见我的情。我不过表表心，让你晓得，你老早把我抛到九霄云外，我总是时时刻刻想着你。”

这番话叫陈世龙无以为答，唯有报以苦笑道：“谢谢你！闲话少说，你有啥事情，灶王爷上天，直奏好了。”

“不作兴来看看你，一定要有事才来？”

“好了，好了！”陈世龙又不耐烦了，“你晓得郁四叔的脾气的。而且我——”

他是要说，答应过胡雪岩，从此不跟她见面。但这话说出来，没意思，所以他顿住了口。而阿七却毫不放松：“男子汉大丈夫，该说就说！你有什么话说不出口。”

“跟你不相干！总而言之，你来看我，我谢谢你。现在看过了，你好走了！”

阿七一听这话，霍地站起身来，把脚顿两顿才骂道：“你死没良心！”她咬牙切齿地说，“我偏偏不走！”

“你不走，我走！”陈世龙摘下衣架上的夹袍，往身上一披，低头拔鞋，连正眼都不看她。

“好了，好了！”阿七软语赔罪，“何必生这么大的气？”

陈世龙啼笑皆非，同时也不能再走了，因为这样要甩手一走，就会有人批评：第一欺侮女人，不算好汉；第二，说他连水晶阿七这样一个女人都应付不了。

不走就得另打主意。陈世龙发过一阵脾气，此时冷静了下来，觉得麻烦要找了来，推不掉就只有挺身应付，且看她说些什么。反正他抱定宗旨，不理她，等她走后，再到郁四那里和盘托出。原来就要去看郁四，转达胡雪岩的口信，正好“烧香看和尚，一事两勾当”。

于是他拔上鞋子再扣衣钮，阿七还来帮他的忙，低着头替他扣腋下的扣子，露出雪白一段头颈，正在陈世龙眼下。他把视线移了开去，但“元宝领”中散发出来的甜甜、暖暖的香味，却叫他躲避不了。好在这只是片刻工夫，等他把衣钮扣好，随即走到窗前一张凳子上坐下，预备好好应付麻烦。

“我昨天刚刚到，胡先生有好些要紧的事情，叫我替他去办。县衙门里杨师爷在等我，”陈世龙先表白一段，然后提出要求说，“你有话，爽爽快快说！我实在没有工夫陪你。”

水晶阿七不即回答，想了好一会儿才说：“本来有一肚皮的话，要细细的告诉你，所以特为起个早来。既然你没有工夫，要我爽爽快快地说，我就说一句：三年前头，你跟我说过的那句话，算不算数？”

提到三年前，陈世龙就知道麻烦不小。那时阿七还没有跟郁四，跟陈世龙有过一段情。情热如火时，什么话都说出来。陈世龙不知道她指的是哪句话，不过也可以想象得到，这句话在这时候来说，一定对自己不利。

因此他先就来个“金钟罩”，概不认账：“那时的话哪里好作数？”

“什么？”阿七咄咄逼人道，“亏你说得出口，说了话不算数？难道你小和尚是这种没肩胛的人？”

“肩胛要看摆在什么地方。”陈世龙说，“我也不知道你指的是啥？如果说，我答应过你什么，譬如买衣料、打镯子什么的，我自然有肩胛。倘或有些事情，当时做得到，现在做不到，再有肩胛的也没有办法。”

“你自然做得到。”阿七说道，“你倒再想想看，你答应过我一句什么话？”

“我想不起，你说好了。”

“你说过，要我跟你。就是这句话！”

这句话却把陈世龙搞糊涂了。原来以为她只是想瞒着郁四来偷情，不道是这样一句话！

“那怎么行！”他脱口答道，“你是郁四叔的人，怎么谈得到此？”

这是陈世龙失言。他没有细想一想，如果她还是跟着郁四，怎么能说这话？阿七相当机警，捉住他这个漏洞，逼紧了问：“你是说，碍着郁老头？

如果没有这重关碍，你当然还是有肩胛，说话一定算话！是不是？”

话外有话，陈世龙再不敢造次，先把她前后两句话的意思细想了一遍问道：“是不是你跟郁四叔散伙了？”

“对！我跟郁老头散伙了。”

果有其事，陈世龙不免诧异。照他知道，郁四是一天都离不开阿七的，何以竟会散伙？莫非阿七做下什么不规矩的事，为郁四所不能容忍，赶出门去？

“你奇怪是不是？”阿七神色泰然地说，“我先说一句，好叫你放心，我跟郁老头是好来好散的。”

这就越发不能理解了！“是怎么回事？”他说，“我有点不大相信。”

“不要说你不相信，连我自己都不大相信。不过，这也该当你我要走到这一步，真正运气来了，城墙都挡不住。”

看她那种兴高采烈、一厢情愿的神气，陈世龙又好笑，又好气。本来想拦着不让她说，但这一来马上又要吵架，她如何跟郁四散伙的经过，就听不到了。因而很沉着地听她讲完，催促着说：“你闲话少说！就讲郁四叔为啥跟你散伙好了。”

“嗨！提起来，真是说书先生的口头禅：六月里冻杀一只老绵羊，说来话长！”说到这里，阿七的神色忽显哀伤，“你晓不晓得，阿虎死掉了？”

陈世龙大惊：“什么？阿虎死掉了，怎么死的？”

“绞肠痧！可怜，八月十四下半天得的病，一夜工夫就‘翘’掉了，连个节都过不过！”

陈世龙听得傻了，眼中慢慢流出两滴眼泪。郁四生一子一女，阿虎就是他的独子，今年才二十二岁，去年娶的亲，为人忠厚，极重义气。他跟陈世龙也算是要好弟兄，尤其因为他父亲不准陈世龙上门，他似乎倒怀着歉意，所以对陈世龙格外另眼相看，三天两头不是来邀他听书、吃酒，就是来问问要不要铜钿用。这样一个好朋友，一别竟成永诀，陈世龙自然要伤心。

但是，他的这两滴眼泪，在阿七看来，却别有会心，越觉得好事可成。

因为这可以看出，陈世龙是有良心，重感情的。

“你也不要难过。死了，死了，死啦就了掉了！”阿七略停一下说，“我跟郁老头散伙，就是因为阿虎死了才起的因头。阿虎不死，将来他老子的家当，归他独得，哪个也不能说话，阿虎一死，又没有留下一儿半女，你想想看，自然有人要动脑筋了。你晓得是哪个动脑筋？”

陈世龙摇摇头，方在哀伤之际，懒得去想，也懒得说话。

“一说破，你就不会奇怪了，是阿兰姐夫妇！”

阿兰姐是郁四的大女儿，今年快三十了，是个极厉害的角色。年前，郁四跟他的同事一个姓邢的刑房书办结了亲家。老书办是世袭的行当，老邢去世，小邢进衙门当差，比他老子干得还出色，又可知是如何厉害的角色呢。这对夫妇凑在一起，图谋回娘家来夺产，自是不足为奇之事。陈世龙因为跟阿虎的交情，此时便想到阿虎嫂的将来，不由得愤愤说道：“阿兰姐是嫁出去的人，她凭啥来动脑筋呢？”

“就是这话啰！‘嫁出去的女儿，泼出去的水’，本来没啥脑筋好动，说来说去，是阿兰姐和她男人厉害，没事找事，脑筋动到了我头上。”

“怎么呢？”陈世龙有些想不通，“跟你啥相干？”

“怎么不相干？如果我替郁老头养个儿子，他们还有啥脑筋好动，所以把我看成眼中钉。你懂了吧？”

“懂是懂了！”陈世龙摇摇头，“我就不懂郁四叔，怎么肯放你走？”

“哼！”阿七冷笑道，“你当郁老头是什么有良心的人？年纪一大把，‘色’得比哪个都厉害。你道他那宝贝女儿怎么跟他说？”

“我想不出。总归是郁四叔听得进去的话。”

“自然啰！说给他另外买人，又年轻、又漂亮，老色鬼还有啥听不进去。”

照阿七打听来的消息是如此。阿兰姐劝她父亲，说阿七过了两三年，没有喜信，就不会有喜信了，风尘出身的，“凉药”吃得多，根本不能生育。没有儿子，只能在族中替阿虎嫂过继一个，偌大家产，将来白白便宜了别人。最好的办法，莫如买两个宜男之相的年轻女人做侍妾，必有得子之望。

讲到这里，陈世龙插了一句嘴：“什么，还要买两个？”

“是啊，怕一个不保险，多弄一个。”阿七用讥嘲的口风说，“有这样孝顺的女儿，做老子的，当然艳福不浅！”

“我懂了。买这两个人，一定归阿兰姐经手，他们夫妇就从这上头一步一步踏进来，把持一切。不过，”陈世龙说，“又何必把你看成眼中钉？”

“他们怕我坏她的事。在郁老头面前说，我会吃醋，搅得家宅不安。最最气不过的是，”阿七咬牙切齿地说，“自己做贼，赖人做贼，说我一定会勾引了外面的野汉子，来谋他郁家的财产。小和尚你想想，这种女人，心毒不毒？”

话说到这里，全盘情况，皆已了解，郁四听了女儿的话，决定跟阿七散伙。既说“好来好散”自然有一笔钱可拿，照郁四的手面，这笔钱还不会少，没有五千，也有三千。只不知道阿七自郁家下堂以后，是不是重张艳帜？不过，他心里虽然存疑，而且好奇心驱使，得问个明白，却终于不曾开口。因为他要表示出事不干己，不闻不问的态度，好让阿七自己识趣，知难而退。

阿七却决不会如他的愿。“现在谈到正事上头来了。”她说，“小和尚，我随郁老头唱了半出‘乌龙院’，他走他的清秋大路，我也没有什么麻烦好找他的。走的时候，总算客客气气，房子是他买的，早已过户到我名下，所以该他搬出。另外他给了我一个他钱庄里的折子，数目是五千两，只能取息，不能动本。这以后再说了，是我名下的铜钿，我当然要提出来。他识相的，拉倒，不识相我要打官司，好在王大老爷跟胡老板是好朋友——”

“慢慢！”陈世龙当头泼她的冷水，“你不要做梦！人家胡老板跟郁四叔等于弟兄一样，打到官司，一定帮他不帮你！”

“那就不要他帮！”阿七答得极爽利，“我自己到堂上去告，说他那爿钱庄要‘倒灶’了，我不相信他，可以不可以？”

陈世龙为她那种自说自话的神态逗得笑了。“都随你！”他说，“你跟阿兰姐一样，都算是厉害角色！”

“我啥厉害？做人全靠心好！像阿兰姐，哼，也是到现在没有儿子，将来有苦头吃。这都不去说它了。”话到此处，阿七的神情变得郑重而兴奋，“小和尚，从我跟郁老头分手，就有好些上门来打我的主意，都叫我回绝掉了，不识相的，我就爽爽快快地把他骂了出去。我平日都不出门，出门就是去打听你的消息。我一直在守你，今天总算守到了。你先搬到我那里去住，有话我们慢慢再说。”

长篇大套，自说自话完了，一只手就搭了过来，按在陈世龙肩膀上，同时一双俏伶伶的眼睛瞟着，是恨不得弄碗水来，把他一口吞了下去的神气。

陈世龙并不觉得好笑，是着急，没有想到她一厢情愿到痴的程度！照此看来，只怕她跟郁四过了两三年日子，心里是对他想了两三年。牵丝攀藤这么多日子下来，要想好好摆脱是无论如何办不到的事。那么怎么办呢？

“说嘛！”她又催促，“啥辰光搬？我那里统通现成，不像你这里，一早起来，要茶要水，什么都没。洗个脸都要到茶店里去。这种光棍打流的日子，你自己想想看，苦不苦？”

不对了！就这片刻工夫，又是结结实实的一根藤缠了上来，这样下去，非让她捆得动弹不得不可。陈世龙心想，只有快刀一挥，才能斩断纠葛，这在她自己受不了，但为了自保，不能不下辣手。

“阿七！我骗你我天诛地灭！”他先罚个咒，让她知道绝非设词推托，“小和尚老早有小尼姑了！”

阿七的脸色大变，眼睛倒还是水汪汪的，不过像含了两泡泪水，脸上一阵青、一阵白，摇摇头说：“我不相信！是哪个？”

“张家的阿珠。”

“哪个张家的阿珠？”

“原来摇船，现在开大经丝行的——”

“你在说啥！”阿七打断了他的话，显得十分困惑地，愣了好半天才说，“我还是不相信，摇船老张的女儿，不是胡老板的人吗？”

“你完全弄错了！人家是把阿珠当女儿看，哪里有啥别的意思？”陈世龙又说，“就是这趟到上海，胡老板替我定下的亲事。聘礼都送过去了，四样首饰，也是胡老板买的。总在今年年底，就要请大家吃喜酒。”

言之凿凿，不像撒谎，把阿七听得目瞪口呆，背脊上一阵阵发凉。她颓然坐倒，只是喃喃地说：“有这种事情？想都想不到的！”

“就是啰！”陈世龙此时如释重负，“就像你跟郁四叔散伙一样，也是想都想不到的。”

“不过——”阿七霍地站了起来，仿佛犹不死心，最后还想跟阿珠争夺一番似的，但是力不从心，终于气馁。

“阿七！”陈世龙安慰她说，“人都是缘分。我们缘分不到，没有话说。你也不要难过，像你这样的人，不怕没人要。”他又说，“你的心好，好心自有好报。你请回去吧，我送你回去。”

阿七像斗败了的公鸡似的，垂头不语。她慢慢站起身来，脸上浑不似初来时那种芍药带露、艳光逼人的神采，气色灰暗，倒像一下子老了十年。陈世龙瞻念旧情，不能无动于衷，但怜念一生，马上又感到双肩都有沉重的压力。一只肩上是与阿珠偕老的盟约，想到在船上跪在她面前求婚所许下的诺言；一只肩膀上是胡雪岩的情分，想到他提携爱护，待自己像嫡亲的子弟，亦不过如此，自己何能去找这种一沾上便摆不开的麻烦，以至于耗神废业，辜负了他的期望？

这样一转念，他的心肠便又硬了，对阿七的神情，视如不见。他走出巷，招手喊过一顶小轿来，同时早就拈了块只多不少的碎银子在手里，等轿子抬到，他把碎银子递了过去，交代了阿七的住处，便往旁边一站，意思是等她上轿。

“小和尚！”阿七这样喊了一声，欲言又止，只拿忧郁而惶惑的眼色看着他。

“你回去吧！”陈世龙觉得要有句话，哪怕是敷衍的话，也得说一句，才能叫她上轿，因而顺口又说，“有空我来看你！”

阿七点点头，脸上有着感激的意味，移步从放倒的轿杠上跨了进去。她回身倒退着进轿时，又是深深地一瞥，为陈世龙留下来无数幽怨。

这时太阳已经很高了。十月小阳春，阳光明亮，照得人有些眩目，陈世龙觉得有些晕淘淘，信步踏进一爿小茶店，洗脸喝茶吃点心，静静坐了一会儿，脑子才算完全清醒。他想想这天该做的事，第一件就是到阿虎灵前一拜，同时把胡雪岩的话交代了郁四。

于是他取钱托茶博士办来一份素烛清香，往北门郁四的老家走了去。他进门就淌眼泪，一路淌到灵前，焚烛上香。他拜罢起身，只见阿兰头上簪一朵白花，手扶在一个小丫头的肩上，袅袅婷婷地走了出来。

一见了面少不得又是“流泪眼观流眼泪”。阿兰姐一面抹眼泪，一面为陈世龙说阿虎得病的经过。接着又说她父亲晚年丧子，家门如何不幸，然后再谈阿七，指她不安于室，又说阿七日夜吵着要进郁家的门，不但进门，还要做阿虎嫂的婆婆，要她给她磕头。

“小和尚，你想想看！这是做不做得到的事情？”阿兰姐说，“明晓得做不到，天天又哭又闹，她打的是什么主意？还不是一想就明白！所以大家都劝爹，放她走路算了。这件事提来鸭屎臭，你见了我爹，不必说起。免得他老人家心里不舒服。”

照她说来，是阿七不对。不过陈世龙也不尽相信她的话，只觉得事不关己，不必多问，所以点点头说：“我晓得了。四叔是不是在茶店里？”

“是啊！”阿兰说，“你昨天叫人送了胡老板的礼来，他才晓得你回来了。一早就要到碧浪春去等你。你就到那里去看他吧！”

到了碧浪春，只见郁四仍旧坐在马头桌子上，人瘦了不少。陈世龙叫过一声“四叔”，相顾黯然。

“你昨天到的？”郁四有气没力地说。

“是的。昨天下半天到的。”

说了这一句话，陈世龙忽然转到一个念头。在“家门”里，他的“前人”跟郁四是“同参”，师父一死，郁四就算嫡亲的长辈，为了阿七不准自己上门，并不是不照应自己，起码胡雪岩这条路子就是从这位长辈身上来的。“家门”里讲究饮水思源，“引见”之恩不可忘，照此说来，昨天一到，应该先去看他。自己是走错了一步，尤其这天早晨，阿七又来密访，“光棍心多，麻布筋多”，如果郁四把这两件事摆在一起想一想，搞出什么误会来，那就“跳到黄河洗不清”了！所以正好趁此刻先作一个不着痕迹的解释。

于是他说：“四叔！昨天一到，我就先要给你老人家来请安的，哪晓得一到了老丈人那里，硬给他们留住了。”

这段话有两层用意，一是解释他所以昨天一到未去看郁四的原因；二是表示他已经定了亲，决不会再跟阿七搅七念三。然而郁四却有些莫名其妙。“你说啥？”他问，“啥个老丈人？你几时定的亲，怎么我不晓得？”

“湖州还没有人晓得，是这趟胡先生作主替我定下的。”

“噢！”郁四显然自这喜讯中，受到了鼓舞，失神的双眼有了闪闪的亮光，“好极！是哪一家的姑娘？”

“这话说来很长，也很有趣，四叔万万想不到的。”陈世龙先宕开一句，“胡先生还有他自己的事情，要我跟四叔谈。”

这话郁四明白，自然是头寸上的事，于是他站起身来说：“这里人来人往，静不下来。走，到聚成去！”

聚成钱庄中，特为给郁四预备了一个房间，他有许多衙门里的公事，都在这里处理。这天却是清闲无事，陈世龙从容细谈，先把胡雪岩在上海、杭州的情形，大致说了一遍，最后谈到他头寸的话。郁四跟胡雪岩是有约定的，阜康代为放款，比同行拆息还便宜，照一般放款利息折半计算，当然也不需要什么担保。郁四把聚成的档手喊了进来，一问可以调拨三万银子，便即关照，马上汇到杭州阜康。

谈完“公事”，陈世龙谈私事，把胡雪岩对阿珠的用心及处置，从头细叙。郁四觉得比听书还要有味，从烟榻听到饭桌上，再由饭桌听到烟榻上。听完说道：“老胡这个人，真要佩服他！做出来的事，别出心裁，真正漂亮！”

“四叔，”陈世龙说，“喜事总在年底，那时候发帖子，要你老人家替我出面。”

“那当然！”说到这里，郁四长叹一声，“你倒好了——”

他这自是触景生情，想起阿虎。陈世龙赶紧说道：“四叔，你老人家不要难过！阿虎不在了，还有我侍奉你老人家。”

一听这话，郁四的眼圈红了，也不知是伤子还是为陈世龙而感动，但终于强自振作起来。“小和尚！”他说，“你晓得的，我这个做四叔的，也有对不起你的地方，现在事情过去了，也不必多说了。你现在成家立业，朝正路上走去，我高兴得很，亲事自然我来出面，一切都是我的。那四样首饰，你打听打听看，老胡是花多少银子办的，我来还他。有我在，这笔聘礼不好叫他出。”

陈世龙自然感激。但他虽只跟了胡雪岩短短一段日子，却因为人既聪明灵活，又是衷心受教，人情世故的阅历上，大非昔比。此时他心里在想，自己是出于一番至诚，安慰长辈，而郁四居然拿自己当亲人看待，原是好事，但郁家迟早要闹家务，阿兰姐正在动娘家的脑筋，自己再受郁四的好处，叫别人看来，仿佛他也是乘虚而入，在打郁四的主意。这个嫌疑不可不避。

避嫌疑犹是小事，眼前看样子是阿兰姐在替郁四当家，买那四样首饰也要千两银子，若由郁四捧出来还给胡雪岩，阿兰姐知道了，心里先将不舒服，闲话可就多了！

“怎么？”郁四见他不作声，倒真有困惑了，“那还有什么话说？”

陈世龙已决定辞谢郁四的好意，不过这话不知如何措词，经他一逼，只好这样答道：“四叔！不是我不识抬举，我是想争口气，这件事我要自己来办。为来为去也是为四叔争气，说起来，四叔可以告诉人家，小和尚是自己讨的亲，我要替他出聘礼，他用不着。这不是四叔也有面子？”

江湖上讲究面子，也看重“人贵自立”这句话，尤其是做长辈的，听他这样说，自然要嘉许。“你这两句话，我听了倒高兴。不过，”郁四又以告诫的语气说，“你刚刚出道，不要别的本事没有学会，先学会说大话。那就不对了！”

“我是实实在在的话。尤其是在四叔面前，说大话算哪一出？”

“那么，我倒问你。”郁四很认真地，“你哪里来的钱讨亲？你不是说四样首饰是老胡替你买的吗？”

“是啊！胡先生替我垫银子买的，将来我分了花红可以还他。如果是四叔替我出了这笔钱，将来我说拿了来还四叔，不是要挨骂了吗？”

“那也一样。你有了钱也可以孝敬孝敬我的！”

“那还用说？我有了钱不孝敬四叔，把哪个用？不过眼前要请四叔，帮我做过面子争口气，一切让我自己来。”

听了他的话，郁四又高兴、又困扰。高兴的是他前面那两句话，就算是米汤，心里也舒服；困扰的是后面那两句话，不管他，让他自己去料理，是帮他争气做面子，出钱替他办喜事，反倒不是！这成何话说。

虽不成话，却驳不倒！郁四把头往后仰一仰，打量了陈世龙一番，拿签子指指点点地说：“两三个月不见，我看你是变过了！长衫上身，倒也蛮像个‘大二先生’的样子，说两句话，异出异样，比上头的‘官腔’还要难应付。这都是你从老胡那里学来的？”

其词若憾，其实深喜。陈世龙笑笑不答，站起身来说：“四叔，我还有几桩事情，等着要去接头。明天再来看你老人家。”

“明天到我家来，北门！”郁四特地交代明白，接着又叹口气，“唉，这一阵的日子，不是人过的，今天见了你，心里好过得多。你晚上有空，最好再来一趟，我还有些话要告诉你。如果今天晚上没空，明天上午一定来。茶店里我这一向也少去，今天是为了等你，不然我也就在家里孵孵算了。衙门里的差使，我都想辞掉。没有意思！”说着，摇头不止。

郁四居然连世袭的差使都不想要了，可知心境灰恶。陈世龙于心不忍，颇想再陪他坐一会儿，说些夷场上有趣的见闻，为他遣愁破闷。无奈这一天从水晶阿七来访开始，已经耽误了太多的工夫，他不得不走，去办正事。

等一个圈子兜下来，把胡雪岩交代的事情办妥，已是近夕照黄昏。他匆匆赶到大经丝行，只见黄仪迎着他说道：“你丈母娘刚走，把你的房间铺陈好，还等了好一歇辰光，看看你不来，只好回去。临走千叮万嘱，一定要你到家吃饭。丈母娘待女婿，真正是没话说。”

“我心里也急。”陈世龙有些不安，“实在是分不开身，现在也还不能去，我想先给胡先生写封信，好趁早叫航船带出。”

“晚上回来写也不迟。好在你今天总要住在这里。”

“不！”陈世龙觉得住在大经，便好似“入赘”一般，有骨气的男子汉是不肯做赘婿住在岳家的，因而很坚决地表示，“我还是住在我自己那里。”

黄仪了解他的用心，点点头说：“这也随你。不过我劝你早点到张家，信到那里去写也一样。”

这个建议，陈世龙接受了。赶到张家，正好是阿珠来开的门。这一次不像昨天那样不好意思了，她用微带埋怨的口吻说，“怎么到这时候才来？”

“遇到好些意想不到的事。唉！”陈世龙摇摇头。

“一进门就叹气，”阿珠十分关切地问，“为啥？”

“不是我的事。”陈世龙怕她误会，先这样说一句，好叫她放心，“一个要好弟兄，想不到死掉了。真正天有不测风云，人有旦夕祸福。”

看他神情不怡，阿珠也郁郁地不开心。阿珠关上大门，把他带到客堂说道：“爹吃喜酒去了。没有人陪你，要不要到厨房里来？”

“要来的！”陈世龙说，“等我到厨房里去打个招呼，抽空给胡先生写信。”

这个招呼一打就是好半天工夫。阿珠的娘一面炒菜，一面问长问短，问陈世龙这天做了些什么。光谈阿虎就谈不完，而水晶阿七那一段，他自然只字不会提的。

“好了！”阿珠等要开饭时笑道，“信也写不成了。”

“吃了饭写，今天非写不可。”

这是正事，阿珠的娘把它看得很重要。吃完饭，阿珠的娘忙着收桌子，泡上茶来，摆出笔砚，阿珠又替他铺纸磨墨。连陈世龙自己都觉得这样子未免太郑重，便自嘲似的说："不像写信，倒像给皇帝写奏折。"

"闲话少说，快点写好了，送到航船上。晚上，人家都睡了，那就得明天起个大早才赶得上。"

明天有明天的事，陈世龙感恩图报，决心要好好巴结，守定今日事今日毕的宗旨。当时他就定一定心，把胡雪岩交代的事，办得如何，逐项写明。最后提到郁四，说他独子病故，而且要闹家务，精神颓唐；当然，也提到了他的喜事。写完看一看钟，已经九点敲过，陈世龙匆匆告辞，自己送到去杭州的航船上，然后径自回家。

未曾进门就已发现了怪事。他屋里亮着灯，而且不止一盏灯亮。

陈世龙出门向来不上锁，因为没有什么东西好偷，而且如果钥匙忘记带出来，或者虽带出来而遗失反倒麻烦。好在同一个大门里的邻居会替他照看，不锁更不要紧。有时朋友来访，见他不在家，径自推门入内坐等。事或有之，但都在白天，像这样的情形，还是头一回，不免令人诧异，同时也逗人的好奇心。陈世龙心想，这倒要看看是哪一个。

这样转着念头，他就不肯直接推门去看，蹑手蹑脚走到窗下，找个窗纸破了的洞洞，凑眼过去张望。一望他就知道麻烦大了。

里面是水晶阿七，对着一盏擦得雪亮的油灯在喝茶，两眼怔怔地望着另一张桌上的油灯，仿佛有无数心事在盘算。看她身上穿一件紫红宁绸的小夹袄，领子上的钮扣未扣，敞得极大，一股系肚兜的金链子，隐约可见。这副样子让人看见了，不说"水晶阿七跟小和尚有一腿"，那才真叫有鬼！陈世龙十分火冒，走到房门口，提脚就踢。但就在拉起脚的刹那，他心中自语：慢来，看样子阿七不知安着什么心。他知道她的为人，心是不坏，但吃了那碗饭，脸皮就撕破了，什么奸刁泼辣的事，都做得出来。也许她是故意的，好说不行，存心来撩拨得自己跟她吵架，传到阿珠耳朵里，这饥荒有得打。万一吵散，阿七就得其所哉了！

念头转到这里，陈世龙自觉是“小人之心”，但记起黄仪常说的两句话，“害人之心不可有，防人之心不可无”，像阿七这种人不可不防，只看眼前的情形，就是自己防不到的。

想停当了，气也平了，他伸手把门一推。阿七似乎猝不及防，霍地站起身来，两眼睁得极大，看见陈世龙才拍拍胸说：“咄！吓得我来！”

“你倒不说我吓一跳！”陈世龙平静地答道，“你这样子，像不像半夜里跑出一只狐狸精来？”

“你骂好了！”阿七泰然地笑着，“好在我自己晓得，我不是来迷你的。”

“那你来做啥？”

“想想你光棍可怜，我又没啥事情好做，替你这间狗窝样的房子收拾收拾，这总不犯啥法？”

这一说，陈世龙才把视线扫了一遍。屋子里收拾得像个样子了，尤其使他触目的是，那张床不像自己的床，他是从来不叠被的，此刻叠好了被一看，仿佛那张床大了许多。

“难为你！”陈世龙坐了下来。

“刚刚泡的茶。”阿七倒了一杯茶给他，“廊沿上我替你炖了一锅鸭粥在那里。”

“哪里来的锅灶？”

“买的。”阿七数着手指说，“风炉、茶壶、砂锅，还有炭，一共用了两千铜钱。”

“还替我买了啥东西，一共垫了多少？”

“你要还我？”

“当然！”陈世龙说，“我又不跟你‘做人家’，没有要你来买的道理。”

看他的神气倒还平静，但话中摸不到一丝热气。阿七心里便自怨，何苦来自讨没趣？但一则不甘于就此一走，二则是觉得良家妇女好做，凄凉和寂寞难耐。秋宵冷雨，独对孤灯，把棉被咬破了都没用，还不如在陈世龙这里的好。虽说他没有好脸嘴给人看，但到底是两个人呀！

这样转着念头，陈世龙就落下风了，他原来是想她自觉没趣，不如归去。谁知她虽觉没趣但不走，这是他再也猜不到的，所以谈话依旧是一句顶一句，毫不放松。

阿七行所无事，走到廊沿下去把一锅鸭粥端了进来，放在地上，接着又奔了出去。只听乒乒乓乓的响声，不知在搞些什么。陈世龙忍不住也走出去张望，这才发现廊沿转角上已安下一个小小的厨房。一张白木方桌，靠壁置着一具竹子碗橱，“乒乒乓乓”正就是她在取碗筷弄出来的响声。

她倒是真的想打算跟自己“做人家”了。陈世龙又好气，又好笑，却不能说什么。他回身坐定，阿七已跟着走了进来，手里一个托盘、两副碗筷以外，还有两碟小菜，一碟是糟吐黢，一碟是酱萝卜。

“我不要吃！”陈世龙先来个拒人于千里之外。

“你不吃我吃！”阿七答得异常爽脆。

她自盛了一碗鸭粥坐下来吃。也不知是真的饿了，还是有意气他，只见她唏哩呼噜，吃得好香。鸭粥熬得火候够了，香味浓郁，不断飘到他的鼻下，再看她夹块绷脆的酱萝卜放在嘴里，咬得“嘎吱嘎吱”地响，越使得陈世龙要咽唾沫。

他想想有点不甘心。“你这个人倒好！”他说，“真的当这里是你的家了？”

“有交情的嘛！”阿七毫不在乎地说，“你到我那里，还不是一样？”

“我是不会这样子不识相的。”

“你是说我不识相？”

“有一点。”陈世龙说，“天晚了，我要睡觉了。”

“小和尚，你气量真小！”阿七的声调幽幽地说，“你就让我把这碗粥吃完了，再赶我走，也还不迟。”

这话说得很够分量。陈世龙大为懊悔，堂堂男子汉，在江湖上辈分虽低，倒也从来没有哪个敢当面藐视过，不过今天，就“吃瘪”在她这两句话上！

于是他要“找场”了。“什么气量大，气量小？谈不到！”他说，“我是为你好，不是啥‘赶你走’！随你喜欢到啥辰光，我不在乎。不过我要少陪了。”

说着脱下长衫，往椅背上一搭，坐到床沿上去换拖鞋。哪知早晨刚刚穿过的拖鞋，此时已不在床下，心知是阿七不知摆到哪里去了，懒得跟她搭话，便把鞋子一甩，身子往床上一倒。

“拖鞋在这里。”阿七从床头方凳下拖出一双拖鞋来，回身又把他的长衫挂到衣架上，接着又去收拾桌子。

陈世龙看在眼里不响，但身子却睡不宁贴，倒像背上长了根刺在那里似的。他此时唯一的希望是，阿七早早离去，从此不来。

“小和尚！”阿七收拾完毕，坐下来说，“我有句话要问你。”

不理不好意思，陈世龙只得冷冷地答道：“你说好了。”

“说实话，我从来没有烧过这么入味的鸭粥，你吃一碗好不好？”

想不到是这么一句话！陈世龙大出意外。“人心都是肉做的”，她辛辛苦苦烧好，还要哀求别人来享用，仿佛吃她一碗鸭粥，就是帮了她什么大忙似的。这叫人无论如何硬不起心肠来峻拒，他只好这样推托：“已经都收拾好了，何必再费事——”

一句话没有完，阿七已站起身来，连连说道：“不费事，不费事！”说着，就走了出去。

陈世龙无法阻拦。他心里有着说不出的懊恼，是恨自己无用，连个阿七都对付不了！于是自己跟自己赌气，一面从床上仰身坐了起来，一面心中自语：何必像见了一条毒蛇似的怕她？越是这样躲她，她越要缠住不放。

等阿七笑嘻嘻地盛了粥来，他也不说一声“谢谢”，拾起筷子就吃，也像她一样，把酱萝卜咬得“嘎吱，嘎吱”地响，吃完一碗，再来一碗。

“味道不错吧？”阿七得意地问。

“不见得怎么样。”

“哼！”她撇一撇嘴，笑他言不由衷，“我烧的粥是不好，不过你的胃口还不错。”

“我的胃口是不好，不过不吃你不开心。”陈世龙学着她的语气说。

阿七不作声，静静地在咀嚼他这句话的滋味。

“现在该轮到我问句话了。”陈世龙放下空碗说，“你到底要我怎么样？”

“没有啥！说实话，我回去也没有事，一个人躺在床上想东想西，一夜到天亮都睡不着。跟你谈谈，心里好过些，谈到差不多辰光了，你睡你的觉，我回我的家。”

所望不奢，而且陈世龙对她的观感，跟刚进门时，已有不同，于是点点头答应：“好嘛！大不了陪你坐到天亮。”

阿七嫣然一笑，先把碗筷收了出去，重新沏了一壶茶来，就隔着一盏剔亮了的油灯，跟陈世龙闲谈。自然是她的话多，谈郁四的待人接物，说他“还算是有良心的”，只是耳朵软，喜欢听女儿的话。又说她本来已经死心塌地的预备跟郁四一辈子，哪知道中途出此变故。因而她便发牢骚，说大家只骂风尘中人下贱，却不知从良也不是件容易事。

谈到这里就不是闲话了。“小和尚！”她说，“我今天下午去打听过了，你跟张家的亲事不假，我晚了一步！那么，你倒替我想想，我以后的日子怎么过法？”

看她的神情是诚恳求教，陈世龙不能推托，想一想答道：“你自己总要有几句话摆出来，人家才好替你留意。譬如说，你吃不吃得苦，肯不肯做小？要怎么样的人品？说清楚了，我替你去找。这件事说难很难，说容易很容易，胡老板在这两三个月中，就做了三个媒。在这上面，就跟他做生意一样，顶有办法。我把你的事情托他，包你三个月之内，就有好消息。”

阿七不响，只是眨眼，仿佛连她自己都弄不清楚，该“从”怎么样的一个“良人”。

“终身大事急不得！”陈世龙趁机劝她走路，“你回去好好想一想。已经吃过一次亏，不能再吃第二次。”

这语气很诚恳，阿七觉得他说得很中听，便站起身来有告辞的模样。陈世龙的动作很快，把他从大经丝行带来的钉在亭柱上的一盏灯笼，取了下来，点了蜡烛，交在阿七手里。

“那么明朝会了！”

“明朝会，明朝会！”陈世龙灵机一动，下个伏笔，“不过这两天你怕不容易寻得着我。”

“怎么呢？”阿七问道，“这样子忙法？”

“是啊！说来你不相信，连知府衙门里的公事，我都要管。”

这也没有什么不能相信，阿七知道胡雪岩跟王大老爷是分不开的，既然陈世龙是胡雪岩的亲信，附带办些知府衙门的公事，也是情理中事。好在公事总在白天，晚上亦总要回家睡觉，不怕寻不着他。

陈世龙要避她的，正在晚上。看阿七现在的样子，硬的吓不走她，软的磨不过她。三十六计，走为上策。陈世龙当然不能离开湖州，那就是两个办法：第一个是另外找房子搬家，第二个是住到大经丝行去。

细想一想，其实只有一个办法，搬到大经丝行。因为另外找房子搬家，别人问起来，总得有个说法。如果说是为了避阿七，则变成自己心虚，无私有弊了。同时，阿七说不定会到大经去找，自己在那里，比较好应付。否则，阿七在哪里说两句不知轻重出入的话，引起嫌疑，就跳到黄河也洗不清了。

打定了主意，陈世龙安然入梦。第二天他一早出门去看了几个素日有来往的小弟兄，一顿酒吃到下午三点钟，回家收拾随身衣服，带到大经丝行。

“来，来！”黄仪从屋里奔了出来，招手喊道，“今天我这个媒人有话跟你说了。”

黄仪邀他到房间里，一谈经过，陈世龙大出意外。据说郁四在这天早晨，特地到大经丝行来看老张，口称“亲家”，说陈世龙是他的小辈，现在当儿子一样看待，将来办喜事，男家归他主持，同时送了一千两银子的聘金。

“你丈人老实，有点手足无措，不知道怎么办，特地来问我。这还有啥话说？我叫你老丈人认了亲家。”黄仪很高兴地说，“到底是占码头的人物，做事漂亮之至，送了我二百两银子，算是谢媒。不收他会不高兴，我也就老实，叨你老弟的光了。”

陈世龙听这一说，觉得面子十足，心里非常高兴，但不肯在脸上摆出来，怕黄仪发觉他并不知道这件事。

“这一来，日子就急得不得了。”黄仪说道，“你丈母娘请我去吃中饭，当面跟我说，她要替女儿办嫁妆，起码要半年工夫，年底下来不及。看你的意思怎么样？我们先谈好了，再跟郁四叔去说。”

陈世龙有些不太愿意，想了想问道：“不晓得阿珠怎么说？”

“你问这话真没道理！她会怎么说，难道说越早出阁越好？”

想想不错，陈世龙失笑了。“这件事我作不来主。”他说，“要跟郁四叔、胡先生商量了再说。”

“难道你自己作不得你自己的主？”黄仪拿了郁四的，吃了张家的，不能不把情况弄清楚，“说句实话，你父母双亡，人家虽帮你的忙，到底不是‘父母之命’。”

“父母之命，媒妁之言”这两句话，陈世龙也听到过，但他的这头亲事，真所谓“如人饮水，冷暖自知”。成家立业是一事的两面，为胡雪岩想，是要提拔陈世龙，也为了他自己的事业要觅个得力的帮手，引替陈世龙促成良缘。此刻各样生意，都在着着进展之中，到什么时候需要陈世龙出力，只有胡雪岩心里才有数，倘或正要用人的时候，他在忙着办喜事，岂不耽误了生意？那就不是胡雪岩的本意了。

除此以外，陈世龙还有一份感恩的心。自从跟了胡雪岩，叫他“先生”，陈世龙才知道“师父，师父，师真如父”，为了尊敬“胡先生”，哪怕就没有耽误生意的顾虑，他也愿意请命而行。

见他沉吟不语，黄仪明白了，陈世龙必有他的难处。但女家也有女家的难处，他要先让陈世龙明白，否则做媒人的两头传话，南辕北辙，就吃力而不讨好了。

“世龙，”他用劝告的语气说，“洞房花烛，一个人一生只一回，女家又是独养女儿，人家要好好预备嫁妆，因此耽误日子，我们做男家的要体谅。大户人家的小姐，一到了十二三岁就在办嫁妆了，一办五六年，不足为奇。现在人家只要五六个月，不算多。你跟胡老板去说，他的人情世故熟透熟透，一定会答应。”

“我也晓得他十之八九会答应，不过我不能不先跟他说一声。”

“那就行了。”黄仪指着他随身的衣包又问，“你主意改过了？觉得还是住到这里来方便，是不是？”

陈世龙灵机一动。阿七的事，不便对别人说，但“媒人”这里正好说清楚，万一将来发生误会，有个有力的见证。于是他叹口气说：“我是来‘逃难’！”

“咦！”黄仪大为惊异，而且颇为关切，“你有了什么麻烦，自己家里都不能住了！是不是欠了哪个的债？”

“债倒是债，不是钱债——”

听他说完经过，黄仪笑道：“真正是风流债！世龙，你倒是艳福不浅。”接着又用不胜羡慕的语气说，“到底是小伙子，有办法！”

“你还要拿人开胃！这件事，没有第二个人知道，黄先生，你要帮我的忙。”

“你做得对，步子踏得很稳。不要紧，不要紧！”黄仪拍胸说道，“只要你自己把握得定，不受她的诱惑，一切有我。如果她寻上门来，我有绝妙一计对付她，包你一点麻烦都没有。”

听他说得如此有把握，陈世龙关切以外，不免好奇，笑嘻嘻地问道：“黄先生，你这条妙计，可以不可以先跟我讲一讲？”

“天机不可泄漏！”黄仪定神想了一会儿，忽然问道，“有句话我再问一声，你确确实实晓得她跟郁四叔是好好分手的？不是吵散的？”

“看样子是这样。不然郁四叔也不是好说话的人。”

“等她来了，你躲起来，千万不要露面。我自有‘退敌’之方。”

陈世龙实在不知道他葫芦里卖的什么药，好在有了这块挡箭牌，诸事无碍，宽心一放，当时便住入他丈母娘替他布置的卧室。略略睡了片刻，陈世龙复又出门去向郁四叔道谢，陪着他说了些闲话，再到张家。阿珠的娘对他是越发亲热了，但也像是越发客气了。

“我住到行里去了。”他这样告诉她，不说任何原因。

“原该这样。”阿珠的娘当然高兴，“以后你每天回家来吃饭，行里的伙食也还好，不过总没有在家里吃得舒服。”

他们这样在谈，阿珠就一直躲在自己的屋中。她有许多话要问陈世龙，只是越来越觉得不好意思。陈世龙也是一样，不便闯进屋去，只不住遥望雪白纸窗中的一盏明灯、一条黑影。看看已无话可说，他起身告辞，阿珠的娘没有留他，也没有提到阿珠，让他怏怏然地离去。

陈世龙一路走，一路在想，觉得他丈母娘仿佛有把他与阿珠隔绝开来的意思。这是为了什么？费人猜疑。当然，他不愿往不好的地方去猜，然而实在也无法说它是个好现象，他只好自譬自解，当作一件偶然之事。

第二天一早起身，陈世龙神清气爽、思虑敏锐而周密，觉得在湖州要找件正经事做。如果湖州无事，就当赶回杭州，看胡雪岩有何差遣。无所事事，坐享“清福”，绝不是善策。

于是他把整个情况细细思考一遍，发觉有件事情可以做——去打听打听丝的行情。这个行情是胡雪岩所急于想知道的，他在杭州一直也在打听，但销洋庄的丝，大部分出在湖州，在杭州打听湖州的行情，不一定准确。他闲着无事，正好替胡雪岩在这方面出点力。

但他转念一想，这件事是黄仪熟悉，行情如有变化，他一定会写信给胡雪岩，自己何必白忙？倒是该到县衙门里去看看那两位师爷，打听打听官场有什么消息，倘或平静无事，他不如回杭州去的好。

结果他是扑了个空，也可以说是碰了一鼻子的灰。刑、钱两师爷的住处，关防甚严，向来不准闲杂人等乱闯，陈世龙跟杨用之他们并不熟悉，所以托听差通报进去，都挡驾不见。

陈世龙心里很不高兴，但想想是自己冒昧，又算长了一次经验。他回到大经，枯坐无聊，想回自己住处去看看。刚踏出门，只见行里的一个小徒弟，匆匆赶来告诉他，说黄仪叫他来通知，让陈世龙赶紧从后门避开。

这是阿七寻上门来了。陈世龙好奇心起，反倒不肯走，只问："可是有个堂客来看黄先生？"

"是的。"

"黄先生怎么跟她说？"

"黄先生笑嘻嘻地请她到里头坐。叫她'七阿姐'。"

听这一说，陈世龙决定去窥探一番。他遣走了那小徒弟，从侧门溜到黄仪那里。他的房间旁边就是楼梯，楼梯下面是堆储杂物之处，有一道门锁着，陈世龙悄悄开了锁，就躲在这里偷听。

"七阿姐！"他听见黄仪在说，"我倒不晓得你跟世龙相熟。"

"我们认识多年了。"

"这样说起来，你们是'老相好'？"

黄仪的话过于率直，近乎粗鲁，听壁脚的陈世龙大为皱眉。就这时一线光亮，穿壁而入。壁上本来有个洞，刚才是为黄仪的背脊所挡住了，此刻他换了个地方坐，所以光线得以透过。陈世龙凭此指引，悄悄移步凑眼，阿七和黄仪恰好都在视界之中。

阿七打扮得很朴素，穿一件铁灰线春的薄棉袄，系着玄色洋绉的裙子，脂粉不施，只在鬓边簪一朵红花。这样打扮，在庄重中又显得很俏丽，徐娘风韵，着实迷人。

她的神色也很庄重，但一双眼睛不能动，一动便如波光潋滟，令人目炫。陈世龙顾得看，便顾不得听，想不起刚逝的这片刻工夫，两个人又对答了几句什么话。只见阿七略有愠色，必是黄仪说话太不客气的缘故。

“七阿姐！”黄仪在说，“既然你们规规矩矩，没啥纠葛，那么你来看世龙是为啥？”

“我有笔小小的款子，托他代为放息。现在要钱用，想请他替我抽回来。”

一听这话，陈世龙先是诧异，从而恼怒！这不是诬赖么？她何尝有什么款子托自己放息？然而他稍为多想一想，便即恍然，这是“烟熏鼠穴”之计，目的是要把自己逼出来跟她见面。这一计想得甚绝！怕黄仪难以应付了。

不然！黄仪听陈世龙谈过她跟郁四的情形，以前陈世龙连跟她见面的机会都没有，怎会替她经手银钱？而况郁四自己跟人合股开着聚成钱庄，如果阿七有私房，何不存在聚成生息，要来托陈世龙代放？

明知道她是假话，黄仪却不肯戳穿，只问：“你那笔钱是多少，要抽回多少？”

“不多，几百两银子，能抽回多少是多少。”

“好的。我替你转告。”

“谢谢你！”阿七略停一停又说，“不过我想要当面跟他算一算账。黄先生你看，我啥辰光来，可以见得着他的面？”

“说句实话，啥辰光也见不着！”

“为啥？”

“为了他一见你七阿姐要着迷，我的责任有关。”

这句话很厉害！厉害在骤出不意，如当头霹雳一般，把盘算得好好的，预备一步一步逼出陈世龙来的阿七，震得七荤八素，枪法大乱，有些气馁了。

望着笑嘻嘻的、似乎不怀好意的黄仪，阿七很不服气，挺一挺腰，凸出了她那个鼓蓬蓬的胸脯说：“着迷不着迷，不去说它，我倒要请教黄先生，什么叫‘责任有关’？我要跟陈世龙见一见面，谈正经事，你为啥从中作梗？”

“陈世龙要讨亲了，是我做的媒，我对女家有责任。新郎官看见你着了迷，到时候出了什么花样，女家找我说话，我怎么交代？”黄仪又换了个位子，坐到她下首一张椅子上，隔着茶几凑过脸去问道，“七阿姐，你想呢，我这话在不在道理上？”

阿七气得脸色发白，冷笑连声：“有道理，有道理！”

陈世龙看在眼里，又觉得好笑，又有些不忍。他心里在想，黄仪如果是打算着把她气走，这一计便不高明了。因为他深知阿七的脾气，服软不服硬，越是如此，越惹得她心中不平，什么撒泼的花样都耍得出来，岂不是把事情搞得更糟？

正在有些失悔着急时，只见黄仪又换了副神色，满脸疚歉，一片小心。“七阿姐，”他低声下气地说，“我言语冒犯，你在生我的气，是不是？”

“哼！”阿七微微冷笑，“我怎么敢生你黄先生的气？”

“啊呀！”黄仪抓抓头皮，作出那万分伤脑筋的神气，“听这话，生气生得大了。七阿姐，我替你赔罪，你千万不要生气。”

听他这样说，阿七不好意思了，把脸色放缓和了说：“没有，我生什么气。”

“真的不生气？”黄仪带着些逗弄的意味，“真的不生气，你就笑一笑。”

这怎么笑得出？阿七觉得这个人颇为难缠，定睛一看，只见黄仪的一双色眼瞪在自己胸前。阿七恍然大悟，原来这家伙不怀好意！想起他的可恶，阿七决定要请他吃点苦头。

这样一转念，阿七便先浮起一阵报复的快意，心境开朗，不觉嫣然一笑，秋波流转。她站起身来，走了几步，回身斜睨着黄仪，欲语不语的，真有烟视媚行之致。

黄仪心里痒得仿佛有十七八只小手在搔抓似的。他原来的盘算，就是挺身自代，既替陈世龙解了围，自己又捡了个便宜，所以一上来不惜言语开罪，好教她对陈世龙先死了心，然后用“潘驴邓小闲”的“小”字诀，来叫她化嗔为喜。他自己估量，这是着实要费一番精神的事，不想收功如此之速，因有喜出望外之感。

“七阿姐，”他开始挑逗，“我听世龙说过，你一个人孤孤单单，寂寞得很。可有这话？”

“是啊！”阿七把眼望着别处，似乎不好意思正视黄仪，“不然我还不会来寻陈世龙。”

“你现在就寻着他也没用了。陈世龙得新忘旧，一片心都在张家的阿珠小姐身上。”

听得这话，阿七的妒心又起，冷笑说道：“哼，阿珠我也见过，黄毛丫头也叫‘小姐’了，真正气数！”

“这都不去说它了，提起来你不开心。阿七姐，”黄仪试探着问，“你住哪里？”

“就住郁老头原来住的地方。现在是我一个人。”

“怪不得！一个住是太寂寞了些。”黄仪说道，“用个小大姐陪陪你嘛！”

“有一个。”阿七答道，“笨得像牛，蠢得像猪，一吃过夜饭就要打瞌盹，上了床像死人一样。”

“这样子，夜里就寂寞了。也没有人来看看你？”

“有哪个？鬼都没有得上门。”

“那么，”黄仪涎着脸说，“我来做‘鬼’好不好？”

“这，这叫什么话？”

“你说鬼都没得上门，我就做‘鬼’上你的门！”

“啊唷！”阿七双手环抱在胸前，作出不胜战栗的样子，“你来嘛就来！啥叫‘做鬼上门’，说得人吓兮兮地！”

这副神态虽是做作，却也可喜，而黄仪特感会心的是她那第一句话，认为无意流露，最见真情。只要他能够上门，像她这种出身，自然不愁不能入幕。

他心里这么在想，手上就随便了。“不要吓，不要吓！”他很自然地拉住了她的手，“说说笑笑。”

阿七凝睇含笑，像是心里有什么不易为人知的高兴事在想。突然间，她将手一夺，懔然说道：“不要动手动脚！”说着还转脸望了一下。

这在黄仪又有会心了。“动手动脚”不要紧，就怕让人看见。那容易！“怎么搞的呢？叫学生子去买点心，到现在还不来？”他这样自言自语着，奔了出去。

间壁的陈世龙却不免诧异，不懂阿七是什么意思。莫非真个孤衾难耐，有意接受黄仪的勾引？他想仔细看一看阿七的表情，无奈她背着身子，正朝窗外在望。就这时候，听得黄仪的脚步声，接着是关门声和落闩声。原来如此！陈世龙心想，黄仪心也太急了些，这下真有场“隔壁戏”好看了。

“你看我这地方怎么样？”黄仪走回来笑嘻嘻地说，“一门关紧，连只苍蝇都飞不进来。”

“我晓得了！”阿七慢慢点着头，伸出一只用凤仙花染红了指甲的食指，指指戳戳地说，“你好坏！”

“坏！怎么坏法？”

“问你自己啊！”

“我倒不晓得。”黄仪又拉住了她的手，涎着脸说，“你倒说给我听听。”

“何必我说？”阿七把眼睛望着别处，“说出来就没有意思了。”

“对，说出来没意思。只要心里有数就是。”

一面说，一面把脸凑过去闻她。阿七只把脸往侧面仰了仰，但一双手被他拉着，就躲也躲不远，到底让他闻到了。

“好香！”黄仪仰脸闭眼，向空嗅了两下，同时一只手从她膀子上慢慢摸了上去。

他还在不胜陶醉，陈世龙却在替他担心了。因为阿七已经变态，眼睛渐渐睁圆，眉毛渐渐上竖，嘴巴渐渐闭紧，最后扬起她那只多肉的手，使劲一掌，打在黄仪脸上。

“啊！”黄仪大喊一声，睁开眼来，看到阿七的脸色，才知道是怎么回事。“你为什么打我？”他捂着脸问。

“打你个调戏良家妇女！”阿七很沉着地说。

“你！”黄仪像打雷似的暴喝一声，跳脚骂道，“你个臭婊子——”

一声没有骂完，脸上又着了一掌，这时才显出阿七的泼辣。她抢步过去，从桌上拿起把剪刀扬起来，咬牙切齿地骂：“你嘴里再不干不净，我一剪刀扎出你的眼乌珠！”

不得了！陈世龙大为着急，要出人命了。幸好黄仪识趣，窘笑着说：“何必呢！这样子认真。早晓得你开不起玩笑，哪个孙子王八蛋跟你啰唆！”

“哼！”阿七把剪刀往桌上一抛，板着脸叱斥，“走！开门。我要走了。”

黄仪一言不发，乖乖地去开了门，放阿七走路。这一下陈世龙却受罪了，使尽吃奶的力气，才能把笑声憋住，直到黄仪走得远了，他才掩着嘴，溜了出来，急急忙忙奔到后面的废园中，捧着肚子，纵声大笑。

如果照以前的脾气，陈世龙一定会把黄仪的这个笑话散布出去，但自从跟了胡雪岩，学到了许多人情世故，了解这必成黄仪深讳之事，不但不能讲出去，最好连黄仪面前，都要装作不知其事，不然便要遭忌。俗语说的“是非只为多开口”，正指此而言。

然而难题仍未解决，阿七仍旧会来。看她号为“水晶”，表里通明，好像胸无城府，想不到撒泼放刁也绝得很。那条“烟熏鼠穴”之计，十分厉害，不能听其自然。

这样就还是只好跟黄仪去商量。他特别谨慎，怕自己脸上的神色有异，也怕黄仪的心情还未能平贴，当时便不去找他，一个人出后门寻朋友一起吃晚饭，回到丝行，才踱到黄仪那里“打听消息”。

“怎么样？”他装得若无其事地，“你是怎么把她弄走的？”

“我告诉她，你跟阿珠的亲事，是我做的媒，我有责任，劝她以后不要来找你的麻烦。”

“她怎么说？”

“这个女人，坏得很！”黄仪恨恨地说，“她说有什么私房钱，托你替她放息。又说，要抽回本钱，最好跟你见个面。总而言之，言而总之一句话：贱货！没有男人不过门。”

听他此刻的话，想起他当时咆哮如虎，而结果如丧家之狗的神情，前后映照，使得陈世龙的肚肠根痒不可当，差点又笑出声来。

“事情真麻烦了！”黄仪又说，语气倒是平静了，见得他已好好想过，“现在已经不是躲的事。”

“怎么呢？”

“她到大经来寻你，有我在，总可以把她挡回去。就怕她不来，到处去放谣言，说你欠了她的钱，避不见面，逼得你非出面跟她理论不可。”黄仪抬眼望道，“你想这个女人坏不坏？”

照阿七的为人，还不至于这么坏。不过她如缠住不放，而自己又始终避不见面，怨恨交加，像她这样的女人就很难说了。因此，陈世龙吸着气，搓着手，显得颇为不安。

“好好一头亲事，不要坏在她手里！她现在逼得你没路走，世龙！你要早点想办法。”

“是啊！我现在不就是在向黄先生讨教？”

黄仪点点头，一双眼睛突然变得深沉。沉思了好一会儿，他才慢吞吞地开口：“办法是有一个。‘量小非君子，无毒不丈夫’，要想一劳永逸，唯有这条路好走。”

看样子是极狠的一着，陈世龙催他：“黄先生，你说，是怎么一条路？”

“听说你跟县衙门的刑名师爷很熟？”

“熟也不太熟。不过打着胡先生的旗号去，可以说得上话。”

“这就行了！”黄仪很轻松地说道，“阿七不是本地人，原籍高邮。你去托刑名师爷弄张牌票出来，转她个‘流娼’的罪名，递解回籍，滚她拉块妈妈咸鸭蛋！”

想不到是如此一计！这实在太狠毒了一些。陈世龙心里暗暗吃惊，原来黄仪是这么一个人！以后共事，倒要好好防他。

“怎么样？”黄仪催问，“我是为你设想，非如此不足以放心！”

“是，是！我知道黄先生完全是为我。不过，”陈世龙亦颇多急智，把这重公案扯到了郁四身上，“其中碍着郁四叔，旁人不知道是我们出的花样，只当郁四叔放不过这样一个人，传到江湖上，郁四叔的声名不好听。”

“那不要紧。”黄仪拍着胸说，“郁四叔问起来，我替你一力承当。”

就表面看，黄仪这样够朋友，再不领情受教，就变成半吊子了。陈世龙十分机警，用欣然的语气答道：“黄先生这样子帮我的忙，还有什么说？我明天就去办。”

这当然是敷衍，陈世龙绝不会照他的话去做的。他一个人静下来想想，原意托黄仪帮忙，谁知越帮越忙，反倒额外添了些麻烦，所以心中甚为不快，早早上床睡了。

第五章

陈世龙刚睡下不久，小徒弟来敲门，送来一封夜班航船刚刚带到的信。信是胡雪岩寄来的，拆开一看，寥寥数语，只说得知郁四有伤子之痛，深为惦念，特地抽空，专程到湖州来一趟，慰唁郁四，发信以后，即日下船。

这一下，陈世龙的愁怀尽去。有胡雪岩到，凡事都不碍了。一觉好睡，第二天一早，他悄悄到码头上去等，等到十点多钟，将胡雪岩等到了。

泊舟下碇，搭好跳板，陈世龙先到船上，笑嘻嘻叫过一声："胡先生！"他接着又说，"没有想到胡先生会来，真是太好了。"

听他这样说法，胡雪岩便知自己这一趟适逢其会，有什么事要自己来料理。胡雪岩点点头说："我是包了一只船走的，只有三天的工夫。来，你坐下来，我们先细谈一谈。"

这一谈便长了，由郁四丧子谈到他的家务，由阿七谈到自己的麻烦，由自己又谈到黄仪。自然，也谈到郁四尽释前嫌，替自己出面办喜事，如何会亲送聘金，以及阿珠的娘要替女儿办嫁妆，婚期得延到明年。结语是："我一切都要请胡先生来作主。"

"想不到我一走，出了这么多花样！"胡雪岩紧皱着眉，想了好半天才开口：“你的喜事，怎么样都可以，慢慢再说。你郁四叔搞成这样子，倒有些伤脑筋了。他的大小姐我没有见过，你看她为人如何？天性厚不厚？”

“阿兰姐的精明强干，早就有名的。天性呢，”陈世龙出语很谨慎，“自然不会太薄，郁四叔只有这么一个女儿。”

“现在是唯一的亲骨肉了！我想，她不会不孝顺，也不敢不孝顺。”

最后一句话，骤然难以索解，细想一想，才察出这句话中的分量。如果阿兰姐敢于不孝顺老父，胡雪岩以父执的资格，一定会出来说话。至少限度，他会劝郁四，一个沙壳子都不要给阿兰姐。“嫁出的女儿泼出的水”，阿兰姐在娘家硬争是争不到财产的。

“胡先生，”陈世龙忽有灵感，“你何不帮郁四叔把家务料理一下子？”

胡雪岩沉吟不语，显然是觉得陈世龙的提议，不无考虑的余地。照他的性情，以及与郁四的交情来说，他不能不管这桩闲事。只是不管则已，一管就要弄得漂漂亮亮。三天的工夫来不及，就算再加一两天，未见得能料理清楚，而上海、杭州的事却要耽误，变成“驼子跌跟斗，两头落空”，不智之至。

“还有，”陈世龙又说，带些愁眉苦脸，“阿七是个麻烦！从前我不怕她，随她怎么好了！现在我不能跟她一起在烂泥塘里滚。胡先生，你看我该怎么办？”

这就是“混市面”的人的苦衷！人之好善，谁不如我？略有身价，总想力争上游，成为衣冠中人。但虽出淤泥，要想不染却甚难。因为过去的关系，拉拉扯扯，自己爱惜羽毛不肯在烂泥塘里一起打滚，无奈别人死拉住不放，结果依旧同流合污。胡雪岩对这一点十分清楚，当然要替陈世龙想办法。

郁四的家务是个难题，陈世龙的麻烦又是一个难题，两个难题加在一起，反激出胡雪岩的灵感。他站起身来说：“走！我们上岸。”

看他欣然有得的神情，陈世龙知道他又要出“奇计”了，便笑嘻嘻地问道："胡先生，你一定又有啥人家想不到的主意，好不好先讲给我听听？"

"没有啥不好讲的。"胡雪岩说，"我想叫阿七'船并老码头'。"

陈世龙一愣，再细想一想，不由得衷心钦服。郁四少不得阿七，是他早就深知的，现在硬生生的拆散，完全是阿兰姐夫妇在捣鬼。倘能破镜重圆，且不说阿七这方面，起码郁四的心情就不会这么颓丧。当然，自己的麻烦就此烟消云散，更不在话下。

"胡先生！真正是，有时候我们看事情总不够透彻，自己不晓得什么道理。现在我懂了，差的就是那一层纸，一个指头可以戳破的，我们就是看不到！"

"你不要恭维我。事情成不成，还不晓得。等我先去探探口气。"胡雪岩说，"先去看你郁四叔。"

于是陈世龙上岸，在码头上雇了两乘轿子，一直抬到郁四家。陈世龙先下轿，一直奔了进去，只见郁四一个人在喝闷酒。他叫应一声，接下来说："胡先生来了！"

郁四顿有惊喜之色。"在哪里？"他站起身问。

"从船上下来，就到这里，他是专程来看四叔的。"

正说到这里，胡雪岩已经走进二门，郁四急忙迎了上去。二人执手相看，似乎都有千言万语，不知从何说起。好半天，胡雪岩才说了句："四哥，你不要难过！"

不说还好，一说正说到郁四伤心之处，眼泪便簌簌地流个不住。他顿足哭道："做人真没有意思！"接着他又哽哽咽咽、断断续续地说，自己不逢知己，连痛哭一场都不能够，有多少心事，无人可诉；这份苦楚一时也说不尽，如今交代了胡雪岩，便要辞掉衙门里的差使，找个清静地方去吃素念佛，了此余生。

"四哥，四哥！"胡雪岩连声叫唤，"不必如此，不必如此！"

就这样解劝着，他半搀半携地把郁四扶到里面。接着阿兰姐出来拜见。虽是初见，久已闻名，她知道这是自己父亲的一个很够分量的朋友，所以礼数甚恭，好好敷衍了一阵，接着重治酒肴，留客便饭。

胡雪岩在席间只听郁四诉苦，很少说话。一则是要多听，二则此时也不便深谈。等郁四倾吐了心里的愁郁，精神显得振作了些，他才说道：“四哥，我有几句心腹话想说。”

“噢！”郁四懂了他的意思，“到我钱庄里去坐。”

到了聚成钱庄，郁四那间密室里没有第三者，两人靠在烟榻上，聚首密谈。胡雪岩的第一句话是：“四哥，阿七到底是怎么回事？”

“唉！”郁四长叹一声，又息了好一会儿才说，“我不晓得从何说起，这件事——”他摇摇头，又叹口气。

察言观色，这没有说完的一句话是：这件事我做错了。有此表示，见得胡雪岩的那句话一针见血！这就用不着再迂回试探了。“四哥，”他开门见山地说，“我替你把阿七弄回来！”

一听这话，郁四仰直了头看着胡雪岩，仿佛弄不懂他的意思，当他在说笑话。当然不会是笑话！胡雪岩从不说这些笑话的，就算是笑话，他也相信胡雪岩有把笑话变成真事的手段。要考虑的只是自己这方面。

“难处也很多——”

“不！”胡雪岩打断他的话说，“四哥，你不要管这些个。你说的难处，我都知道。第一，怕阿兰姐跟阿七不和；第二，怕阿七心里有气，故意拿跷。这些都不是难处，包在我身上，安排得妥妥帖帖，只看四哥你自己。如果你一定要唱一出‘马前泼水’，那就不必再谈。否则，一切归我来办。你倒说一句看！”

“有你这样的好朋友，我还说什么？”

“那就行了，我就要你这一句话，你请躺一躺，我跟世龙说句话，马上就回来。”

于是胡雪岩离榻而起，把陈世龙找到，拉至僻处，密密嘱咐了一番。等陈世龙领计而去，他才回到原处。

“四哥，”他说，“我话先说在前面，谈到你的家务，只怕我言语太直，你会不会动气？”

“这叫什么话？你我的交情，哪怕你就责备我不是，我也要听你的。”

“既然如此，我就老实说了，你那位令爱，大家都说她厉害得很，可有这话？”

“有的。”郁四点点头，“我也在防她。”

“至亲骨肉，时时刻刻要防备，那就苦了。打开天窗说亮话，人为财死，鸟为食亡，为来为去，为两个钱。我劝你不如趁此机会分家。女儿也得一份，叫她不必再想东想西，岂不爽快吗？”

“嗯，嗯！”郁四慢慢点头道，“这倒也是个办法。你再说，你总还有话。”

“分家也有个分法。”胡雪岩说，“我先要问你，你自己总也有过打算？”

“我哪里有什么打算？阿虎一死，我的心冰凉，恨不得出家做和尚！他们怎么说怎么好，反正我都丢开了，随他们去搞。不过，”郁四顿了一顿，显得有些激动，“小和尚一来，听说了他的情形，我心里才高兴了些。今天，你路远迢迢抽出工夫来看我，想想这个世界上也还有些好东西。说句实话，到现在我才稍微有点做人的乐趣。”

这才真的是肺腑之言，胡雪岩觉得很安慰，也越觉得要替他尽心。“四哥，”他说，“承蒙你看得起我，我倒不能不多事了，索性谈得深些。府上的事，要通盘筹划，麻烦虽多，不能怕事，挺一挺胸，咬一咬牙，把它一起理清楚了，好不好？”

“好啊！”郁四很兴奋地回答。他自己也盘算过家务，但越想越头痛，始终鼓不起勇气来清理这一团乱丝，现在听胡雪岩这样说法，先就如释重负，心里好过得多。

“那么，一样样地谈。我先请问，你衙门里的差使，将来怎么样处置？”

户书是世袭的差使，因为手中有一本将全县田地业主、坐落、亩数、赋额记载得明明白白的“鱼鳞册”，这就是世世代代吃着不穷的衣食饭碗。如果阿虎不死，自然归他承袭父职，现在郁四膝下无子，即令将来有后，要把儿子教养成人，是二三十年后的事。渺焉无凭，作不得那样不切实际的打算，所以郁四曾经一度想辞差。这是绝少有的事，通常总是有亲子则亲子承袭，否则就收个螟蛉子，甚至高价顶让，改姓承袭。此刻当然已不作辞差打算，但究竟应该如何处理，郁四却一时不得主意。

遇见胡雪岩，他就懒得去伤脑筋了，直截了当地摇摇头：“我不晓得。”

“好，我再请问第二件。”胡雪岩说，“你那令媳，你又如何替她打算？”

“这件事我最为难！”郁四放下烟枪，矍然而起，“你想想，今年才十九岁，又没有儿子。怎么守法？”

“她自己的意思呢？”

“她当然要守。”

“守节是越守越难。尽有守到四十出头出了毛病的！四哥，我说句老实话，我们又不是啥书香门第，不妨看开些。再说，为儿子挣座贞节牌坊，还有点意思，但没有儿子，没有希望，守不守得住且不去说它，就算守着了一座贞节牌坊，有啥味道？”

“你说得透彻。我主意定了，还是劝她嫁的好。有合适的人，我把她当女儿嫁出去，好好陪嫁。不过，”郁四皱眉又说，“万一她一定要守，怎么办？”

这当然只好成全她的志向，为她在族中选一个侄儿过继为子，然而将来又如何呢？有郁四在自然没有话说，倘或三年五载以后，郁四撒手归西，则孤儿寡妇，难保不受人欺凌。

这些难处，胡雪岩早就替他想到了。“凭四哥你在外头的面子，百年以后，不怕没有人照应府上。不过清官难断家务事，你们自己族里要出花样，外人就很难说话了。”胡雪岩先这样把症结点明，然后才替他划策。

胡雪岩的想法，如果阿虎嫂愿意守节，应该有个在郁四身后可以照料她的人，这个人就是未来的当家。郁四得找一个年轻能干而最要紧的是忠厚的人，收为义子，改姓为郁，不必顶他的香烟，只是继承他的世袭差使。此人受恩所须报答于郁四的，就是将来照应阿虎嫂母女，以及阿七可能为郁四生下的小儿女。

这是面面俱到的办法，郁四完全同意。难题是这个可以“托孤”的人，不容易找。在户房中，郁四虽有些得力的帮手，但不是年龄太长，早已生儿育女，不可能做人家的螟蛉，便是虽有本事，但人品不佳。这样的人，有郁四在，他不敢出什么花样；若郁四一死，必定难制，托以孤儿寡妇，会变成羊落虎口。

“世上无难事，只怕有心人，好在这事也不急，你慢慢留心好了。”

忽然，郁四很兴奋地欲有所言，但他刚抬起身子，便又颓然倒下，摇摇头自语：“不行！不行！”

胡雪岩倒有些困惑，但想想自己的办法，没有什么行不通的，随即问道：“怎么说不行？”

“我倒想到一个人。”郁四慢吞吞地说，“只怕你不肯。”

这一说胡雪岩才明白就里。“大概你是看中了世龙？”他问。

“不错。”郁四说，“他是你得力的人，你没法放手的。”

“这倒是实话。不过你的事也要紧，果真世龙自己愿意，我也不便反对。”

“那再谈吧！”郁四怕他为难，自己收篷，顾而言他，“你再说说看，我分家的事怎么样？”

“女儿原是分不着的，不过家私是你所挣，你愿意怎么样用，谁也管不着你。我的意思，你先提出一笔来给女儿，也是你们做父女一场！”

话说得很含蓄，意思是这一来可以绝了阿兰姐觊觎娘家之心，省去多少是非。郁四本来当局者迷，一直以为女儿是一番孝心，现在才有些明白，觉得此举是必要的，所以连连点头道：“我分一百亩田，提两万现银给她。也要把话说明白，叫他们夫妇拿良心出来。”

说到这样的话，胡雪岩不便接口，停了一下说：“此外你应该作三股派，阿虎嫂如果一定要守，自然该得一股；阿七将来会有儿女，也该得一股；另外一股留在你自己手里，慢慢再说。有这一股在手里，大家都会孝顺你，千万不要分光！还有一层，等分好了，一定要禀请官府立案，以绝后患。”

“这我懂！我都依你的话做。现在，”郁四很吃力地说，“只怕阿七心里还在怪我。”

“这是免不了的。”胡雪岩有意隐瞒阿七对陈世龙的那段情，而且还说了一句假话，“阿七其实还念着你的好处。你就算看在我的面上，委屈些！回头阿七要发牢骚，哪怕给你难看，四哥，你都要忍一忍。”

“她是那样子的脾气，我不跟她计较。”郁四说道，“照你的意思，等下我要跟她见面，在哪里？”

“等世龙回来再说。此刻你先过足了瘾，回头好有精神应付阿七。”

“应付”是句双关语，郁四会心一笑，听他的话，抽足了鸦片，静待好事成双。

郁四也不知他葫芦里卖的什么药，心里悬念而好奇，但不能不沉着处之。他微微一笑，抛开阿七，问起胡雪岩自己的事。

这就有得好谈了。胡雪岩与尤五之间的秘密，特别是关于小刀会的内幕，他在陈世龙面前都是守口如瓶，而对郁四却无须隐瞒。二人并头低语，声音低到只有两个人听得见。郁四一面打着烟泡，一面侧耳静听，觉得惊心动魄，对胡雪岩更加另眼相看了。

“想不到你有这一番经历！”听完了他说，“说得我都恨不能像你这样去闯闯码头。”

见他受了鼓舞，胡雪岩正好趁机劝他：“四哥，这几年是一重劫运、惊天动地的日子。我不相信在劫难逃这句话，只觉得一个人要出头，就在这个当口。人生在世，吃饱穿暖，糊里糊涂过一生，到闭眼的那一刻，想想当初，说不定会懊悔到这世界上来一遭，这就没啥意思了！”

“是啊。”郁四答道，“人死留名，豹死留皮，总要做件把别人做不到的事，生前死后，有人提起来，翘一翘大拇指，说一声‘某人有种’，这才是不辱没爷娘！”

听这语气，胡雪岩想起从嵇鹤龄那里听来的一句成语，脱口说道：“老骥伏枥，志在千里。四哥，你果有此心，眼前倒有个机会，可以做一番事业。”

“噢！你说。”

“你们湖州办团练，听说赵景贤是个角色，你如果能够帮他办好了，保境安民，大家提起你来，都要翘大拇指了。”

郁四不响，只是双眼眨得厉害。眨了半天，他忽然抛下烟枪，坐起身来说：“你说得对！要人要钱，我尽我的力量。不过我不便自己凑上门去。倒不是要他来请教我，是怕人说我高攀，想挤到绅士堆里，自抬身价。”

“这也不是这么说法。守土之责，人人有份！”胡雪岩略停一停说，“我来安排，叫王大老爷来跟赵景贤说，那样，四哥你面子上也过得去了。”

“好！你去办，我只听你的招呼就是。”说着，他下了炕床，关照聚成的人备饭，兴致极好，迥不是以前那种垂头丧气的颓唐之态。

刚刚拿起酒杯，陈世龙便赶到了，他冲胡雪岩点了点头，坐下来一起吃饭。郁四知道他是安排好了，只不知道他是如何安排。跟阿七见了面，自己该说些什么？心里痒痒地却不便问，那酒就吃得似乎没啥味道。

“少喝两杯！”胡雪岩说，“回头再吃。”

郁四听这话，便喝干了酒，叫人拿饭来吃。吃完，他一个人坐在旁边喝茶，静候胡雪岩行动。

“我们走吧！”

“慢点。”郁四到底不能缄默，“到哪里？”

“到大经丝行。”胡雪岩说，“我请阿七来碰头，你躲在我后房听，说什么你都不必开口！等我一叫，你再出来。”

“出来以后怎么样？”

“那——”胡雪岩笑道，“你们两个人的事，我怎么知道？”

这句皮里阳秋的谐语，表示接下来就是重圆破镜，复谐好事。郁四听了当然兴奋，急着要走。

三个人一起出了聚成钱庄，却分两路。郁四跟胡雪岩到大经，陈世龙别有去处。陈世龙第一次受计所办的是“调虎离山”。他赶到老张那里，报告胡雪岩已到湖州，说跟郁四有要紧话在大经商谈，不便让黄仪知道，嘱咐老张夫妇，借商谈陈世龙的亲事为名，把他邀到家，把杯谈心，务必绊着他的身子。这样做的用意，就因为阿七要到大经来，怕跟黄仪遇到，彼此不便。

陈世龙敲开阿七家的门。阿七是诧异多于一切，瞪着一双水汪汪的眼睛，只说了句：“是你！”

“是我。”陈世龙平静地说，“无事不登三宝殿！”

“有事？哼！”阿七冷笑，“你是卑鄙小人，良心叫狗吃掉了！”

“怎么好端端骂人？”

“为什么不骂你！”阿七一个指头，戳到他额上，使劲往后一揿，指甲切入肉里，立刻便是一个红印。

“不要动手动脚！”陈世龙说，“胡先生从杭州来了，他叫我来请你过去，有话跟你谈。”

“你还想来骗人，真正良心丧尽了。你自己躲我，还不要紧。你叫黄仪来打我的主意，拿我送礼，讨他的好！”阿七越说越气，大声骂道，“你替我滚！我不要看你。”

这一说，陈世龙想起那天的光景，忍不住纵声大笑。

“你还笑！有啥好笑？”

“我笑他癞蛤蟆想吃天鹅肉。差点眼睛都被戳瞎。”

“咦！”阿七秋波乱转，困惑地问，“难道他还好意思把这桩‘有面子’的事告诉你听？”

“他怎么会告诉我？我在间壁楼梯下面张望，亲眼看到的。”陈世龙又说，“阿七，你想想，我怎么会捉弄你？我们是熟人，而况你又有私房钱叫我替你放息，我捉弄了你，不怕你跟我逼债？”

听这一说，阿七有些发窘，破颜一笑，故意这样说道：“对！我就赖你欠我的钱，不听我的话，我就去替你‘卖朝报’！”

“好了，好了！”陈世龙问，“你要不要换件衣服？如果不换，我们此刻就走。”

“真的胡老板要见我？”阿七答非所问地，“他有啥话要跟我谈？”

“我不晓得，不过，我告诉你，他现在鸿运当头，照顾到哪个，哪个就有好处。你听我的话，跟我走！”陈世龙把她打量了一番，虽是家常打扮，但风韵自胜，便又说道，“这样也蛮漂亮，不要换衣服了。”

阿七听他的话，嘱咐了她所用的那个爱打瞌盹的小大姐当心门户，跟着陈世龙出门，在巷口雇一顶小轿，一直抬到大经丝行。

“越来越年轻了！”胡雪岩迎着她，便先灌了句米汤，接着取出一个外国货的錾银粉镜——这是特地叫陈世龙向阿珠借来的，“没啥好东西。郁四嫂，千里鹅毛一点心，你将就着用。”

“多谢胡老板，不过，你的称呼，不敢当。”

“不是这话。不管你跟郁四哥生什么闲气，我总当你郁四嫂！”

“我哪里高攀得上他们郁家？胡老板，多承你抬举我，实在对不起，要叫你骂一声‘不识抬举’了！”

听她的口风甚紧，胡雪岩不敢造次，一面请她落座，一面向陈世龙使个眼色，暗示他避开。

“那么，我走了！”陈世龙说，“阿七，明朝会！”

“慢点。”胡雪岩故意问一句，“你到哪里去？是不是阿珠在等你？”

这还用思索？陈世龙当然是实实在在地答应一个：“是！”

“将来又是个怕老婆的家伙！”胡雪岩望着陈世龙的背影，轻轻说了句，再偷眼看阿七的脸上，是爽然若失的神情，便知自己这番做作不错。要先把陈世龙的影子从她心里抹干净，再来为郁四拉拢，事情就容易了。

“胡老板！”阿七定定神问道，“不晓得你有啥话要跟我说？请吩咐！”

“吩咐二字不敢当。郁四嫂！说句实话，我这趟是专程来看郁四哥的，这么一把年纪，没有了一个独养儿子，你想想可怜不可怜？”

阿七在恨郁四，想答一句“可怜不足惜”！话到口边，觉得刻薄，便忍住了点一点头。

“阿虎我没有见过，他为人怎么样？”

“郁家这位大少爷，凭良心说，总算是难得的好人。”阿七答道，“不比他那个姐姐，眼睛长在额头上。”

“是啊，我听说你跟郁家大小姐不和，有没有这话？”

“这话，胡老板你说对了一半，是她跟我不和！”阿七愤愤地说，“她老子听了宝贝女儿的话，要跟我分手。分就分，我也不在乎他！”

“唉！郁四哥糊涂到了极点！”胡雪岩摆出为她大不平的神态，责备郁四，“你跟了他，算是委屈的，他怎么得福不知？我先当是你要跟他分手，原来是他自己糊涂，这我非好好说他几句不可！”

“哪里是我要跟他分开？”阿七上当了，极力辩白，“我从来都没有起过这样的心思。都是他自己，一心还想弄两个年轻的，人老心不老，不晓得在交什么墓库运！”

“好！”胡雪岩翘着大拇指说，“郁四嫂，我倒真还看不出，你一片真心，都在郁四哥身上。”

“哼，有啥用？”阿七黯然摇头，“好人做不得！叫人寒心。”

“那也不必。人，总要往宽处去想——”

“是啊！”阿七抢着说道，“我就是这样想。心思不要太窄，难道‘死了杀猪屠，只吃带毛猪’？我说句不怕难为情的话，离了郁家，还怕找不着男人？到后来倒看看，究竟是他吃亏，还是我吃亏？”

这番挟枪带棒、不成章法的话，看似豁达，其实是阿七摆脱不掉郁四的影子。胡雪岩觉得自己的成绩不错，把她真正的心意探清楚，便已有了一半的把握了。

于是他借话搭话地说："自然是郁四哥吃亏。拿眼前来说，孤苦伶仃，一夜到天亮，睁着眼睛想儿子，那是什么味道？"

她不响，息了一会儿才说了句："自作自受！"

"他是自作自受。不过，你也一样吃亏！"

"这——"阿七大摇其头，"我没有啥吃亏。"

"你怎么不吃亏？"胡雪岩问道，"你今年二十几？"

"我——"阿七迟疑了一下，老实答道，"二十七。"

"女人像朵花，二十三四岁，就是花到盛时，一上了你现在这年纪，老得就快了。"胡雪岩说，"你想想看，你顶好的那几年，给了郁四哥，结果到头一场空，岂不是吃了亏了？"

听他这一说，阿七发愣。这番道理，自己从没有想过，现在让他一点破，越想越有理，也越想越委屈，不由得就叹了口气。

到此地步，胡雪岩不响了，好整以暇地取了个绿皮红心的"抢柿"慢慢削着皮，静等阿七发作。

"胡老板，我想想实在冤枉！人不是生来就下贱的，说实话，跟郁老头的时候，我真是有心从良。哪晓得你要做好人，人家偏偏不许你做！"说到这里，阿七一生的委屈，似乎都集中在一起爆发开来，显得异常激动，"就是胡老板你说的，我一生顶好的几岁给了他，他听了女儿的话，硬逼我分手，他这样子没良心，那就不要怪我。我也要撕撕他的脸皮。"

"噢！"胡雪岩很沉着地问，"你怎么撕法呢？"

"我啊，"阿七毅然决然地说了出来，"我做我的'老行当'，我还要顶他的姓，门口挂块姓郁的牌子，叫人家好寻得着。"

这倒也厉害！果然如此，郁四的台就坍了。"阿七，"胡雪岩说，"人总不要走到绝路上去——"

"是他逼得我这样子的。"阿七抢着分辩。

“你这个念头是刚刚起的。是不是？”

“是的。”阿七已完全在胡雪岩摆布之下，有什么，说什么，“多亏你胡老板提醒我，想想真是一口冤气不出。”

“那就变成是我挑拨是非了。阿七，你要替我想想。”

“对不起！”阿七满脸歉疚，“这件事我不能不这么做。请你胡老板体谅我！”

“你无非想出口气。我另外替你想出气的办法，好不好？”

阿七想了想答道：“那么，胡老板你先说说看！”她紧接着又声明，“这不是我主意已经改过，说不说在你，答应不答应在我。”

“当然。”胡雪岩说，“不要说你那口冤气不出，就是我旁边看着的人，心里也不服气。无论如何要叫你有面子，争一口气。有面子就是争气，这话对不对？”

阿七并不觉得他的话对，但也不明白错在何处，只含含糊糊地答道：“你先说来看！”

“我想叫郁四哥替你赔个罪。怎么样？”

“赔罪？”阿七茫然地问道，“怎么赔法？”

“你说要怎么赔？”胡雪岩说，“总不见得要‘吃讲茶’吧！”

“吃讲茶”是江湖道上的规矩，有啥“难过”，当面“叫开”。像这种家务事，从没有吃讲茶的规矩。但此外阿七也想不出如何叫郁四赔罪，只睁大了一双黑多白少的眼睛，望着胡雪岩发怔。

“阿七，什么赔罪不赔罪，都是假的，一个人的感情才是真的。只要郁四哥把真心给了你，也就差不多了！”

阿七一方面觉得他这话不无道理，另一方面又觉得他这话或有深意。两个念头加在一起，得要好好想一想，所以她双手按在膝上，低头垂眼，只见睫毛不住闪动。她那副娴静的姿态，看起来着实动人。

她还在细细思量，胡雪岩却说得圈子兜太远，自己都有些不耐烦，决定揭破谜底。略想一想，他说：“郁四嫂，其实你这口冤气也算出过了，你刚才左一个‘没良心’，右一个‘老糊涂’，骂得狗血喷头，人家一句口也不开，等于向你赔了罪，你也可以消消气了。”

这一说，把阿七说得莫名其妙，好半晌才说：“我是‘皇帝背后骂昏君’，他人又不在这里，怎么听得见？”

“哪个说不在这里？”胡雪岩敲敲板壁，“郁四哥，你可以出来了，再来跟郁四嫂说两句好话！”

“噢！”郁四应声掀帘，略带窘色，先叫一声，“阿七！”

阿七这时才会过意来。“冤家”相见，先就有气，扭转身来就走，哪知道门外早有埋伏。陈世龙说到张家是假话，一直等在门外，这时笑嘻嘻地说道：“你走不得！一走，郁四叔‘跪算盘’‘顶油灯’的把戏，都看不到了。”

于是阿七又是一气。“你好！”她瞪着眼说，“你也跟他串通了来作弄我！”

“是，是！”陈世龙高拱双手，一揖到地，“是我错，你不要生气。”

这一下搞得阿七无计可施。当前的局面，软硬两难，阿七走是走不脱，对郁四理又不愿理，只有回转身坐了下来，把个头偏向窗外，绷紧了脸不说话。

“阿七！”郁四开口了，“算我不对——”

“本来就是你不对！”阿七倏地转过身来抢白。

“是，是！”郁四也学陈世龙，一味迁就，“是我不对，统统是我不对。好了，事情过去了，不必再打搅人家胡老板，我们走！”

“走？走到哪里去？”

“你说嘛！到我那里，还是到你那里？”

“到你那里？哼，”阿七冷笑道，“你们郁府上是‘高门槛’，我哪里跨得进去？”

说到这样酸溜溜的话，那就只是磨工夫的事了。胡雪岩向陈世龙抛个眼色，站起身说：“好了！用不着我们在这里讨厌了！你们先谈几句，等下我送你们入洞房。”

“啥个洞房不洞房？”阿七也起身相拦，“胡老板你不要走，我们要把话说说清楚，没有这样便当的事！”

“我不走！我就在对面房里。”胡雪岩说，“你们自己先谈，谈得拢顶好，谈不拢招呼我一声我就来。郁四嫂你放心，我帮你。”

这个承诺又是一条无形的绳子，把阿七捆得更加动弹不得。除了依旧数落郁四“没良心”“老糊涂”以外，她只提出一个条件：要郁四从今以后，不准女儿上门。

这如何办得到？不管郁四如何软语商量，阿七只是不允。于是非请胡雪岩来调停不可了。

听完究竟，胡雪岩笑着向郁四说：“这是有意难难你。郁四嫂是讲道理的人。”

这个手法叫作“金钟罩”，一句话把阿七罩住，人家恭维她“讲道理”，她总不能说“我不讲道理”，非要郁四父女断绝往来不可。因此，这时候阿七又板着脸不响了。

“我现在才晓得，郁四嫂气的不是你，”胡雪岩这样对郁四说，“是气你大小姐。这也难怪郁四嫂，换了我也要气！想想也实在委屈，照道理，当然要你有个交代，不过说来说去一家人，难道真的要逼你不认女儿？就是你肯，郁四嫂也不肯落这样一个不贤的名声在外面。这就是山东的俗话，‘一块豆腐掉在灰堆里，弹不得了’！真正有苦说不出！”

这几句话，直抉阿七心底的衷曲。她自己有些感觉，苦于说不出口，现在听胡雪岩替她说了出来，那一份令人震栗的痛快，以及天底下毕竟还有个知道自己的心的知遇之感，夹杂在一起，就如一盏热醋泼在心头。她竟抽抽噎噎地哭了起来。

一路哭，一路数落，但已不是吵架，完全是诉怨。郁四虽觉得有些尴尬，心里却是一块石头落地，知道大事已定。他心情闲豫，应付自然从容，也不说话，只从袖中抽出一方手帕递了过去，让她好擦眼泪。

擦湿了一方手帕，阿七收住了眼泪。她心里感激远多于怨恨，而感激的是胡雪岩。她站起来福了福：“胡老爷多谢你！费了你好半天的精神。”接着她转过脸去向郁四说道：“好走了，麻烦人家胡老板好些工夫，还要赖在这里！”

“走，走！”郁四一迭连声地回答，“我先问你，到哪里？”

“还到哪里？自然是回家。”

“对，对！回家，回家！”郁四转身看着胡雪岩，仿佛千言万语难开口，最后说了这样一句，“我们明天再谈。”

一场雷雨，化作春风。胡雪岩心里异常舒畅，微微笑着，送他们出门。走到店堂，迎面遇着黄仪，胡雪岩和他都有意外之感，不由得便站住了脚。

“黄先生！”阿七泰然无事，扬一扬招呼，“明朝会。”说着还回眸一笑，得意洋洋地走了。

* * *

湖州之行，三天之内，胡雪岩替自己办了两件要紧事。第一件是约妥了黄仪，随他到杭州去办笔墨。黄仪改变了心意，一则想到外面去闯闯；二则是觉得跟了胡雪岩这样的东家，十分够味，当然也知道这位东家不会薄待他，所以薪水酬劳等，根本不谈。

第二件是进一步赢得了郁四的友谊。郁四自从跟阿七言归于好以后，他的颓唐老态一扫而空，不再谈衙门里辞差的话，家务也不劳胡雪岩再费心，表示自己可以打点精神来料理。胡雪岩要头寸周转，除了已经拨付的那一笔以外，郁四另外又调动了五万两银子，让他带走。

“你的事就是我的事。为你这样的朋友，倾家荡产也值得。况且，我相信你一定有办法。”他这样对胡雪岩说，“你要头寸，只要早点告诉我，我一定替你调齐。”

有了郁四的十万银子和他的那句话，胡雪岩又是雄心万丈了。他目前最困难的就是头寸。在上海堆栈里的丝，搁煞了他的大部分本钱；阜康钱庄的生意，做得极其热闹，已成“大同行”中的“金字招牌”之一，但唯其如此，绝不能露丝毫捉襟见肘的窘态；而海运局方面，正当新旧交替之际，亏空只能补，不能拉。在这青黄不接的当口，胡雪岩一度想把那批丝杀价卖掉，可虽仍有盈余，但也有限，费心费力的结果变成几乎白忙一场，自是于心不甘，同时也不肯错过这个机会。在左右为难之下，郁四的这一臂之力，帮忙帮得大了。

“四哥！”他兴奋地说，“只要你相信我，我包你这笔款子的利息，比放给哪个都来得划算。我已经看准了，这十万银子，我还要‘扑’到洋庄上去。前两天我在杭州得到消息，两江总督怡大人，要对洋人不客气了。这是个难得的机会，一抓住必发大财。不过，机会来了，别人不晓得，我晓得，别人看不准，我看得准。这就是人家做生意做不过我的地方。”

说了半天是什么机会呢？两江总督怡良，郁四倒是晓得的，他是当权的恭亲王的老丈人，也算是皇亲国戚，如果有什么大举措，朝廷一定会支持他，然而对洋人是如何不客气？“莫非，”他迟疑地问，“又要跟洋人开仗？”

“那是不会的——”

胡雪岩说，他听到的消息是，因为两件事，两江总督怡良对洋人深为不满。第一，小刀会的刘丽川，有洋人自租界接济军火粮食，这是“助逆”而不是“助顺”，就算实际上对刘丽川没有什么帮助，朝廷亦难容忍，而况对刘丽川确为一大助力。

第二是从上海失守以后，“夷税”也就是按值百抽五计算的关税，洋人借口战乱影响，商务停顿，至今不肯缴纳。商务受影响自是难免，如说完全停顿，则是欺人之谈。洋商缴纳关税，全靠各国领事代为约束，现在有意不缴，无奈其何！那就只有一个办法：不跟洋人做生意。

“租界上的事，官府管不到。再说不跟洋商做生意，难道把销洋庄的货色抛到黄浦江里？这自然是办不到的，所以，再退一步说，只有一个办法，这个办法也很厉害：内地的丝茶两项，不准运入租界。这是官府办得到的事。”

“我懂了！还是你原来的办法，”郁四点点头说，“那样子一来，丝茶两项存货的行情，一定大涨。这倒是好生意！”

“自然是好生意。”胡雪岩说，“丝我有了，而且现在也不是时候，收不到货。茶叶上面，大有脑筋可动，官府做事慢，趁告示没有出来以前，我还来得及办货。此外，我还想开一爿当铺，开一家药店，阜康也想在上海设分号。”

“老胡，”郁四打断他的话，“我说一句，怕不中听，不过我声明在先，绝不是我有啥别的心思，无非提醒你，事情还是你去做，你说怎么办就怎么办。”

“四哥，我们的交情，你这番表白是多余的。”

话虽多余，不能不先交代，这就是江湖上的“过节”。其实就是郁四以下要说的话，也近乎多余。他劝胡雪岩说，一个人本事再大，精力有限，头绪太多，必有照顾不到的地方。而且他的生意，互相关联，牵一发而动全身，一垮下来，不可收拾，不如暂时收敛，稳扎稳打。

这番话语重心长，见得郁四的关切，但胡雪岩自己何尝不知道？其间的利害关系，他远比郁四了解得更透彻。不过他自己足以应付得了，哪一处出了毛病，该如何急救，也曾细细策划过，有恃无恐，所以我行我素。只是郁四说到这样的话，休戚相关，虽不能听，亦不宜辩，因而他不断点头，表示接受。

接受不是一句空话可以敷衍的，而郁四有大批本钱投在自己名下，也得替他顾虑。胡雪岩的思考向来宽阔而周密，心里在想郁四的话，可有言外之意？却是不能不问清楚的。

“四哥，你的话十分实在。当铺、药店，我决定死了心，暂且丢下。不过，我要请问一句，四哥一定要跟我说实话。”

“你这话也是多余的。”郁四答道，“我几时跟你说过假话？”

“是的，是的，我晓得。”胡雪岩连连点头，“不过，我怕我或者有啥看不到的地方，要请四哥指点。你看，我们在上海的那批丝，是不是现在脱手比较好？”

“嗐！”郁四的神色和声音，大似遗憾，“你完全弄错我的意思了！你当我不放心我投在你那里的本钱？绝不是！我早就说过了，我相信你，生意你去做，我不过问。”

“四哥是相信我，结果弄得‘鸭屎臭’，叫我怎么对四哥交代？”

“不要交代！要啥交代？做生意有亏有蚀，没话可说！只有‘开口自己人，独吃自己人’的才是‘鸭屎臭’，你不是那种人。再说一句，就算你要存心吃我，我也情愿，这话不是我现在说，你问阿七。”说着便连声喊着，“阿七，阿七！胡老板有话问你。”

阿七在打点送胡雪岩的土仪，正忙得不可开交，但听说是胡雪岩有话问，还是抽出身子来了。

“我昨天晚上跟你谈到上海的那批丝，我是怎么跟你说的？”郁四问。

“你说，那批丝上的本钱，你只当赌铜钿输掉了。赚了，你不结账，蚀了，你也睡得着觉。”

听这样一说，胡雪岩既感激，又不安，听郁四的口气，大有把那笔本钱奉送之意，这无论如何是受之有愧的。但此时无须急着表白，朋友相交不在一日，郁四果有此心，自己倒要争个面子，将来叫他大大地出个意外。

于是他说：“四哥你这样说，我的胆就大了。人生难得遇着知己，我不趁这时候好好去闯一闯，也太对不起自己了。”

在这一刻，胡雪岩又有了新的主意，决定等那批丝脱手以后，把郁四名下应得的一份，替他在上海买租界上的地皮。

这是一个突如其来的念头，细细想去，第一，不受炮火的影响，各地逃难到上海租界的人，一定会越来越多，市面当然要兴旺；第二，朝廷对洋人不欢迎，但既然订了商约，洋人要来，不欢迎也办不到。“五口通商”只有上海这个码头最热闹，一旦洪杨之乱平定，逃难的人会相携还乡，但做生意的人，是不会走的。所以，趁现在把上海租界里那些无甚入息、地价便宜的苇塘空地买下来，将来一定会大发其财。不过，这是五年、十年以后。如果有闲钱无甚用处，不妨买了摆在那里，像自己现在这样，急需头寸周转，就不必去打这个主意。

“老胡！”郁四见他沉吟不语，便即问道，“你在想啥？”

“还不是动生意上的脑筋？”说了这一句，胡雪岩才想起郁四劝他的话，自然不宜再出花样，因而自己摇着手说，“不谈，不谈。是空想！”

“不要去多想了！我们吃酒，谈点有趣的事。”

趣事甚多，胡雪岩讲了七姑奶奶逛堂子的笑话，把阿七听得出了神。郁四也觉得新奇，表示很想会一会这样一个“奇女子”。

“那容易得很！”胡雪岩说，“只要你抽得出空，我陪你走一遭，尤家兄妹一定也会觉得你很对劲。”

“真的，”阿七接口向郁四说，“你也该到外头走走，见见世面。年纪一大把，乐得看开些，吃吃喝喝，四处八方去逛逛，让我也开开眼界。”

这番怂恿把郁四说动了心。他平生足迹不出里门，外面是怎么样的一个花花世界，只听人说，未曾目睹，到底是桩憾事，如果能带着阿七去走一走，会一会江湖上的朋友，也是暮年一大乐事。只是怎么能抽得出身？

于是他又想到衙门里的差使要找个替手这件大事。“老胡，”他毫不考虑地问了出来，“上次我跟你谈过的，想叫小和尚来当差，你可曾问过他？”

“还不曾问。”胡雪岩心想，陈世龙大概不会愿意，而且有阿七在，陈世龙也实在不宜过分接近郁家。再为自己打算，胡雪岩也难放手，所以索性再加一句：“我想不问也罢。我看他十之八九不肯！”

“那就算了。”郁四惘惘地说，“我另外物色。”

这两句对答，使得阿七深为注意。在过去，如果谈到陈世龙，她立刻会插嘴来问。但自从有了那两番私晤，倾诉心曲的经历，她变得“做贼心虚”，在郁四面前，处处要避嫌疑，所以当时不敢搭腔，过后才找个机会，悄悄问胡雪岩是怎么回事。

* * *

胡雪岩也正要有这样一个单独相处的机会，好问她一个明白，因而说明其事以后，紧接着便是这样一句：“郁四嫂，我有句话，不晓得能不能问，问了怕你不高兴；不问，我心里总不安稳。真正不知道该怎么办。”

阿七是很聪明也很爽荡的人，微微红着脸说：“我晓得你要问的是啥，那件事我做错了。不过当时并不晓得做错。”

“这话怎么说？”胡雪岩觉得她的话很有意味，“是你跟郁四哥讲和以后，才晓得自己错了？”

“是的！”阿七羞涩地一笑，别具妩媚之姿，“想想还是老头子好，样样依我。换了别人，要我样样依他，这在我，也是办不到的。”

胡雪岩觉得以她的脾气和出身，还有句话提出来也不算太唐突，所以接着又问：“那么你去看世龙之前，是怎么个想法？”

一听这话，阿七有些紧张：“小和尚把我的话，都告诉你了？”

这下胡雪岩倒要考虑了。看阿七的神气，是不愿意让第三者晓得她的秘密的，如果为了叫她心里好过，大可否认。只是这一来，就不能了解她对陈世龙到底是怎么一种感情，胡雪岩想一想，还是要说实话。

于是他点一点头，清清楚楚地答道：“原原本本地都告诉我了。”

阿七大为忸怩。“这个死东西！”她不满地骂，“跟他闹着玩的，他竟当真的了！真不要脸！”

这是掩饰之词，胡雪岩打破沙锅问到底，又刺她一句：“你说闹着玩，也闹得太厉害了，居然还寻上门去。如果让阿珠晓得了，吃起醋来，你岂不是造孽？”

“那也要怪他自己不好。”阿七不肯承认自己的错处，“无论如何香火之情总有的。那时候我心里一天到晚发慌，静不下来，只望有个人陪我谈谈。他连这一点都不肯，我气不过，特为跟他啰唆，叫他的日子也不好过！”说着，她得意地笑了。

这番话照胡雪岩的判断，有十分之七可靠。不可靠的是她始终不承认对陈世龙动过心。然而事过境迁可以不去管它，只谈以后好了。

“以后呢？”他问，“你怎么样看待陈世龙？”

“有啥怎么样？”阿七说得很坦率，“我死心塌地跟了老头子，他也要讨亲了，还有啥话说？”

于是胡雪岩也没话说了，神色轻松，大可放心。

“胡老板，”阿七出了难题给他来回答，“张家阿珠这样的人品，你怎么舍得放手？”

“这话，”胡雪岩想了想答道，“说来你不会相信，只当我卖膏药、说大话。不过我自己晓得，我做这件事就像我劝郁四哥把你接回来一样，是蛮得意的。”

“得意点啥？”阿七有意报复，“刚开的一朵鲜花，便宜了小和尚。你倒不懊悔！”

“要说懊悔，”胡雪岩也有意跟她开玩笑，“我懊悔不该劝郁四哥把你接回来，我自己要了你好了，大不了像黄仪一样，至多讨一场没趣。”

阿七笑了。“好样不学，学他！”接着，她神色一正，“胡老板，我规规矩矩问你一句话。”

“好！我规规矩矩听。”

“你太太凶不凶？”

“你问她作啥？”胡雪岩笑道，“是不是要替我做媒？”

“对！不然何必问？”

“那么，你说来听听，是怎么样一个人？”

“人是比我胜过十倍，不过命也比我苦。”阿七说道，“是个小孤孀。”

接着，阿七便夸赞这个“小孤孀”的品貌，胡雪岩被她说得心思有些活动了，试探着问道：“她家里怎么样？守不住改嫁，夫家娘家都要答应，麻烦很多。”

“麻烦是有一点，不过也没有料理不好的。”阿七说道，“她夫家没有人。倒是娘家，有个不成材的叔叔，还有个小兄弟。如果娶了她，这个小兄弟要带在身边。”

“那倒也无所谓。”胡雪岩沉吟着，好半天不作声。

“胡老板，”阿七怂恿着说，“你湖州也常要来的，有个门口在这里，一切方便，而且，说人品她真正是又漂亮、又贤惠！要不要看看？”

“那好啊！怎么个看法，总不是媒婆领了来吧？”

“当然不能这么看。”阿七想了想说，“这样吧，明天一早我邀她到北门天圣寺烧香，你在那里等。见了装作不认识我，不要打招呼，我也不跟她说破。这样子没有顾忌，你就看得清楚了。”

“也好！准定这么办。”

到了第二天，胡雪岩找陈世龙陪着，到了北门天圣寺，先烧香，后求签，签上是这样一首诗：

暮云千里乱吴峰，落叶微闻远寺钟；
目尽长江秋草外，美人何处采芙蓉？

胡雪岩看不懂这首诗，只看签是“中平”，解释也不见得高明，便一笑置之，跟陈世龙寺前寺后，闲步随喜。

陈世龙却有些奇怪，只听胡雪岩说要到天圣寺走走，未说是何用意。他这样的一个大忙人，为何忽发雅兴，来游古刹？先是心里打算，他既不说，自己也不必问，等到了天圣寺自然明白。但这时陈世龙依旧看不出名堂，就忍不住要问了。

“胡先生，你是不是等什么人？还是——”

“对！我正是等人。跟你说了吧！”

一说经过，陈世龙笑道：“喔。我晓得了！一定是何家的那个小孤孀，不错！阿七的眼光不错。不过，这个媒做得成做不成，就很难说了。”

“原来你也晓得！”胡雪岩颇有意外之感，“来，我们到那里坐一坐。”

两人在庙门口一家点心摊子上坐了下来，一面吃汤圆，一面谈何家的小孤孀。据陈世龙说，此人颇有艳名，自从居孀以后，很有些人打她的主意。夫家还好说话，但娘家有个胞叔，十分难，所以好事一直不谐。

“无非是多要几两银子。”胡雪岩问，“有什么难的？”

“那家伙嫖赌吃着，一应俱全，哪个跟他做了亲戚，三天两头上门来啰唆，就吃不消了。”

“这倒不必怕他。”胡雪岩又问，“她娘家姓啥？”

“娘家姓刘。他叔叔叫刘三才，人家把他的名字改了一个字，叫作刘不才。由这上头，胡先生就可以晓得他的为人了。”

“总有点用处吧！”

“用处是有点的。不过没有人敢用他。这个人太滑、太靠不住。”

“不管它！你倒说来我听听，刘不才有何用处？”

“他能说会道，风花雪月，无不精通，是做篾片的好材料。”陈世龙接着又用警告的语气说，“就是银钱不能经他的手。说句笑话，他老子死了，如果买棺材的钱经他的手，他都会先用了再说。”

胡雪岩笑了。“有这样的人？”是不甚相信的语气。

“就有这样的人！”陈世龙特为举证，“我跟他在赌场里常常碰头，诸如此类的事，见得多了。”

胡雪岩点点头，抛开陈世龙的话，管自己转念头。他心里在想，篾片有篾片的用处。帮闲的人，官场中叫清客，遇着纨绔子弟便叫篾片，好似竹篓子一样，没有竹篾片，就拧不起空架子。自己也要几个篾片，帮着交际应酬，如果刘不才本心还不坏，只是好“拆烂污”，倒不妨动动脑筋，收服了他做个帮手。

“来了，来了！”陈世龙突然拉着他的衣服，轻轻说道。

胡雪岩定定神，抬头望去。这一望，心里立刻便是异样的味道。何家的小寡妇是个“黑里俏”，除了皮肤以外，无可批评。她腰肢极细，走几步路，如风摆杨柳，却又不像风尘中人的有意做作，而是天然袅娜。她下了轿子，扶着个十一二岁的小丫头，一步一步地走过点心摊子。胡雪岩的脸便随着她转，一直转到背脊朝陈世龙为止。

陈世龙已会过了账，悄悄地拉了他一把，两个人跟着又进了山门。阿七是早就看到了他们的，此时落后一步，微微转近身来摇一摇手。

“她什么意思？”胡雪岩问。

“大概是关照不要靠得太近。”

听这一说，胡雪岩便站住了脚，尽自盯着她的背影看。从头到脚，一身玄色，头上簪一朵穿孝的白绒花，显得格外触目。

“胡先生，”陈世龙轻声问道，“怎么样？”

“就是皮肤黑一点。”

“有名的‘黑芙蓉’嘛！”陈世龙说。

“怎么叫黑芙蓉？只听说过黑牡丹。”

“她的名字就叫芙蓉。”

“芙蓉！”胡雪岩偏着头，皱着眉想，“好像什么地方听过这个名字？”

就这样不断念着“芙蓉、芙蓉”，他皱眉苦思，到底想起来了。

“原来在这里！”他把刚才求的那张签，拿给陈世龙看。

“巧了！”陈世龙极感兴趣地笑着，“看起来是前世注定的姻缘。”

“不见得！‘美人何处采芙蓉’，是采不到的意思。”胡雪岩摇摇头，大有怏怏之意。

陈世龙从未见过他有这样患得患失、近乎沮丧的神情，心里有些好笑。但他随即想到，胡雪岩对芙蓉，可说是一见钟情，无论如何得把她“采”来供养，才是报答之道。

“再进去看看！”胡雪岩说。

"胡先生，你一个人去好了。她有点认识我的，见面不大方便，我先避开为妙。"

等陈世龙一走，胡雪岩一个人在大殿前面那只高可及人的大香炉旁边，七上八下想心思。他又想闯进殿去细看一看，又怕不依阿七的暗示，会把好事搞坏，左思右想只是打不定主意。他自己都觉得有些好笑，几万银子上落的生意，都是当机立断，毫无悔尤，偏偏这么点事会大为作难！

辰光就这样空耗着，耗到阿七和芙蓉出殿，他不能再没行动了。"嗐！"他自己对自己不满，这有什么大不了的！成也罢，不成也罢，何必看得那样认真？这一转念，犹豫和怯意一扫而空，同时也把阿七的约定和暗示都抛到九霄云外，他踏着从容潇洒的步子迎了上去，清清朗朗地喊一声："郁四嫂！"

既然叫出来了，阿七不能不理，装出略如惊喜的神态说道："啊，胡老板，是你！怎么有空？来烧香，还是啥？"

"偶然路过，进来逛一逛。"胡雪岩一面说，一面打量芙蓉。她那双眼睛很活，但也很静，在初见胡雪岩，视线飞快地一绕之后，一直垂着眼皮，看着地下。

阿七心想，一不做二不休，既然胡雪岩自己要出头，索性彰明较著替他们拉拢，让他自己来显显本事，倒省了许多心。于是她说："胡老板，我要敲你的竹杠，好好请一请我们——"

一说到"我们"两字，芙蓉便推一推她的手埋怨："你这个人！哪里有这样子的？"

"怕啥！"阿七一副理直气壮的态度，"胡老板又不是外人，是我们老头子的要好弟兄！"

"正是这话。这位——"胡雪岩微笑着说，"这位小姐，不必见外！"

"喔，"阿七趁机说道，"胡老板，我来引见，这是我的小姐妹，娘家姓刘，夫家姓何，小名叫芙蓉。你叫她名字好了。"

听这番介绍，芙蓉只是皱眉，胡雪岩不知道她因何不满，不敢鲁莽。

“没有这个道理！至少该尊称一声小姐。”他说着作了个揖，“芙蓉小姐！”

“不敢当。”芙蓉带着羞意，还了礼，接着转脸对阿七说，“我先走一步了！”

“你不要扫我的兴！”阿七一把拉住她，“我老早想到白衣庵去吃素斋，难得今天凑巧，又有人做东道，又有人陪我。”

芙蓉不响，自是默许了。胡雪岩便一迭连声地说：“好，好！我做个小东。不过白衣庵在哪里？在它那里吃素斋是怎么个规矩？我都不知道。”

“我知道！”阿七接口答说，“不过，胡老板，这个东道倒不是小东道！白衣庵的素菜，湖州有名的，吃一顿斋，缘簿上总要写五两银子才够面子。”

“只要你吃得中意，五两银子算啥？”胡雪岩避开一步问道，“轿子可是在山门外？”

“已经打发走了。胡老板，拜托你到山门口去雇两顶，白衣庵在西门城脚下，轿夫都知道的。”

胡雪岩答应着，抢步先行，等阿七和芙蓉一出山门口，轿子已经倾倒轿杠在等着了。

但事情起了变化。芙蓉原已默许了的，突然变卦，说她的小兄弟在发烧，甚不放心，一定要回家。阿七自然不肯，无奈芙蓉的主意也很坚决。众目睽睽之下，不便拖拖拉拉地争持，于是胡雪岩反帮着她劝阿七，说不必勉强，改天还有相叙的机会。

“哪里还有相叙的机会？”等芙蓉坐上轿子回家，阿七这样埋怨胡雪岩，“我关照你不要叫我，你不听！好好一头姻缘，让你自己搅散了！”

此时此地，不宜细谈此事，胡雪岩自己认错：“都怪我不好。回家去说。”

一回到家，便听说郁四到沂园“孵混堂”去了。好在通家之好，不避形迹，阿七便留胡雪岩吃午饭，谈芙蓉的事。

“我已经露口风给她了，虽然没有指出人来，不过你一露面，也就很清楚了。”阿七又说，“她跟我的交情很够，等我慢慢来说，一定可以成功。哪晓得你心这么急？现在事情弄僵了！”

“也不见得。”胡雪岩说，“也许是她心里有数，所以不好意思。你不妨去探探她的口气看！”

“当然！总不能就此算数。不过，很难！”阿七摇摇头说，“我懂她的脾气。”

“她的脾气怎么样？”

“她也是很爽快的人，一肯就肯，说不肯就不肯。”

“我倒不相信！”胡雪岩心想，本来也还无所谓，照现在看，非要把芙蓉弄到手不可！不然传出去便成了一个话柄。

不过这一趟是无论如何来不及了！且等年下有空，好好来动一番脑筋。

心里存了这么个主意，胡雪岩便暂且抛开了芙蓉，自去知府衙门访杨、秦两位老夫子辞行，准备再住一天就带着黄仪回杭州。

“来一趟不容易，何妨多住几天？”郁四挽留他说，“你不是要在上海打局面？我有几个南浔的朋友，不可不交。”

这一说胡雪岩心思活动了。他一直想到南浔去一趟，因为做洋庄的丝商，南浔最多，一则应该联络一气，以便对付洋人；再则洋庄方面还有许多奥妙，非局外人所知，他们也不肯随便透露，现在有郁四介绍，正好叨教。

于是他欣然答道：“好的！我就多留两天。”

“两天？”郁四慢吞吞地答道，“也够了。不过，我这两天衙门里有事，不能陪你，我另外找个人陪你去，就同我去一样。”

“好的。什么时候动身？”

“随便你。明天一早动身好了。晚上我把陪你去的人找来，你们先见一见面。”

那人是郁四手下的一个帮手，沉默寡言，但人头极熟，交游极广。他姓刘，单名一个权字，原是南浔人。南浔刘家是大族，刘权以同族的关系，包收南浔刘家的钱粮。以这样的关系，陪着胡雪岩同行引路，可说是最适当的人选。

“你哪一天回湖州？”郁四问道，“我们把它说定规！”

“我想两天工夫总够了。”

“明天，后天，好！你准定大后天回来，我有事要请个客，你一定要赶到。”

“一定！”胡雪岩毫不迟疑地应承。

“那就拜托你了。”郁四向刘权说，“老刘，你晓得的，胡老板是王大老爷的好朋友。”

这是指点刘权，要把胡雪岩的这种特殊关系说出去，好增加声势。果然，“不怕官，只怕管”，就因为王有龄的关系，胡雪岩在南浔的两天极受优礼，到第三天东道主还挽留。胡雪岩因为郁四有事请客，不能失约，坚辞而回。

早晨上船，过午到湖州，陈世龙在码头迎接，告诉他说，郁四在沂园等他。

“好，我正要涊个浴。”

“我也晓得胡先生一定要涊浴。”陈世龙把手里的包裹一扬，“我把胡先生的干净小褂裤、袜子都带来了。”

这虽是一件小事，但显得陈世龙肯在自己身上用心，胡雪岩相当高兴。他一路谈着南浔的情形，走到沂园，跟郁四见面招呼过，随即解衣磅礴，一洗征尘，顿觉满身轻快，加以此行极其顺利，所以精神抖擞，特别显得有劲。

谈了好些在南浔的经过，看看天色将晚，胡雪岩便问：“四哥，你今天请哪个？是啥事？”

“很客气的一位客人。”郁四说着，便向放在软榻前面的胡雪岩的那双鞋子，看了一眼。

胡雪岩是极机警的人，立刻便说：“我这双鞋子走过长路，不大干净，恐怕在生客面前，不大好看吧！”

“自己人说老实话，是不大光鲜。不要紧，”郁四叫过跑堂来说，“你到我那里去一趟，跟四奶奶说，把我新做的那件宁绸衬绒袍子、直贡呢马褂拿来，另外再带一双新鞋子。”

“何必？”胡雪岩说，“你新做的袍子怎么拿来我穿？我的这身衣服也还有八成新，叫他们刷刷干净，也还可以将就。鞋子也不必去拿，回头走出去现买一双好了。”

郁四没有理他，挥挥手示意跑堂照办，然后才说：“你也太见外了，套把衣服算得了什么？还要客气！”

听这一说，胡雪岩还能有何表示？丢开此事，谈到他预备第二天就回杭州。郁四还要留他，胡雪岩不肯，两人反复争执，没有结果，而跑堂的已把衣服取来了。

“走吧！”郁四说，“时间不早了。你到底哪天动身，回头再说。”

“慢点！”胡雪岩看着那双双梁缎鞋和一身新衣服，摸着脸说，“要剃个头才好，不知道辰光够不够？”

“够，够！你尽管剃！”

于是唤了个剃头担子来，胡雪岩剃头修脸，重新打过辫子，才穿上新袍新鞋。里里外外，焕然一新，跑堂的打趣说道：“胡老爷像个新郎官！”

“我呢？”郁四接口问道，“你看我像不像个‘大冰老爷’？”

郁四也是上下簇新，喜气洋洋，很像个吃喜酒的冰人。

跑堂的还不曾接口，又出现了一个衣帽鲜洁，像个贺客样的人。那是陈世龙。胡雪岩不觉诧异。“你怎么又来了？”他问，“是找我有话说？”

陈世龙笑笑不响，只看着郁四。于是郁四说道：“我请客也有他一个。走吧！”

第六章

走出沂园，坐上轿子，陈世龙吩咐了一个地名，是胡雪岩所不曾听说过的，只觉得曲曲折折，穿过好几条长巷，到了一处已近城脚，相当冷僻的地方。他下轿一看，是一座很整齐的石库房子，黑漆双扉洞开，一直望到大厅，灯火通明，人影幢幢；再细看时，檐前挂着宫灯，厅内烧着红烛，似是有何喜庆的模样。

“这是哪里？”胡雪岩问。

“是我的房子。”

“喔！”胡雪岩灵机一动，“四哥，莫非今朝是你的生日？怎么不先告诉我！”

郁四微笑着点点头说：“你进去看了就知道了。”

走到里面一看，有杨、秦两位老夫子，黄仪、老张，还有胡雪岩所认识的钱庄里的朋友，他们看见胡雪岩和郁四进来，一齐拱手，连称“恭喜”。胡雪岩只当是给郁四道贺，与己无干，悄悄退到一边去打量这所房子的格局。他心里盘算，倘或地方够宽敞，风水也不错，倒不妨跟郁四谈谈，或买或典，在湖州安个家。

这一打量发现了怪事，正中披了红桌围的条桌上，红烛双辉。有喜庆是不错，但做寿该有“糕桃烛面”，供的应该是寿头寿脑的“南极仙翁”。现在不但看不到寿桃寿面，而且供的是一幅五色绛丝的“和合二仙”。这不是做寿，是娶亲嫁女儿的喜事。

“咦！”胡雪岩摸着后脑说，“真正丈二金刚摸不着头！怎么回事？”

这一回引得哄堂大笑。笑声中出现一位堂客，是阿珠的娘，她梳得极光的头，簪着红花，身上是缎袄罗裙。胡雪岩从未见她如此盛装过，不由得又愣住了。

“胡先生！”阿珠的娘笑道，“恭喜，恭喜！”

胡雪岩恍然大悟，回身以歉意的声音说道：“对不起，对不起！原来各位刚才是跟我道喜。我倒失礼了！”说着，连连拱手。

这一来又引得大家发笑。胡雪岩倒又发觉一桩疑问，一把拉住郁四问道：“郁四嫂呢？”

“大概在里头陪新人。”

“对了！”阿珠的娘笑得异常愉悦，“真正好人才！胡先生，你好福气，还不快来看？”

于是大家一拥而进，都要来看胡雪岩的新宠，而他本人反倒脚步趑趄了。他心想，世人有这种怪事，自己娶妾，别人都知道，就是本人被瞒在鼓里！现在既已揭晓，总也得问问清楚，不然言语之间接不上头，岂不是处处要闹笑话？

于是，他落后两步，拉住陈世龙说：“到底怎么回事？你先告诉我。”

“四叔都说好了，就请胡先生做现成的新郎官。”

这两句话要言不烦，胡雪岩完全明白。今天的局面，是郁四一手的经营，劝自己到南浔去走一趟，原是“调虎离山”，好趁这两天的辰光办喜事。虽说他在湖州很够面子，但时间到底太匆促，好比喝杯茶的工夫要拿生米煮成熟饭，近乎不可思议。刘不才又是个很难惹的家伙，郁四能在短短两天之内，让他就范，大概威胁利诱，软硬齐来，不知花了多少气力！

转念到此，胡雪岩不由得想到了“盛情可感”这句成语，钱是小事，难得的是他的这片心、这番力！交朋友交到这样，实在有些味道了。

“嗨！”郁四回身喊道，“你怎么回事？”

这一喊才让胡雪岩警醒，抬眼望去，恰好看到珠翠满头的阿七，红裙红袄，浓妆艳抹，从东首一间屋里喜气洋洋地迎了出来。

郁四这时候特别高兴，先拿阿七打趣。“唷！”他将她上下一看，“你倒像煞个新娘子！”

阿七不理他，冲着胡雪岩改口喊做：“胡大哥！”她得意地问道，“你怎么谢我？”

“承情之至！”胡雪岩拱手说，“我早晚一炉香，祝你早生贵子。”

这是善颂善祷，阿七越发笑容满面，接着便以居停主人的身份，招待宾客，一个个都应酬到，显得八面玲珑，而郁四却有些不耐烦了。

“好了，好了！”他拦着她说，“办正经要紧。请出来见礼吧！”

娶妾见礼，照规矩只是向主人主母磕头，主母不在，只有主人。胡雪岩觉得此举大可不必，无奈贺客们众口一词，礼不可废，把他强按在正中太师椅上。然后只见东首那道门帘掀开，阿七权充伴娘，把芙蓉扶了出来，向上磕了个头，轻轻喊了声：“老爷！”

芙蓉忸怩，胡雪岩也觉得忸怩，贺客们则大为高兴，尤其是杨、秦两位老夫子，评头品足，毫无顾忌。阿珠的娘便来解围，连声催促，邀客入席。

喜筵只有一席，设在厅上，都是男客，猜拳行令，闹到二更天方散。贺客告辞，只郁四和陈世龙留了下来。

“到里面去吧！”郁四说，“看看你的新居，是阿七一手料理的，不晓得中不中你的意？”说着，他拉着胡雪岩就走。

“慢点，慢点！”胡雪岩说，“四哥，你这么费心，我不知道怎么说才好，一共替我垫了多少？”

“这时候算什么账？明天再说。”

“好，明天再说。不过，有件事我不明白。”胡雪岩问，“她那个叔叔呢？”

“你是说刘不才？”郁四略停一下说道，“你想，他怎么好意思来？”

侄女儿与人做妾，做叔叔的自不好意思来吃喜酒。胡雪岩心想，照此看来，刘不才倒还是一个要脸面的人。

“不过今天不来，迟早要上门的。这个人有点麻烦，明天我再跟你谈。”

胡雪岩本想把他预备收服刘不才做个帮手的话，说给郁四听，但郁四不容他如此从容，一迭连声地催着。胡雪岩便只好先丢开“叔叔”，去看他的“侄女儿”。

他一踏进新房，看得眼都花了。触目是一片大红大绿，裱得雪亮的房间里，家具器物、床帐衾褥无不全新。当然，在他感觉中，最新的是芙蓉那个人！

新人正由阿珠的娘和阿七陪着吃饭，听见脚步声响，她先就站了起来，有些手足无措似的。胡雪岩也觉得不无僵窘之感，只连声说道：“请坐，请坐！你们吃你们的。我看看！”

借故搭讪，看到壁上悬着一幅红绫裱的虎皮笺，是黄仪写的字。胡雪岩腹中墨水不多，但这幅字，却能读得断句，因为是他熟悉的一首诗——签上的那首诗，只最后一句改了两个字，原来是“美人何处采芙蓉”，黄仪却写成“美人江上采芙蓉”。

胡雪岩笑了，回头看到陈世龙，他也笑了。显然的，这是他跟黄仪两个人搞的把戏。

别人却不明白，不知他们笑些什么。阿七最性急，首先追问，陈世龙便将胡雪岩的如何求签，又如何因“何处”二字而失望的故事，笑着讲了一遍。

大家都感觉这件事很有趣，特别是芙蓉本人，一面听，一面不断抬起头来看一看，每一看便如流光闪电般，那眼神在胡雪岩觉得异常明亮。

“那就没有话说了！”阿七对芙蓉说，“你天生该姓胡！”

“是啊，真正姻缘前定。”郁四也说，“我从没有办过这样顺利的事。”

“话虽如此，到底是两位的成全。借花献佛，我敬四哥四嫂一杯酒。”

阿珠的娘手快，听胡雪岩这一说，已把两杯酒递了过来，一杯给她，一杯给郁四。

“慢来，慢来！不是这样。”阿七用指挥的语气说，“你们索性也坐了下来再说。”

于是阿七亲自安排席次。上首两位，胡雪岩和芙蓉，阿珠的娘和陈世龙东西相对。然后阿七和郁四说：“老头子，我们坐下首，做主人。”

大家都坐定了，只有芙蓉畏畏缩缩，仿佛怕礼节僭越，不敢跟“老爷”并坐似的，胡雪岩就毫不迟疑地伸手一拉，芙蓉才红着脸坐了下来。

“你们先吃交杯盏，再双双谢媒。”

由这里开始，阿七想出花样来闹，笑声不断，她自己也醉了。胡雪岩酒吃得不少，但心里很清楚，怕阿七醉后出丑，万一跟陈世龙说几句不三不四的话，那就是无可弥补的憾事，所以不断跟阿珠的娘使眼色，要他们劝阻。

“好了！我们也该散散了，让新人早早安置。”阿珠的娘说到这里，回头看了看便问，“咦！世龙呢？”

陈世龙见机，早已逃席溜走。胡雪岩心里有些着急，怕她一追问，正好惹得阿七注意，便赶紧乱以他语：“郁四嫂酒喝得不少，先扶她躺一躺吧！”

一句话未完，阿七张口就吐，狼藉满地，把簇新的洞房搞得一塌糊涂，气得郁四连连叹气。自然，胡雪岩不会介意，芙蓉更是殷勤，忘却羞涩矜持，也顾不得一身盛装，亲自下手照料，同时指挥新用的一名女仆和她自己带来的一个小大姐收拾残局。

等呕吐过后，阿七的酒便醒了，老大过意不去，连声道歉。郁四又骂她“现世”，旁人再夹在中间劝解，倒显得异常热闹。

乱过一阵，贺客纷纷告辞，芙蓉送到中门，胡雪岩送出大门。在郁四上轿以前，胡雪岩执着他的手说：“四哥，这一来你倒是给我出了一个难题。湖州怕还要住几天了。”

郁四笑笑不响，陈世龙却接上了话。“胡先生！”他说，“如果杭州有事要办，我去跑一趟。”

“对呀！”阿珠的娘说，“尽管叫世龙去！”

“等我想一想，明天再说。”

回进门来亲自关了大门，走进大厅，喜烛犹在，红滟滟的光晕闪耀着，给胡雪岩带来了梦幻似的感觉。“真正像做梦！”他自语着，在一张新椅子上坐了下来，看着扶手。他识得那木料，在广东名叫“酸枝”，样子也是广式。在杭州地方要觅这样一堂新家具都不容易，何况是在湖州？见得郁四花的心血，真正可感。

由郁四想到阿七，再想到老张和他的妻儿女婿，还有黄仪和衙门里的两位老夫子，最后想到这天的场面，胡雪岩十分激动——世界上实在是好人多，坏人少，只看今天，就可明白，不但成全自己的好事，而且为了让自己有一番意外的惊喜，事先还花了许多心血“调虎离山”。这完全是感情，不是从利害关系生出来的势利。

他正想得出神，咀嚼得有味，听见有人轻轻喊道：“老爷！”

转脸一看是芙蓉，正捧了一盏盖碗茶来。她已卸了晚妆，唇红齿白，梳个又光又黑的新样宫髻，这时含羞带笑地站在胡雪岩面前，那双眼中荡漾着别样深情，使得胡雪岩从心底泛起从未经验过的兴奋，咽了两口唾沫，润湿了干燥的喉咙，方能开口答话。

“谢谢！”他一只手接过茶碗，一只手捏住她的左臂。

“索性在外面坐一坐再进去吧！”芙蓉说，“我熏了一炉香在那里，气味怕还没有散尽。”

“郁四嫂真有趣。”胡雪岩问道，“你们是很熟的人？”

“认识不过两年，从她嫁了郁四爷，有一次应酬——”芙蓉笑笑不说下去了。

"怎么呢？"胡雪岩奇怪，"又是闹了什么笑话？"

"不是闹笑话。"芙蓉语声从容地答道，"那天别人都不大跟她说话，想来是嫌她的出身。我不晓得她是什么人，只觉得她很爽朗，跟她谈了好些时候。就此做成了好朋友。"

"原来如此！"胡雪岩很欣赏芙蓉的态度，同时又想到她刚才不嫌龌龊，亲自照料呕吐狼藉的阿七的情形，庆幸自己娶了个很贤惠的妇人。

这一转念间，胡雪岩对芙蓉的想法不同了。在一个男人来说，妻妾之间的区别甚多，最主要的是"娶妻娶德，娶妾娶色"。胡雪岩看中芙蓉，也就是倾心于她的剪水双瞳，柳腰一捻。此刻她虽然矜持庄重，而那风流体态，依然能令人如灯蛾扑火般，甘死无悔。但是，光有这样的想法，胡雪岩觉得可惜，就好比他表链上所系的那个英国金洋钱一样，英镑诚然比什么外国钱都来得贵重，但拿来当作表坠，别致有趣，比它本身的价值高得多。如果只当它一个可以折算多少银子的外国钱来用，岂不是有点儿糟蹋了它？

要娶芙蓉这样一个美妾，也还不算是太难的事，但有色又有德，却是可遇而不可求的事，应该格外珍惜。这样想着，他的心思又变过了，刚才是一味兴奋，所想到的是"携手入罗帏"，此刻是满足的欣悦，如对名花，如品醇酒，要慢慢地欣赏。

看他未曾说话，只是一会儿眨眼，一会儿微笑，芙蓉很想知道，他想什么想得这么有趣。然而陌生之感，到底还浓，她只有尽自己的礼法，便试探着说道："请到里面去坐吧！"

"好！你先请。"

这样客气，越使她有拘束之感，退后一步说："老爷先请！我还有事。"

她分内之事，就是尽一个主妇的责任。她吹灭烛火，关上门窗，又到厨房里去检点了一番，才回入"洞房"。

胡雪岩一个人在屋里小饮——四碟小菜、一壶酒是早就预备在那里的，把杯回想这天的经过，心里有无数急待解答的疑问，所以看见她一进来就又忙忙碌碌地整理衾枕，便即说道：“芙蓉，你来！我们先谈谈。”

“嗯！好。”芙蓉走了过来，拉开椅子坐下，顺手便把一碟火腿换到他面前，接着又替他斟满了酒。

他把酒杯递到她唇边，她喝了一口，又夹了一片火腿来，她也吃了。

“你晓不晓得我今天闹个大笑话？”

这个开始很好，似乎一下子就变得很熟了，芙蓉以极感兴趣和关切的眼色看着他。“怎么呢？”她问。

“我跟郁老四一起进门，大家都说‘恭喜’，我莫知莫觉，只当是郁老四做生日，大家是跟他道喜，你想想，世界上有这种事！”

芙蓉忍俊不禁，“噗”地一声笑了出来，却又赶紧抿着嘴，摆出正经样子：“难道你自己事先一点都不知道？”

“一点都不知道。为了瞒着我，他们还特地把我弄到南浔去玩了一趟。”

“那——”芙蓉迟疑了一会儿，双目炯炯地看着他问，“要我，不是你的意思？”

“哪有这话！”胡雪岩赶紧分辩，“我是求之不得！”

芙蓉点点头，神色和缓了。“我也不曾想到。”她低着头说，“我实在有点怕！”

“怕什么？”

“怕我自己笨手笨脚，又不会说话，将来惹老太太、太太讨厌。”

“那是绝不会有的事！你千万放心好了。”

得到这样的保证，芙蓉立刻绽开了笑容。这笑容很淡，但看起来却很深。她是那种天生具有魔力的女人，不论怎么一个淡淡的表情，受者都会得到极深的感受。

“我的情形，你大概总听郁四嫂说过了。”胡雪岩问道，“她是怎么说我？”

“话很多。”芙蓉把那许多话，凝成一句，“总之，劝我进你们胡府上的门。”

“那么你呢？乐意不乐意？”

这话在芙蓉似乎很难回答，好半晌，她垂着眼说：“我天生是这样的命！”

话中带着无限的凄楚，可知这句话后面隐藏着无限波折坎坷。胡雪岩怜惜之余，不能不问，但又怕触及她什么身世隐痛，不愿多说，所以踌躇着不知如何启齿。

一个念头转到她的亲属，立刻觉得有话可说了。“你不是有个兄弟吗？”他问，“今天怎么不见？”

“在我叔叔那里。”芙蓉抬起头来，很郑重地，“我要先跟老爷说了，看老爷的意思，再来安排我兄弟。”

“我不晓得你预备怎么安排？”胡雪岩说，“当初郁四嫂告诉过我，说你要带在身边。这是用不着问我的，你愿意怎么样，就怎么样，将来教养成人，当然是我的责任！”

听到最后一句，芙蓉不断眨动的眼中，终于滚出来两颗晶莹的泪珠。她咬一咬嘴唇，强止住眼泪说：“我父母在阴世，也感激的。”

“不要这样说！”胡雪岩顺手取一块手巾递了给她，“不但你兄弟，就是你叔叔，我都想拉他一把。既然做了一家人，能照应一定要照应。日子一长，你就晓得我的脾气了。”

“我晓得，我听阿七姐说过。”芙蓉叹口气，“唉！我不知道该怎么说。”

“我也听说过，你的叔叔，外号叫作‘刘不才’。这不要紧！别人不敢用，我敢用，就怕他没有本事。”说到这里，胡雪岩便急转直下地加了一句，“你家是怎么个情形，我一点都不晓得。”

芙蓉点点头：“我当然要告诉你。”

刘家也是生意人家，芙蓉的祖父开一家很大的药材店，牌号叫作“刘敬德堂”。祖父有三个儿子，老大就是芙蓉的父亲，老二早夭，老三便是刘不才。刘不才绝顶聪明，但从小就是个纨绔，芙蓉的父亲是个极忠厚老实的人，无力管教小兄弟，又怕亲友说他刻薄，便尽量供应刘不才挥霍。因此，刘敬德堂的生意虽做得很大，却并不殷实。

不幸地，十年前出了一个极大的变故。芙蓉的父亲到四川去采办药材，舟下三峡，在新滩遇险，船碎人亡，一船的贵重药材漂失无遗。刘不才赶到川中去料理后事，大少爷的脾气，处处摆阔，光是雇人捞尸首，就花了好几百银子。结果尸首还是没有捞到，便在当地做法事超度，又花了好些钱。

“你想想，我三叔这样子的弄法，生意怎么做得好？一年工夫不到，维持不下去了，人欠欠人清算下来，还差七千银子。那时我三叔的脾气还很硬，把店给了人家，房子、生财、存货，一塌刮子折价一万，找了三千银子回来。”

三千银子，不到一年就让刘不才花得光光。于是，先是上当铺，再是卖家具什物。当无可当、卖无可卖时，就只好以贷借为生。“救急容易救穷难”，最后连借都没处借了。

谈到这里，芙蓉摇摇头，不再说下去，那不堪的光景，尽在不言，胡雪岩想了想问：“你娘呢？”

“娘早就死了，我兄弟是遗腹子，我娘是难产。”芙蓉又说，“到我十五岁那年，我三婶也让我三叔把她活活气杀！我也不知道我三叔哪里学来的本事，家里米缸天天是空的，他倒是天天吃得醉醺醺回来，就靠我替人绣花，养我兄弟。想积几两银子下来，将来好叫我兄弟有书读，哪晓得，妄想！”

“怎么是妄想？”

“我三叔啊！”芙蓉是那种又好气，又好笑，出于绝望的豁达的神情，“不管把钱藏在什么地方，他都能寻得着！真正是气数。”

胡雪岩也失笑了。“这也是一种本事。”他说，“那样下去也不是一回事。你怎么办呢？”

“就是这话啰！我想了又想，下定决心。”芙蓉略停一停，挺一挺胸说，“我十二岁的时候批过一张八字，说我天生偏房的命，如果不信，一定会克夫家。所以我跟我三叔说，既然命该如此，不如把我卖掉，能够弄个二三百两银子，重新干本行，开个小药店，带着我兄弟过日子，将来也有个指望。你晓得我三叔怎么说？”

胡雪岩对刘不才这样的人，了如指掌，所好的就是虚面子，所以这样答道：“他一定不肯，怕失脸面。”

“一点不错！他说，我们这样的人家，穷虽穷，底子是在的，哪有把女儿与人做偏房的道理？别的好谈，这一点万万办不到。”芙蓉说，“我也就是在这一点上，看出我三叔还有出息。”

前后话风，不大相符，胡雪岩心中不无疑问，但亦不便打断她的话去追问，只点点头说：“以后呢？”

“以后就嫁了我死去的那个。”芙蓉黯然说道，“一年多工夫，果然，八字上的话应了！”

胡雪岩这才明白，她现在愿意做人的偏房，是“认命”。但是，刘不才呢？可是依旧像从前那样，郁四是用了什么手腕，才能使他就范？这些情形是趁此时问芙蓉，还是明天问郁四？

他正在这样考虑，芙蓉却又开口了。“有件事，我不甘心！”她说，“我前头那个是死在时疫上。初起并不重，只要有点藿香正气丸、诸葛行军散这种极普通的药，就可以保得住命，偏偏是在船上，又是半夜里，连这些药都弄不到。我常常在想，我家那爿药店如果还开着，这些药一定随处都是，他出门我一定会塞些在他衣箱里，那就不会要用的时候不凑手。应该不死偏偏死，我不甘心的就是这一点！”

胡雪岩不作声。芙蓉的话对他是一种启发，他需要好好盘算。就在这默然相对之中，只听“卜”的一声，抬眼看时，红烛上好大的一个灯花爆了。

“时候不早了！”芙蓉柔声问道，“你恐怕累了？”

“你也累了吧！”胡雪岩握着她的手，又捏一捏她的手臂。隔着紫缎的小夹袄，他仍能清楚地感觉到她臂上的肌肉很软，却非松弛无力，便又说道："你不瘦嘛！"

芙蓉的眼珠灵活地一转，装作不经意地问道："你喜欢瘦，还是喜欢胖？"

"不瘦也不胖，就像你这样子。"

芙蓉不响，但脸上是欣慰的表情。"太太呢？"她问，"瘦还是胖？"

"原来跟你也差不多，生产以后就发胖了。"胡雪岩忽然提起一句要紧话，"你有孩子没有？"

"没有！"芙蓉又说，"算命的说，我命里该有两个儿子。"

听得这话，胡雪岩相当高兴，捧着她的脸说："我也会看相，让我细看一看。"

这样四目相视，一点腾挪闪转的余地都没有，芙蓉非常不惯，窘笑着夺去他的手："没有什么好看！"说着，她躲了开去。

"我问你的话，"胡雪岩携着她的手，并坐在床沿上说，"那天你先答应去吃素斋，一出天圣寺的山门，怎么又忽然变了卦？"

"我有点怕！"

"怕什么？"

芙蓉诡秘地笑了一下，尽自摇头，不肯答话。

"说呀！"胡雪岩问道，"有什么不便出口的？"

迟疑了一下，她到底开了口："我怕上你的当！"

"上什么当？"胡雪岩笑道，"莫非怕我在吃的东西里面放毒药？"

"倒不是怕你放毒药，是怕你放迷魂药！"说着，她自己笑了，随即一扭身，伏在一床白缎绣着丹凤朝阳花样的夹被上，羞得抬不起头来。

不管她这话是真是假，胡雪岩只觉得十分够味，因而也伏身下去，吻着她的颈项头发，随后双脚一甩，把那双簇新的双梁缎鞋，甩得老远。

* * *

第二天早晨，他睡到钟打十点才起身，掀开帐子一看，芙蓉已经打扮得整整齐齐，正在收拾妆台。听得帐钩响动，她回过头来，先是娇羞地一笑，然后柔声说道："你不再睡一息？"

"不睡了！"胡雪岩赤着脚走下地来，"人逢喜事精神爽，还睡什么？"

"你看你！"芙蓉着急地说，"砖地上的寒气，都从脚心钻进去了，快上床去！"

说着，取了一件薄棉袄披在他身上，推着他在床沿上坐定，替他穿袜子、穿套裤、穿鞋，然后又拉着他站起身来，系裤带，穿长袍。

胡雪岩从来没有这样为人伺候过，心里有种异样的感受。"怪不得叫妾侍！"他不由得自语，"'侍'是这么个解释！"

"你在说啥？"芙蓉没有听清楚他的话，仰着脸问。

"我说我真的享福了！"胡雪岩又说，"我们谈谈正经！"

胡雪岩的"正经事"无其数，但与芙蓉相共的只有两桩，也可以说，只有一桩。胡雪岩要安置她的一叔一弟。

"你兄弟名字叫啥？"

"我小弟是卯年生的，小名就叫小兔儿。"

"今天就去接了他来！你叔叔不会不放吧？"

胡雪岩人情透熟，君子小人的用心，无不深知。刘不才在此刻来说，还不能当他君子，所以胡雪岩以"小人之心"去猜度，怕他会把小兔儿当作奇货，因而有此一问。

这一问还真是问对了，芙蓉顿有忧色。"说不定！"她委委屈屈地说，"我跟我三叔提过。他说，刘家的骨血，不便，不便——"

芙蓉不知如何措词，脸涨得通红，话说出来屈辱了自己，也屈辱了娘家。刘三才的话说得很难听："你说你命中注定要做偏房，自己情愿，我也没话说。郁四有势力，我也搞不过他。不过小兔儿是我们刘家的骨血，你带到姓胡的那里，算啥名堂？你自己已经低三下四了，莫非叫你兄弟再去给人家做小跟班？”当时自己气得要掉眼泪，但也无法去争，原来打算慢慢再想办法，此刻胡雪岩先提到，她也就不知道怎么说了。

不便什么？胡雪岩的心思快，稍微想一想就明白，自然是名分上的事。那好办！他说：“你们刘家的骨血，自然让他姓刘。我现在算是姐夫资格，难道就不能管你的同胞骨肉？”

芙蓉怕是自己听错了，回想一遍，是听得清清楚楚，有“姐夫”二字。她惊喜感激之余，却仍有些不大相信，世界上没有这样的好事！

“还有啥难处？你说出来商量。”

这还有什么难处？就怕他的话靠不住！芙蓉在要紧关头上不放松，特意问一句：“你说小兔儿叫你‘姐夫’？”

“不叫我姐夫叫啥？难道也像你一样，叫我老爷？”

芙蓉叫“老爷”是官称，就是正室也如此叫法，身份的差别不显，小兔儿就不能这么叫。难得胡雪岩这等宽宏大量，体贴入微，芙蓉真个心满意足，凝眸含笑，好半天说不出话来。

这番衷情，让胡雪岩发觉，自己的猜测完全对了。“这一来，你叔叔该没话说了吧？”他问。

“当然！”芙蓉的声音很响亮，“我自己去接我小弟。”

胡雪岩先不答她这话，只说：“我想跟你叔叔见个面。你看是我去拜会他，还是请他到我们这里来？”

“他怕不肯来，你暂时也不必理他。”芙蓉一大半是为胡雪岩打算，“我叔叔，说实在的，能避他还是避开他的好。”

“我倒问你，他对本行生意，到底怎么样？”

没有料到他会提起这句话，而且意义也不明显，芙蓉不知如何作答。她细细想一想，才略略猜出他的意思，大概是要给她三叔荐到什么药材行去做事。论本事倒还不差，就是银钱上头，不能叫人放心，将来一定连累保人。

然而人家既有这番好意，自己这面又是嫡亲的叔叔，也不能说有机会不要。她左思右想，十分为难，就越发无话可答了。

“我是说他的本事。对本行是不是在行？”

“怎么不在行？祖传的行当，从小看也看会了。”芙蓉说到这里，突生灵感。“老爷，”她说，“我倒有个主意，不晓得办不办得到？”

这个主意是这样的。刘不才手里有几张家传的丸散膏丹的秘方，是根据明朝大内的“宫方”加以斟酌损益而成，“刘敬德堂”的生意，一半要靠这几张方子。生意“倒灶”，清算账目时，还差七千银子，有人提议拿这几张秘方作价了清。刘不才却是宁愿不要店面和生财，要留着那几张方子。当时他倒是“人穷志不穷”，对债主表示：“刘敬德堂从我手里败掉的，自然还要从我手里恢复。将来‘老店新开’，这几张方子，我自己要用。”

“老店新开，看来是痴心妄想！”芙蓉说道，“小兔儿倚靠得着你，我也可以放心了。我三叔，照我看，除掉一样吃鸦片，没出息的事都做绝了。我做侄女儿的，不管他怎么对不起我，总没有眼看他没饭吃，不拉他一把的道理。不过，我也不敢请你替他想办法，害你受累，岂不是变成我自讨苦吃？所以我这样在想，要劝他把那几张秘方卖掉。从前有人出过七千银子，现在不晓得能不能卖到一万银子。有一万银子，随他去狂嫖烂赌，总也还有几年好混，倘或他倒回心向善了，拿这一万银子做做生意，真个安分守己，省吃俭用，变得可以靠得住，那时候你也自然肯提拔他。这才真正是我们刘家祖上的阴功积德！”

听她长篇大论说这一套，胡雪岩对芙蓉越发爱中生敬，因为她不但明白事理，而且秉性淳厚，再从她的话中，对刘不才又多了一番认识，此人不但有本事，也还有志气，人虽烂污，但只要不抽鸦片，就不是无药可救。这样转着念头，他心中立刻作了个决定。他对自己的这个决定很兴奋，但一切都要等与刘不才见了面，才能定局，此时还不宜对芙蓉细谈实话。

“你的打算真不错。那几张秘方值不值一万银子，不去管它，只要他肯拿出来，我一定可以替他卖到这个价钱。这样子，”胡雪岩说，“今天下午我们一道去看你三叔。你穿了红裙子去好了！”

向来明媒正娶的正室，才有穿红裙的资格，所以听得胡雪岩这一说，芙蓉既感激又高兴。虽然只有胡太太不在这里，权且僭越，但总是有面子的事。

不过从而一想，她又不免犯愁，天生是偏房的命，做了正室，便要克夫。这条红裙穿得穿不得？还得要请教算命先生才能决定。因此，她便不谢，只含含糊糊地点一点头。

就在这时候，阿珠的娘和阿七不约同至，而且还有不约而同的一件事——她们都叫人挑了食盒，送了菜和点心来。相见之下，自然有一番取笑，阿珠的娘还比较客气，阿七则是肆无忌惮，连房帏燕好的话都问得出来，把芙蓉搞得其窘无比。

幸好又来了两个男客，一个是郁四，一个是陈世龙，这才打断了阿七的恶谑。

一桌吃过了午饭，男客和女客分做两起。芙蓉拉着阿珠的娘和阿七去请教，那条红裙穿得穿不得。胡雪岩邀了郁四在外面厅上坐，有话要谈。

谈的是刘不才。郁四也正感到这是桩未了之事。游说芙蓉，是阿七建的功，何家早就表示过，愿意放她自主，自然不会留难。刘不才那里，郁四原预备让他“开价”，只要不是太离谱，一定照办，不想刘不才的话说得很硬气：“穷虽穷，还不到卖侄女儿的地步。初嫁由父，再嫁由己，她愿意做胡家的偏房，我没话说。不过我也不想认胡家这门亲戚。”

“这不像他平日的行为。也不知道他打的什么主意？”郁四又说，“事情总要料理清楚，留下个尾巴也讨厌，我正要跟你商量，还是得想个办法，送他一笔钱！”

“四哥，你费心得多了，这件事不必再劳你的神。芙蓉已经跟我仔细谈过，”胡雪岩笑道，“他不想认我这门亲，我却非认他不可！”

“怎么个认法？”陈世龙颇有童心，“刘不才难惹得很，我倒要看胡先生怎么跟他打交道？”

“我要请你先替我去做个开路先锋！”

于是他把芙蓉所谈的情形，扼要谈了些，又嘱咐了陈世龙几句话，让他先去探路。

陈世龙打听到了刘不才的住处，一径就寻上门去。刘不才跟嵇鹤龄一样，也是租了一家式微世家的余屋住，不过另外开了个门。敲了两下门，有个眉清目秀，但十分瘦的孩子来开门，转着乌黑的一双眼珠问道：“你找谁？”

陈世龙听胡雪岩谈过，猜想他必是芙蓉的弟弟，随即说道：“小兔儿，你三叔呢？”

“在里头。”等陈世龙要踏进去，他却堵着门不放，“你不要进来，先告诉我，你姓啥？”

“怎么？”陈世龙答道，“你怕我是跟你三叔来讨债的？不是，不是！我姓陈，送钱来给你三叔的。”

小兔儿有些将信将疑，但毕竟还是让步了。陈世龙一进门就觉得香味扑鼻，不由得咽了口唾沫，仔细辨一辨味道，是炖火腿的香味。

“这家伙，真会享福！”

一句话未完，看见刘不才的影子，哼着戏踱了出来。他身上穿一件旧湖绉棉袄，下面是黑洋绉扎脚裤，两只裤脚扎得极其挺括，显得极有精神。

“小和尚！想不到是你。”

“刘三爷！特为来跟你老人家请安。”

过于谦恭，反成戏谑，刘不才便骂：“去你的，寻什么穷开心！”

“不是这话。”陈世龙答道，“从前叫你刘不才，如今不同了，你变成我的长辈，规矩不能不讲。”

“咦！”刘不才眨着眼说，“我倒没有想到，忽然爆出来的这么个晚辈！是怎么来的，你说来听听！”

“你跟我先生结成亲戚，不就是我的长辈？”

刘不才愣了一下，换了副傲慢的神色：“我不晓得你的先生是哪个？反正我最近没有跟什么人结亲。谦称奉璧，蜗居也不足以容大驾，请！”说着将手向外一指，竟下了逐客令。

陈世龙有些发窘，但当然不能翻脸，在平时，翻脸就翻脸，也无所谓，此刻是奉命差遣，不能不忍一忍，同时还得想办法让刘三才取消逐客令。

于是他尽量装出自然的笑容。“刘三爷，你真不够朋友，炖着那么好吃的东西，一个人享用，好意思？莫非，”他说，“你不想在赌场里见面了？”

提到赌场，刘三才的气焰一挫。彼此的交情虽不深，但输了就顾不到体面，曾有两三次向陈世龙伸手借过赌本。想起这点情分，也是话柄，他的脸板不成了。

“要怪你自己不知趣！哪壶水不开，偏提哪一壶，你晓得我讨厌我那个侄女儿，你偏要拿她来触我的心境，叫人光火不光火？”

“好了，好了，说过算数。如果你留我吃饭，你出菜，我出酒。小兔儿，你来！”陈世龙摸出块五六钱的碎银子问道，“你会不会上街买东西？”

“你要买什么？”刘不才问。

“巷口那家酒店的‘绍烧’我吃过，不坏，叫他们送两斤来，把酒钱带去给他。”说着，他把银子塞到小兔儿手里，“多下的送你买梨膏糖吃！”

“没有要你破费的道理！”刘不才赶上来插在他跟小兔儿中间，一只手到他侄儿手里去夺银子，一只手又推陈世龙，仿佛不让他给钱似的。这就像下馆子抢着惠账，只拉住了别人的不管用的左手一样，完全是“障眼法”。

结果是那块碎银子到了刘不才手里，却叫小兔儿到酒店里去赊账。从这个行为上，陈世龙看透了他：骨头硬不到哪里去，他跟芙蓉也绝不会决裂！

“来，来！”刘不才的兴致又很好了，把沙锅盖一揭，鼻子闻了两下，得意地笑道，“‘走得着，谢双脚’，你的口福不坏！陈火腿全靠收拾得干净，整整搞了一上午，才把上面的毛钳干净。”

“刘三爷！”陈世龙趁机说道，“你的陈火腿吃不光！我今天来拉拢一桩生意。”

“生意？”刘不才不信他，“怎么找到我头上？跟我有啥生意好谈？”

“自然有！等下我再告诉你。”

等酒杯一端上手，陈世龙才道明来意。他说他有个朋友，预备在杭州开一家极大的药店，知道“刘敬德堂”的名气，也知道刘不才是行家，特地托他来探问一下，想邀刘不才合伙。

“合伙？怎么合法？”刘不才摇着头说，“别的事都好谈，这件事谈不拢，我哪里有股本？”

“你不是有几张祖传的药方子？”

这话一说出口，刘不才的脸色顿时就很难看了，笑容尽敛，冷冷笑道：“原来是打我这个主意！怪道，我说世界上还有这样子的好人，不嫌我穷，来邀我合伙！”

话和神色，都让陈世龙忍不住心头火发。“咦！”他也很不客气地回敬，“怪道叫你刘不才！‘狗咬吕洞宾，不识好人心’，怎见得人家打你那几张药方的主意？你晓得人家是怎么说？”

“且慢！”刘不才的态度变得愿商量了，“我先问一声，想跟我合伙的是哪一个？是不是姓胡的？”

陈世龙很机警，趁机反问一句：“你见过我那位胡先生没有？”

“从来不曾见过。”

“那我告诉你，”陈世龙既不说破，也不否认，“此人是个候补知县，在官场中很红，本人虽不出面，却有好些差使跟他有关系。他要开药店也不光是为了做生意，是存心济世——”

“好了，好了！”刘不才不屑地，“‘修合虽无人见，存心自有天知’，药店里挂的这副对子，是啥花样，难道我还不知道？何必到我面前来卖这种膏药？”

“不是我在你面前卖膏药，人家这么告诉我，我照本宣科，信不信在你！”

“闲话少说，他做生意也好，存心济世也好，与我无关。如说要邀我合伙，看中我那几张祖传秘方，请他趁早少打主意。”

“你为来为去是怕方子落在人家手里，你要晓得，人家并不要你的什么宝贝方子！”

“那——”刘不才愕然，不知这话从何说起了。

于是陈世龙转述了合伙的办法，刘不才的祖传秘方，当然要用，可是不要求他把方子公开，将来开了药店，请他以股东的身份在店里坐镇，这几张方子上的药，请他自己修合。“君臣佐使”是哪几味药、分量多少、如何炮制，只有他自己知道，何虑秘方泄漏？

原来人家不是来图谋自己的秘方，刘不才倒觉得刚才的态度，未免鲁莽，因而歉意地点点头：“这倒还可以谈谈！”

“我再告诉你，人家提出来的条件，合情合理，药归你去合，价钱由人家来定，你抽成头。你的药灵，销得好，你的成头就多；你的药不灵，没人要，那就对不起，请你带了你的宝贝方子卷铺盖！”

“药怎么会不灵？尤其是一种‘狗皮膏药’，明朝的一个皇帝，靠了它才生的太子，真正是无价之宝！”

“吹什么牛！”陈世龙笑道，“刘敬德堂的狗皮膏药，哪个不晓得，完全是骗人的东西！”

“这你就不懂了！老实告诉你，方子是真的，药太贵重，而合起来交关麻烦，只好马马虎虎，效验当然就差了。这且不去说它！”刘不才把腰挺一挺，双手靠在桌上，凑近陈世龙，显得相当认真地说，“这位老朋友说的话很上路，看起来绝不是半吊子。他的办法在我有益无损，可进可退，只要成头谈得拢，我就跟他合伙。”

“那么你说，你想怎么抽法？”

“我先要问一句，价钱为啥要归他定？应该大家商量商量。”

“这没有商量的余地，因为你想定得高，人家既然为了济世，自然要定得低。”陈世龙觉得这话说得不好，便又补了一句，“再说，薄利多卖，生意才会好，竹杠把人家敲怕了，不上你的门，药再好也无用。”

“这话也对。不过既然薄利，我的成头要多抽些。”

陈世龙也很精明。“既然是薄利多卖，你名下的也不会少，怎么说要多抽？”接着他又自下转语，“不过，这都好商量，等你们碰了头，当面再谈，一定会谈得很投机。”

刘不才点点头，用手抓着一块火腿脚爪在嘴里啃，同时一双眼珠骨碌碌地转着，见得他在心里有极周详的盘算。陈世龙也不催他答话，只是冷眼旁观，看他的神态，打自己的主意。

“就这样了！”刘不才把火腿骨头一丢，使劲擦着手说，“我决定交这个人！小和尚，你说，哪天跟他碰头？事情既然决定了，就不必耽搁，越快越好！”

看他心思如此活动，陈世龙便进一步逗引他：“刘三爷！你还有什么话，自己不便说，我可以替你转达。你们没有见面前，你有什么难处，我可以替你想办法，等你们见了面，有话自己谈，就没有我的事了。”

刘不才原就想开口，听陈世龙这一说，恰中下怀，当即定一定神答道：“小和尚，承你的好意，我也不必瞒你，我的境况，你是晓得的，他要请我到杭州去跟他合伙，谈妥当了，也要我动得成身才行！”

“我晓得。”陈世龙问道，“你身上有多少债务？”

“也不过几百两银子。”

“嗯！”陈世龙又问，“你的侄儿呢？要托人照应啊！”

“不必！我带到杭州去。”

“喔！”陈世龙站起身来说，“那么，我先去告诉人家，什么时候碰头，我明天一早来给你回音。”

一夜过去，刘不才起来得特别早。他家里不像样，但“出客”的衣服依旧很漂亮，不但料子，连花样都有讲究。一件铁灰摹本缎的袍子，松竹梅的暗花，梅花还只含苞初放，因为这是早晨；倘或下午穿出去，还有一件，那梅花就开得极盛了。

他打扮好了，在家坐等陈世龙的回音。到了九点钟，只听有人敲门。刘不才亲自去开门一看，不由得愣住了——门外两顶轿子四个人，一个老妈子，一个丫头，一个是极艳丽的少妇，还有一个是自己的侄女儿！

“三叔！”穿着红裙的芙蓉叫了一声，不等他应声，便回身为那少妇引见，“这位是郁太太，这是我三叔！”

郁太太自然是阿七，当时盈盈含笑地喊道：“刘三爷！”

刘不才有些发急。他好面子，而家里乱七八糟，如何好意思接待这位珠翠满头、艳光照人的郁太太？一时有些手足无措，拼命在想，怎么样得能挡驾，不让她们进门？而就在这时候，从他胁下钻出来一个人，是小兔儿。

“姐姐！”

“小兔儿！”芙蓉一把将她兄弟揽在怀里，接着便捧着他的脸端详了一下，痛心地埋怨，“看你，脏得这个样子！两个鼻孔像烟囱，只怕三天没有洗过脸了！”一面说，一面扯下衣纽上的绣花手帕，毫无顾惜地为小兔儿去擦鼻子。

“刘三爷！冒昧得很，我送我这个妹妹来见叔太爷，请到里面坐了，好行礼！”

这一下反客为主，刘不才枪法大乱，而芙蓉已经搀着小兔儿走了进去。

到此地步，刘不才已经毫无主张，芙蓉的一切，暂时也无从去考虑，觉得眼前的唯一大事，是要打点精神来应酬这位艳丽的郁太太。

于是他赔笑说道：“劳动郁太太，真正过意不去。请里面坐！地方又小又脏，实在委屈了贵客。”

“不必客气！”阿七嫣然一笑，索性改了称呼，“刘三叔，都是自己人，用不着叙什么客套。”

“是，是！郁太太说得是。请，我来领路。”

刘不才甩着衣袖，走几步路着实潇洒，进了他那间起坐兼饭厅的客堂，亲自端了他的唯一像样的一样家具——那张红木的骨牌凳，抽出雪白的手绢，拂了两下，请阿七落座。接着他又找茶叶、洗茶碗，口中还要跟客人寒暄，一个人唱独脚戏似的在那里忙个不停，仿佛忘掉了还有个芙蓉在。

芙蓉跟阿七对看了一眼，都觉得有点好笑，同时也都感到安慰，因为看样子，刘不才是很好说话的了。

“刘三叔！你不必费心！请坐下来，我有几句正经话说。”

“好！恭敬不如从命。郁太太有什么吩咐？”刘不才等坐了下来才发觉，小兔儿不但脸洗得极干净，而且已换上了一件新罩袍，安安静静偎倚着他姐姐坐着。

“刘三叔，”阿七问道，“你前天怎么不来吃喜酒？”

这第一句话就问得刘不才发窘。他只能故意装作讶异地问：“喜酒？”

“是啊，我芙蓉妹子的喜酒。”阿七紧接着把话挑明，“刘三叔，你心里一定有误会。你看看，芙蓉穿的啥裙子？那位胡老爷是三房合一子，照规矩可以娶三房家小，芙蓉是他的‘湖州太太’，跟他的‘杭州太太’又不见面。人家抬举芙蓉，你这个做亲叔叔的，先把侄女儿贬得不是人！好日子都不到，叫人家看起来，真当我们芙蓉妹子是怎么样的低三下四。你想想看，哪有这个道理？”

阿七的言词爽利，表情又来得丰富，斜睨正视，眼风如电，这番兴师问罪的话，把刘不才说得服服帖帖。刘不才赔笑答道：“郁太太说得是！是我不对。”接着又转脸看着芙蓉说：“我哪里知道，是这么回事？早知如此，我自然出面替你办喜事。现在只有这样，我发帖子，请大家补吃喜酒。”

“这是一桩！”阿七紧接着他的话说，“还有一桩，刘三叔！刘三婶过去了，你也不续弦，孤家寡人一个，带着侄儿也不方便。不如让芙蓉把她兄弟领了去！”

“这一层——”刘不才终于答应了，“也好！”

阿七很高兴地笑了。“多谢刘三叔！”她说，“总算给我面子。不过，还有件事，我要请问你们什么时候会亲？”

这是指的跟胡雪岩见面。刘不才心想，当然是侄女婿先来拜叔岳。不过家里实在不像样，最好晚几天，等把药店合伙的事情谈好，先弄几文钱到手，略略铺排一下，面子比较好看。

于是他说："这要挑个好日子。我也要预备预备，能不能稍停两天再说？"

阿七也是受命试探，重要的不在哪一天，是刘不才对胡雪岩的态度。芙蓉是他的亲人，不论怎么样，他不能不理，但对胡雪岩不同，说不定发了"大爷脾气"，不愿认亲，甚至表面同意，见了面说几句不中听的话。以胡雪岩此时的身份，丢不起这个面子。

因此，他派出两路人马试探。一路是陈世龙，只谈生意；一路就是阿七，先抬高芙蓉的身份，消除刘不才的愤懑疑忌，然后再提会亲的话，看他是何态度。

阿七也是久经沧桑，饱阅世态的人，看刘不才这样回答，便知他对胡雪岩已不存丝毫敌意，所谓"预备预备"，多半也是实话。事情到此，自己可以交差，现在该想办法让他们叔侄有个谈谈体己的机会。

这也容易，她顺手拉过小兔儿来问了几句"今年几岁""可曾上蒙馆读书"之类的话，随后很自然地牵着他到廊下，去看他叔叔所养的那几笼鸟。

这一来刘不才自然要说话了。"芙蓉"，他问，"那姓胡的，到底怎么样？"

"你见了就知道了。"

这是很满意的表示。刘不才凝神想了一下，发觉自己已不像前两天那样，无缘无故心里就来气。他再细想一想，芙蓉以再嫁之身，而且命中注定该做偏房，结果成了"两头大"，也算是差强人意，同时又想到陈世龙来谈的合伙开药店的那件事，内心更是充满了兴奋，觉得时来运转，翻身的日子快到了。

"这样子总算马马虎虎过得去！如果你真的替人做小，叫我走出去怎么见人？当然，这也怪叔叔我没出息！且不去说它了。芙蓉，我告诉你一个好消息，有人请我合伙开药店。"接着，他把陈世龙所谈的一切，都告诉她。

芙蓉很有耐心地听着。她这时才完全了解胡雪岩的用心，怪不得都说他能干！想出来的办法，实在叫人佩服。然而，她欣慰之外，也不免忧虑，当时就把心事说了出来。

“三叔！事情是好事情，就怕你拆烂污。”

“你总是这个样！”刘不才不悦，“处处不相信我。”

“不是不相信你三叔，你不晓得我心里着急！四十多的人了，一天到晚做‘马浪荡’，怎么得了？难得有这样一个机会，你如果再拆烂污拆得人家见了你就躲，你倒想想看，哪里再还有翻身的日子？”

“哼，你不懂！”刘不才依然不服帖，“我只管照方合药。既不经手银钱，又不管店堂里的事，每个月坐分成头，有啥烂污好拆？”

“不一定银钱上拆烂污，有了钱成天在赌场里，误了正事，也是拆烂污。”芙蓉紧接着又说，“还有一层，人家倒看得三叔你有本事，要请你做档手，那时候你怎么样呢？”

这一问是刘不才所不曾想到的，细想一想确是个疑问。

“你看，是不是？”芙蓉趁势逼他发奋，“三叔，你连自己都没有把握，怎么还怪我不相信你？”

“事情好办。人家要请我做档手，我不做。这样子没有烂污好拆，你总该放心了吧！”

“懒和尚只求没布施!”芙蓉有些气，“没有看见过你这样的人，你只会说大话！”

“我何尝说过什么大话？”刘不才越发不高兴，“你在那里乱扯！”

“那么我倒要问，说敬德堂从你手里败掉的，还要从你手里恢复！可有这话？”

“对，有的！这也不算说大话。”

“还不是？”芙蓉逼视着问，“你拿什么来恢复？要说恢复，眼前的希望就在这条路子上，全要靠你自己去巴结。一方面省吃俭用，积少成多，有一份小小的资本；一方面安分守己帮人家把店开好了，可以开口请人家帮忙。这样子两下一凑，刘敬德堂的招牌才有重新挂出来的一天。照你现在的想法，有多少用多少，只图眼前快活，哪里有什么长远的打算？请问三叔，你不是在说大话？”

长篇大套地一顿驳，把做叔叔的说得哑口无言，但仔细想去，却不能不说她看得透彻，想得周到。商场中要想由伙计变作大老板，这样做生意最稳当不过。但是，他还是开不得口，因为自己估量自己，实在没有把握能够做到芙蓉所说的“省吃俭用、安分守己”八个字。

就这沉默之际，只见进来一个脚步匆匆的年轻人，刘不才赶到门口细看，才认出是陈世龙，便喊一声：“小和尚！”他心里奇怪，小和尚跟这位郁太太怎么也相熟？因为两人面对面在低声细语，不熟不会这样子谈话。

陈世龙答应着走了过来，看见芙蓉，恭恭敬敬叫了一声：“师母！”然后才转脸向刘不才说：“刘三爷，我已经约好了，有空就走！”

“好，好，就走。”刘不才向她侄女儿说，“就是谈合伙的那一位。”

于是芙蓉带着小兔儿和阿七上轿而去。刘不才请陈世龙坐下来，先要了解一下情况。到底对方是谁？在哪里见面？

“就在郁太太他们聚成钱庄——”

“慢来！”刘不才打断他的话问，“那位郁太太就是郁四的太太？”

“是啊！”陈世龙说，“你不认识？”

“我不认识，我也没有想到。只听说郁四有个小太太，前些日子吵散了，所以才会想到郁太太就是郁四的小的。”说到这里，他灵机一动，急急又问，“照这样子说，谈合伙的一定是胡雪岩？”

事到如今，不必再瞒，陈世龙点点头答道：“不错！就是胡先生。你们至亲合伙，还有啥话说？刘三爷，一个人不怕不发达、不交运，就怕机会来了错过。机会来了看不到，犹有可说，明明看到，自己错过，将来懊悔的时候，那味道最不好受。”

刘不才不响，他觉得这件事多少要想一想，因为来得太突兀了。

“赌钱讲究冷、准、狠！”陈世龙说，“现在是个‘大活门’，你不扑上去，就真正是刘不才！永世不得翻身。”

“真的是‘大活门’？”

“当然，只拿郁四叔来说好了！”

陈世龙就由郁四谈到尤五，由王有龄谈到嵇鹤龄，再由老张谈到他自己，结论是谁跟胡雪岩交往，谁就交运！一半事实，一半是陈世龙口舌玲珑的渲染，把刘不才听得全神贯注，一字不漏。

“好！”他断然决然地，真有“赌场烈士”那种背城借一的壮烈之概，“我听你的劝告，就赌这一记了！”

陈世龙慢慢喝着茶解渴，同时在盘算下一着棋。他叫胡雪岩作“先生”，的确已从“先生”那里学到了许多驾驭的权术。刘不才此时正在心热，变卦是绝不会的了，现在所要考虑的是，如何一下子叫他死心塌地，服服帖帖？

“怎么样？”刘不才觉得他的沉默不可解，催问着。

“讲得我口干舌燥，你也得让我先润润嗓子。”陈世龙放下茶杯，站起身来，“这样，我先走，把你的难处去安排好，你中午自己到聚成来。怎么样？”

“你是说，先给我去弄钱？”刘不才接下来说，“现在也无所谓了。”

“这用不到客气！客气自己受罪。说句实话，你现在的境况也不怎么好，怕要请桌客都为难。到那时候，一面要办事，一面又要凑钱应付债主，反而原形毕露，面子失光，倒还不如我替你预先安排好的为妙。”

想想也不错，刘不才便随他去。答允准定中午到聚成钱庄跟胡雪岩碰头。

到时候，陈世龙已在门口等候，迎入客座，胡雪岩兜头一揖，口称“三叔”，同时看到一桌银台面的盛宴，四干四湿的果碟子都已经摆好了。

刘不才称他“雪岩兄”，不提亲戚，只道仰慕。郁四陪客，再加陈世龙从中穿针引线，将刘不才当上宾看待，捧得他飘飘然，大为过瘾。

茶罢入席，自然是刘不才首座，左右是郁、陈二席，胡雪岩坐了主位。酒过三巡，话入正题，是郁四提起来的。

“刘三哥，”郁四说，“老胡想开药店，原来我不赞成，现在我想想也不错。行善济世，总是好事，将来我也要加入股子。不过，老胡跟我都是外行，一切要多仰仗。”

“不敢，不敢！”刘不才说，“这是我的本行，凡有可以效劳之处，在所不辞。不过，我还不晓得怎么样一个开法，规模如何？”

“这就要请教三叔了。规模嘛，”胡雪岩想了想说，“初步我想凑十万两银子的本钱。”

十万两银子的本钱，还是“初步”！如果不是有陈世龙的先入之言，以及素有富名的郁四表示要入股，刘不才还真有点不敢相信。

“这个规模，”他兴奋之中又有顾虑，“就很大了。不过乱世当口，只怕生意不见得如太平年岁！”

“太平年岁吃膏滋药的多，乱世当口，我们要卖救命的药，少卖补药。”胡雪岩说，“三叔，生意你不要担心。大兵以后，定有大疫，逃难的人早饥夜寒，水土不服，生了病一定要买药，买不起的我们送。”

“嗯，嗯！”刘不才心想，此人的口气，倒真是不小。

口气虽大，用心却深。“三叔，”胡雪岩笑道，“我想做生意的道理都是一样的，创牌子最要紧，我说送药，就是为了创牌子的。”

“这我也晓得。”刘不才平静地答道，“凡是药店，都有这个规矩，贫病奉送。不过，没有啥用处，做好事而已。”

“那是送得不得法！我在上海听人讲过一个故事，蛮有意思，讲给大家听听。”

胡雪岩讲的这个故事，出在雍正年间。当时京城里有家小药店，承揽供应宫里“御药店”的药，选料特别地道，雍正皇帝很相信他家的药。

有一年逢辰戌丑未大比之年，会试是在三月里，称为春闱。头一年冬天不冷，雪下得不多，但一开春天气反常，春瘟流行，举人病倒的很多，能够支持的，也多是胃口不开，萎靡不振。这家药店的主人配了一种药，专治时气，托内务府大臣面奏皇帝，说是愿意奉送每一个举子，带入闱中，以备不时之需。科场里的号舍，站起来立不直身子，靠下来伸不直双腿，三场下来，体格不好的就支持不住，何况精神不爽？雍正是个最能体察人情的皇帝，本来就有些在替举子担忧，一听这话，大为嘉许。于是这家药店奉旨送药，派人守在贡院门口。等举子入闱，用不着他们开口，便在考篮里放一包药。包封纸印得极其考究，上面还有“奉旨”字样，另外附一张仿单，把他家有名的丸散膏丹，都刻印在上面。

结果，一半是他家的药好，一半是他家的运气好，入闱举子报“病号”出场的，并不比前几科会试来得多，足见药的功效。这一来，出闱的举子，不管中不中，都先要买他家的药，生意兴隆得不得了。

“你想想看，”胡雪岩说，“天下十八省，远到云南、贵州等，都晓得他家的药。你花多少银子，雇人替你遍天下去贴招贴，都没有这样的效验。这就是脑筋会不会动的关系。”

“真是，”郁四笑道，“老胡，你做生意就是这点上厉害！别人想不到的花样，你想得到。”

“那么，”刘不才的态度也不同了，很起劲地问，“我们怎么送法？”

“我们要送军营里——”

“那再好都没有。”刘不才抢着说道，“我有‘诸葛行军散’的方子，配料与众不同，其效如神。”

“真的再好都没有！”胡雪岩说，“送军营里要送得多，这当然也有个送法。将来我来动脑筋，叫人出钱，我们只收成本。捐助军营，或者有捐饷的，指明捐我们的诸葛行军散多少，什么药多少，折算多少银子。只要药好，军营里的弟兄们相信，那我就有第二步办法，要赚钱了！”他故意不说，要试试刘不才的才具，看他猜不猜得到这第二步办法是什么。

刘不才猜不到，陈世龙却开了口。“我懂！”他说，“胡先生的意思，是不是想跟‘粮台’打交道？”

这就无怪乎刘不才猜不到了。军营里的规制，他根本不懂。

胡雪岩对陈世龙深深点头，颇有“孺子可教”的欣慰之色，然后接着他的话作进一步的解释。

“粮台除掉上前线打仗以外，几乎什么事都要管，最麻烦的当然是一仗下来，料理伤亡。所以粮台上用的药极多。我们跟粮台打交道，就是要卖药给他。价钱要便宜，东西要好，还可以欠账，让他公事上好交代，私底下，我们回扣当然照送……”

“这笔生意不得了！”刘不才失声而呼，他有个毛病喜欢抢话说，“不过，这笔本钱也不得了。”

“是啊！”胡雪岩又说，“话也要讲回来，既然可以让他欠账，也就可以预支，只看他粮台上有钱没钱。现在‘江南大营’靠各省协饷，湖南湘乡的曾侍郎带勇出省也要靠各地的协饷。只要有路子，我们的药价在协饷上坐扣，也不是办不到的事。只看各人的做法！”

“只看各人的脑筋，雪岩兄，”刘不才高举酒盅，“我奉敬一杯！”

“不敢当。还要仰仗三叔。”

“一句话！”刘不才指着陈世龙，“他晓得我的脾气，我也跟他说过了，我就赌这一记了！”

说着，他从贴肉口袋里摸出一个红绫封面、青绫包角、丝线装订，装潢极其讲究的小本子递了过来，胡雪岩看着那上面的题签是“杏林秘笈”四个字，就知道是什么内容。

“这就是我的‘赌本’。说扑上去就扑上去。”他又看着陈世龙就问，“你说我做得对不对！”

在陈世龙看，不但觉得他做得对，而且觉得他做得够味。这样子，自己替胡雪岩探路也有面子，所以笑容满面，不断颔首。

“你请收起来。三叔既然赞成我的主意，那就好办了。回头我们好好地商量一番。”

两个人都很漂亮，一个“献宝”示诚，一个不肯苟且接受。推来推去，半天，是陈世龙想出来的一个办法，取张包银圆的桑皮纸，把“杏林秘笈”包好封固，在封口上画了个花押，交给郁四保管。郁四当即把它锁了在保险箱里。

饭罢品茗，那就都是刘不才的话了，谈一爿药店，如何开法，怎么样用人，怎么样进货，怎么样炮制，利弊如何，要当心的是什么。讲的人兴高采烈，听的人全神贯注，彼此都很认真。

“三叔！”胡雪岩听完了说，“这里面的规矩诀窍，我一时也还不大懂，将来都要靠你。不过我有这么个想法，‘说真方，卖假药’最要不得，我们要叫主顾看得明明白白，人家才会相信。”

“那也可以。譬如说，我们要合‘十全大补丸’了，不妨预先贴出招贴去，请大家来看，是不是货真价实？”

“就是这一点难！我不晓得你用的药，究竟是真是假？”

刘不才一愣。“照你这样子说，譬如卖鹿茸，还要养只鹿在店里？”他的语气显得相当困惑！

哪知胡雪岩毫不迟疑地回答：“对！这有何不可？”

这对刘不才是一大启发，拓宽了他的视界。他仔细想了想，有了很多主意。“既然如此，那就敞开手来干。”他说，“只要舍得花钱，不怕没有新鲜花样。”

“我们也不是故意要花样，只不过生意要做得既诚实，又热闹！”

“既诚实，又热闹！”刘不才复念了一遍，深深记在心里。

谈到这样，就该有进一步的表示了，陈世龙看看已是时候，向刘不才使了个眼色。胡雪岩自然也看到了，不等他有何表示，先就站了起来。

“三叔，你坐一坐。我跟郁四哥有些事谈。”其实无事，只不过在里间陪郁四躺烟榻，避开了好让陈世龙说话。

“刘三爷，你看！”陈世龙递了个折子过去。折子是个存折，聚成钱庄所出，但打开来一看，并无存数记载，看起来是个不管用的空折子。

“为啥不记载钱数呢？”陈世龙问道，“三叔，你懂不懂其中的意思？”

“说实话，我不懂！”刘不才说，“雪岩的花样真多，我服了他了，你说，是怎么回事？”

“是尽你用，你要取多少就多少，所以不必记载钱数。不过，一天最多只能取一次。”

有这样的好事！刘不才闻所未闻，但当然不会疑心胡雪岩是开什么玩笑。细想一想，问出一句话来作为试探。

“这样漫无限制，倒是真相信我！倘若我要取个一万八千呢？”

“那要看你作何用处，只要你有信用，一万八千也不是取不到的。”

这一说，刘不才懂了其中的深意。胡雪岩当然关照过，有个限度，超出限度，聚成的伙计就会托辞拒绝。至于说一天只能取一次，那是防备自己拿了钱上赌场，如果只是正用，即使不够，也可以留到明天再说。唯有下赌注，是不能欠账的。

转念到此，刘不才又发了“大爷脾气”，把折子交了回去。“谢谢！”他的声音有点冷，“我怕我自己管不住自己，有了这么一条源源不绝的财路，一定输得认不得家！”

“刘三爷！”陈世龙的态度很平静，“你说过决心赌这一记！这话算不算数？”

“自然算数！那几张方子，就是我的赌本，已经全部交出去了，还有啥话说？”

“那不是赌本。胡先生说，你果然有此决心，只要你做一件事，才算是你真的下了赌本，真的愿意赌一记。这件事说难不难，说容易不容易。我要等你想停当了，我再说。”

刘不才想了想问：“是我做得到的事？”

“当然！”

“好，你说。”

“刘三爷！”陈世龙的神态异常郑重，“外头跑跑的，说话算话！”

“那还用说。小和尚，”刘不才不悦，“你真是门缝里看人！”

陈世龙是受了胡雪岩的教，听了芙蓉细谈过她三叔，有意要逼刘不才发奋，因而若无其事地答道：“不是我门缝里看人，把你刘三爷看扁了，只因为我也跟刘三爷差不多，知道这件事不大容易办得到，而且说出来伤感情，所以不能不问个清楚。唉！”他有意做作，“想想还是不说的好！”

刘不才气得直咬牙，但不便发作。忍了又忍，才说了这样一句：“说不说随便你！我倒不相信我刘某人会叫你小和尚把我看轻了！”

“这也难说。我说句话，你刘三爷就不见得做得到。”

“好，你说！”刘不才用拳将桌子一捣，站起身来，双手撑桌，上身前俯，以泰山压顶之势，仿佛要把陈世龙一下子打倒在地上似的。

“那么我说，你能不能像我一样，从此不进赌场？”

听得这一声，刘不才的身子不自觉地往下挫，依然坐了下来，半晌作声不得。

“胡先生说过了，你要有这个决心，才显得是真心。他又说他不希望你别样，‘吃、着、嫖、赌’四个字，只希望你少一个！”陈世龙说，“照我看，如果这一个字都不能少，那——”他摇摇头，“不必再说，说下去就难听了！”

他不说，刘不才也想象得到，吃着嫖赌，四字俱全，非搞得讨饭不可！

“胡先生又说，赌钱是赌心思，做生意也是赌心思，何不把赌钱的心思，花到做生意上头来？只要你生意做得入门了，自然会有趣味。那时就不想赌钱了！”

刘不才沉吟不语，但神态慢慢在变，飞扬浮躁带些怒气的脸色，渐渐消失，代之而起的是平静、沉着。最后他终于点头。

“话不错！”他清晰地吐出来五个字，“我要戒赌了！”

“恭喜，恭喜！”陈世龙笑容满面地拱手，同时仍旧把那个存折推了过来。

“那么，我们谈正事。讲了半天，到底要我如何着手？我要弄个明白。”

这自然又只有请胡雪岩来谈。事情到了这地步，已经无须借聚成的地方，自然而然地，胡雪岩一邀就把他邀到了家。他跟芙蓉叔侄之间的芥蒂，当然也就不知不觉地消除了。

一夕之谈，谈出了头绪。胡雪岩的药店，定名“胡庆余堂”，请刘不才负责筹备，约定三天以后，跟他同船回杭州，细节到了杭州再谈。

“三叔！”芙蓉劝他，“你也真该收收心了。有适当的人家，娶位三婶娘回来。”

“现在还谈不到此。”刘不才只是摇头，“我现在的心思，完全在胡庆余堂上头。雪岩，”他马上把话题扯了开去，“我想，房子要画图样自己盖。”

“我也是这么样想。一切从头做起！”

“对，从头做起！”刘不才说，“我自己也是这样。”

果然，刘不才是重新做人。就在这三天工夫当中，他开了个“节略”，把胡庆余堂从购地建屋到用人进货，如何布置，如何管理，都详详细细地写了下来。胡雪岩做生意，还是第一次有这样周到的盘算。

然而他做生意也是第一次这样不着实。如今说大话的不是刘不才，是胡雪岩。“初步下的资本十万两银子”，这话是说出去了，银子却还不知道在什么地方。郁四虽说过愿意加股的话，但他已倾全力支持，胡雪岩总不好意思要他卖田卖地来帮自己的忙，而况这个年头，兵荒马乱，不动产根本就变不成现钱。

好的是还不需要马上拿钱出来。胡雪岩的打算是，到了杭州跟王有龄商量。开药店是极稳妥的生意，又有活人济世的好名目，说不定黄宗汉的极饱的宦囊中，肯拿出一部分来，用他家人的名义投作股本。如果有黄抚台提倡，另外再找有钱的官儿来凑数，事情就容易成功了。

这当然是初步打算，只求把事业办成，谈不到赚钱，更谈不到照自己的理想去做。当然，刘不才绝不会想到他肚子里是这么一把算盘，依旧兴高采烈，见了面就谈药店。这样一路谈到杭州，胡雪岩把他安置在钱庄里，派了一个小伙计，每天陪他到各处去逛，招待得非常周到。

第七章

这样老是玩不是事。刘不才最感苦恼的是，无事可做，手会发痒，老想赌钱。但他每一转到这个念头，随即想起自己对陈世龙说过的话，便拼命压制着。如是十天下来，他实在忍不住了。

他忍不住的是要胡雪岩说句话。等了两天，到第三天终于把胡雪岩等到了。

“雪岩！”他有些激动，“来了半个多月，什么事也没有做，我也晓得你事情忙，不过，这样子下去，我要闷出病来了！”

“我晓得，我晓得！实在对不起，几处的事情，都非我亲自料理不可。现在大致有了头绪，尤其海运转驳，总算办妥当了，我可以抽得出工夫来。明天开始，我们第一步就是去看地皮。”胡雪岩问道，“三叔，你酒量怎么样？”

“还可以对付。”

“那么，我先给你介绍一个朋友。”

他介绍的是裘丰言。押运洋枪的差使，裘丰言办得很妥当。王有龄送了他一笔钱，着实夸奖了一番，所以他最近的心境极好。他跟刘不才一见如故，加以受了胡雪岩的委托，刻意敷衍，因而刘不才也觉得交了裘丰言这个朋友，是件很可以叫人高兴的事。

陪着看地皮的事，便由裘丰言来承当，每天一早到丰乐桥茶馆里喝茶。裘丰言在扬州住过，早晨这一顿很讲究，炒两个菜吃早酒，酒罢吃面，然后由掮客领着去看地皮，有的嫌小，有的价钱不合，这样一番折冲下来，到了下午三点钟，裘丰言又要喝茶吃酒了。刘不才因为有他作陪，不如以前那样无聊，倒也相安无事，把想赌的念头歇了下来。

突然间有一天，胡雪岩一大早来找刘不才，第一句话就是："三叔，我要请你陪一位客，这位客嫖赌吃着，无所不精，只有你可以陪他。"

刘不才一时开不得口，第一，觉得突兀；第二，觉得胡雪岩违反了他自己的来意——本来要求人家戒赌的，此刻倒转头来，请人去赌；第三，觉得自己说了戒赌，而且真的已经戒掉，却又开戒，这番来之不易的决心和毅力，轻易付之东流，未免可惜。

"三叔！"胡雪岩正色说道，"你心里不要嘀咕，这些地方就是我要请你帮忙的。说得再痛快一点，这也就是我用你的长处。"

那就没话好说了。"既然是帮你的忙，我自然照办。"刘不才问，"不过是怎么一回事，你先得跟我说清楚。"

胡雪岩略微踌躇了一下。"说来话长，其中有点曲折，一时也说不清楚。"他停了停又说，"总而言之一句话，陪这位公子哥儿玩得高兴了，对我的生意大有帮助。"

"嗯，嗯！我懂了，你要请我做清客？"

"不是做清客，是做阔客。当然，以阔客做这位公子哥儿的清客，不就更加够味道了！"

这一下，刘不才方始真的懂了，点点头很沉重地道："只要你不心疼，摆阔我会，结交阔客我也会。"

"自然！怎么谈得到心疼的话？三叔，"胡雪岩问，"你一场赌，最多输过多少？"

“输过——”刘不才说，“输过一爿当店，规模不大，折算三万银子。”

“好的，你经过大场面。那就行了！”胡雪岩说，“你不必顾虑，三五万银子，我捧现银给你，再多也不要紧，我随时都调得动。总之，输不要紧，千万不能露出小家子气的样子来！”

“这你放心好了，赌上头，我的胆子最大。”

当时约定，胡雪岩下午来陪他去结交那位公子哥儿，银票在那时带来。刘不才便也精神抖擞地去剃了头，打扮成个翩翩浊世公子的样子，在那里坐等。

午后不久，胡雪岩又来了，看刘不才穿的是铁灰色缎面的灰鼠皮袍，枣红色巴图鲁坎肩；头戴一顶珊瑚结子的玄色缎子的小帽，正中镶着一块寿字纹的碧玉；雪白的纺绸褂子，下面是笔挺的扎脚裤和一双漳绒的双梁鞋。

“漂亮得很！我有两样东西带了来，正好配你这一身打扮。”

那两样东西是一个金打簧表，带着根极粗的金链子；一个羊脂白玉的班指。另外有两万银票，起码是五百两一张。

“时候还早，我先把这个阔少的来历告诉你。”

这位阔少姓庞，是胡雪岩到南浔去的那两天认识的，大家都叫他庞二爷。这位庞二爷是丝业世家，几代蓄积，再加上道光末年中外通商，在洋庄上很赚了些，所以虽不是富堪敌国，而殷厚之处，远非外人所能想象。

庞二爷虽然是一等一的纨绔，但家学渊源，做生意极其在行，此所以胡雪岩要跟他打交道。

庞二爷是个捐班的道台，自然不会“辕门听鼓”去候补等差使，平常也不穿官服，但如果有什么州县官在他面前，以官派骄人，那一下他摆出来的官派，比什么人都足。就从这一点上，把庞二爷吃软不吃硬的性情完全显出来了。

原来是他！刘不才一面听，一面心里在想。同是湖州人，他自然知道庞二爷，不过论“少爷班子”的等级，刘不才起码要比他差两等。而且现在刘不才已经“落薄”了，提起来，说是“当年刘敬德堂的老三”，这句话并不见得光彩，庞二爷心里会作何感想，却不能不预先顾虑。

“三叔，”胡雪岩接下来说，“为了拉拢庞二爷，我特地托王大老爷出面请客，他是你们湖州的父母官，庞二爷再忙也不能不到。不过今天只是为了请客吃饭，‘场头’拉不大，只不过打打麻将。你要拿本事出来，让他跟你赌过一场，还愿意跟你赌第二场，这样子交情才可以越拉越拢。”

“我晓得了。这一点你放心！不过，”刘不才很吃力地说，“我们虽没有会过，但他是在上海的时候多，大概总也晓得我这个人。”

“晓得也不要紧，‘败子回头金不换’，没有哪个笑话你！再说，我跟王大老爷关照过了，对你会特别客气。有主人抬举着，人家也识不透你的底细。”

刘不才听了他的话，看一看自己那身装束，再看一看那两万银票，想法变过了。什么都可以假，银子不假，钱就是胆，怕什么！

“雪岩，你的话不错。”他精神抖擞地问，“我们什么时候走？”说着，便打开那只打簧表，一看才午后两点钟。

“约的是四点，我自然要早到。你再养养神，准时到王公馆好了。”胡雪岩留下一张纸条，上面写着王家的地址。

约定了各自分手。刘不才果然靠在一张软榻上，闭目养神，把庞二爷的脾气作了一番很周详的考虑，然后又细想应付的态度。自己觉得颇有把握，欣然睁眼，重新又修饰了一番，方始雇一顶小轿，专程赴约。

到了王家，主人果然很客气，口口声声称他“三才兄”。坐下寒暄了一阵，请的客人陆续都到了，除了嵇鹤龄和裘丰言，另外两个都是阔少。一个是做过天津海关道的周道台的弟弟，行五；一个是亦官亦商的高家老四。他们坐下来言不及义，不是说一顿牌九输了多少，就是谈“江山船”上出了怎么样的一个尤物。

最后，庞二爷到了，三十四五岁年纪，一张银盆大脸，赛似戏台上的曹操。因为祖父死了不久，有服制在身，只穿一件灰布羊皮袍，但手上戴一只翻头十足的“火油钻”戒指，戒面朝里，偶尔扬手之间，掌中光芒乱闪，格外引人注目。

主人一一引见，庞二爷初见面的只是嵇鹤龄、裘丰言和刘不才。他听到刘不才是湖州口音，便觉亲热。“刘三哥，”他问，“你府上哪里？我怎么没见过？”

刘不才声明住处，接着又说：“久仰庞二爷的大名，幸会之至。”

“彼此，彼此！”庞二也很客气，不像有架子的纨绔。

“喂，喂！”周老五性子最急，“该上场了！”

于是由主子引导，进入厢房，里面已摆好一桌麻将牌在那里。几人站着商议入局，庞、周、高三人是用不着说的，剩下一个搭子，主人让嵇鹤龄，嵇鹤龄让刘不才，刘不才让胡雪岩，胡雪岩一推辞，便即定局——仍由刘不才上场。

扳好位子坐定，讲好一万银子一底的“么二”，四十和底十六圈，随即噼噼啪啪打了起来。刘不才先不忙着和牌，细看各人的牌路。庞二和高四都打得很精，但高四有个毛病，喜欢做牌。周五打牌跟他的脾气一样，性子急，不问大小，见牌就和，一等张便把牌扣了下来，两眼瞪着“湖”里，恨不得拣一张来和牌似的。

然而牌虽打得蹩脚，手气却是他好。四圈牌下来，和了两副清一色，一副三元，已经赢了将近一底，把他高兴得不得了。

“这都是老四做牌做得太厉害，张子太松！”庞二一面掷骰子扳位，一面冷冷地说，“这四圈如果你坐我下家，可要当心一点儿！”

结果刘不才坐了周五的上家，他的上家是高四，跟庞二对面。高四老脾气不改，十三张牌只要七张花色一样，就想做清一色，所以张子仍旧很松。刘不才心想，不能多吃，不然自己的张子也会松，让周五捡了便宜，手风一上去就很难制了。

打定这个主意，他连边嵌都不吃，全神贯注在下家，把周五盯得死死的，两圈牌下来，周五“余”出去一半，但大输家的庞二却并无起色。于是刘不才又想，现在不但要扣住周五，还得想办法让庞二和牌才好。

他的牌打得极精，稍微注意一下进出张子，就能料到庞二要的牌，总是在他刚听张的时候“放铳”。庞二连着和了两副，手风一顺扳了回去。等八圈下来吃饭，计算一下，成了三吃一的局面，大输家是高四。

“老兄的牌打得很高明。”下了牌桌，庞二这样对刘不才说，“牌品更是佩服之至。”

“哪里，哪里！”刘不才觉得很安慰，同时也有些佩服庞二，是个识好歹的人。

到了饭后，庞二的手风转旺了，逢庄必连，牌也越和越大，这也要归功刘不才，但他已不再放张子，只是专门扣住周、高二人，尤其是不让他们俩和大牌，一看风色不对，不是自己抢和，就是放人家和小牌。等到打完结账，庞二一家大赢，周五一家大输。

“每次都是这样，先赢后输，输倒不要紧，牌真气人！”周五恨恨地说，“所以我不喜欢打麻将！真没意思。”

庞二和高四是看惯了他这副样子，相视而笑，不说什么，刘不才却开口了：“周五哥的性子急，推牌九就配胃口了！”

“对！”周五接着说道，“我来推个庄！”

高四无可无不可，刘不才也不作声，只有庞二迟疑着说：“太晚了吧？打搅主人不方便。”

“不晚，不晚！”胡雪岩代表主人答话，“各位尽管尽兴，是吃了消夜再上场，还是——”

“吃消夜还早。”周五抢着说道，“等我先推个庄再说。”

庞二深知他的脾气，若是他做庄，不管输赢，不见天光不散，因而紧接着他的话说：“都是自己人，小玩玩。这样好了，推‘轮庄牌九’，大小随意，一万两银子一庄，输光让位，赢的也只能推四方。”

“四方太少了，起码要八方。”

“算了，四四十六牌九推下来，扰了主人的消夜，回家睡觉正好。”

“这话不错。”高四也说，“明天上半天，我还有事，早些散吧！”

周五孤掌难鸣，只得依从。等把牌拿出来，自然是他第一个做庄。他掏出随身携带的一个豆荚样的象牙盒，抽开盖子倒出四粒骰子来。周五的花样很多，四粒骰子一掷，要有一个四，一个五，才把红的那粒拣出来，余下三粒再掷。掷出一个四，一个六，才用红的那粒四加五是九，谐音为“酒”；六加四是十，谐音为“肉”，说是“请骰子吃酒吃肉”。

“麻将要打得清静，牌九要赌得热闹，请大家都来玩！”周五大声说道，“一两银子也可以下注。”

这时裘丰言还没有走，刘不才分了二百两“红钱”给他，让他五两、十两押着玩。王有龄也被请了下场，胡雪岩虽不喜欢赌钱，但此时当然要助兴，取了一张一百两的银票，押在庞二所坐的上门。

“是大，是小？”庞二问说。

“看我‘开门’就知道了。”依周五的性格，开出“门”来，自是“一翻两瞪眼”的小牌九。

他这个庄只推了两方牌九，就让庞二和高四把他打坍了。接下来是庞二推庄，四方牌九，平平而过。周五却又输了一万多，大赢家是高四，刘不才也赢了五六千银子。

第三个庄家是刘不才，他卷起雪白的袖头，洗牌砌好，一面开门一面说：“周五哥喜欢小牌九，我也推小的。”

周五赌得火气上来了，一听他的话，脱口答道：“对！‘春天不问路’，坐天门就打天门。”说着，从身上掏出一沓银票，往桌上一摔，“我包了！”

“啨！”庞二大不以为然，“大家好玩嘛！你这样子不让别人下注，多没意思！”

“怎么叫没意思，各人赌各人的，你要看得你下门好，你可以移我的注码，不是照样赌？”

“移注码”是旁家跟旁家做输赢，如果统吃统赔，移注改押的人毫无干系，倘或一家配、一家吃，那出入就大了。牌九、摇摊，专有人喜欢移别人的注码，彼吃此配，赢了庄家赢旁家，双倍得利，而且还可自诩眼力，是件很得意的事。

但“移注码”往往会变成闹意气。一个移过去，一个移回来，一个再移过去，一个再移回来，每移动一次，就加了双倍的输赢，那就赌得“野”了。

现在周五跟庞二就有点闹意气的模样。赌钱失欢，旁人自然要排解，但两个人都是阔少，银钱吃亏可以，话上吃不得一句亏，所以要排解也很难，胡雪岩不免有些着急。

就在这庞二爷有些光火，要想说“天门归下门看”，移周五的注码时，刘不才抢先一步，开口说道：“庞二哥的话不错，都是自己人，‘书房赌’，小玩玩……”

果然，脾气暴躁的周五打断他的话说：“你庄家说的什么话？倒要请教，他的话不错，我的话错？”

“你的话也不错。”刘不才神色从容地答道，“庞二哥也不必动注码了。周五哥有兴趣，我做庄的理当奉陪，‘外插花’赌一万银子好不好？”

说“好”的是裘丰言：“好！这样子就两全其美了。”

庄家跟旁家额外“做交易”，谁也不能管，道理上是说得过去的。刘不才花一万银子，把面子卖了给两个人，这一手做得很漂亮，而那一万银子，也还不一定会输。胡雪岩暗暗心许，刘不才在应酬场中，果然有一套。

骰子掷了个七点，周五抢起分在外面的那两张牌一翻，真是瞪眼了！一张牛头、一张三六，把他气得脸色铁青。

“这叫什么？”裘丰言说，“我上次到松江听来的一句话，叫作‘黑鬼子扛洋枪’！”

他是不带笑容，一本正经地在说，并无调侃的意味。大家都笑，周五也笑了。

这一牌是统吃。那“外插花”的一万两银子，刘不才原可以另外收起，等于赌本已经收回，这一庄变成有赢无输，但他很漂亮，放在外面，数一下，报个数，是两万七，好让旁家斟量下注。

他这个庄很稳，吃多赔少，每把牌都有进账，推到第三方第三条，照例末条不推，重新洗牌，他却“放盘”了。

“只有一方牌了！”他说，“我推末条，要打尽快！”

“老兄，”庞二劝他，“‘下活’的牌，这一条你还是不推的好！”

“多谢关照！”刘不才说，“推牌九的味道就在这上头，骰子帮忙，‘独大拎进’！也是常有的。”

“那就试试看！我倒不相信下门会‘活抽’。”周五又摸出一把银票，“庄家有多少？”

刘不才点了点数，一共是四万银子。

“统归下门看。”周五拿银票往下门一放，“多下的是我的。”

这一下大家都紧张了。小牌九是没有“和气”的，这一牌，庄家不是由四万变八万，就是输光让位。从赌到现在，这是最大的一笔输赢，一进一出不是小数，连庞二都很注意了。

刘不才声色不动，把骰子掷了出去，等三门摊牌，上门九点，天门七点，下门天牌配红九，讲好不作天九作一点。

“你们看，下活嘛！”周五有些色厉内荏的神气，“一副克一副，不是下活是什么？”

“下活是下活，点子太小了！”庞二说道，“末条常会出怪牌，老五，满饭好吃，满话难说。”

“有点子就有钱！”周五索性硬到底了，“这副牌再输，我把牌吃下去。”

不要说是巨额赌注的本身，引人瞩目，光是周五这句可能会搞得无法收场的话，就使得一屋子的人，从坐在赌桌上的到站在旁边伺候的听差丫头，无不大感兴味，渴望着看看庄家的那两张牌，翻出来是什么点子。倘或是一张杂七、一张杂五凑成的“无名二”就赢了下门的“天九一”，那时看说了

“满话”的周五，是何尴尬的神色。

但包括庞二在内，谁也没有想到，刘不才根本就不翻牌。“周五哥！”他说，“不错，你的一点很值钱。”

说着，他把面前的钱推了出去，脸上带着平静自然的笑容，竟像心甘情愿地输给周五，而更像自己赢了周五。

庞二此时对刘不才已大有好感，所以处处偏向着他。“你牌还没有看！”他提醒他，“真的一点都会赶不上？”

“牌都在外面。”刘不才说，“用不着看了，一点输一点。”

“我倒不相信。”庞二说着，就动手理牌。从最大的“宝子”理起，找到一张二四，却找不到“么丁”。既然说是一点输一点，那么庄家应该是一副“人丁一”，找人牌，果然只有一张。

翻出来，可不是“人丁一”？十个红点，衬得那黑黑的一点格外触目。极静的屋子里，立刻响起一片喧哗，叹惜和笑声、惊异和感叹，声音最大的自然是周五。

“来，来，归我来配！”他把庄家的钱和自己的银票，都携到面前，配完了小注，余下的便是他的盈余。

“真有这样的牌！”庞二摇摇头，“就翻不出一个两点。”

他替庄家遗憾，甚至引为恨事，刘不才却若无其事地，把牌推向高四，这是最后一庄，推完四方，也是平平而过。于是主人招呼到厅上吃消夜，一面吃一面谈，不知不觉又谈到刘不才的那副牌。

“你老兄的眼光真厉害。”庞二说，“一下子就看到了外面少一张人牌，少一张‘钉子’，这点道行，倒也不是三年、五年了。”

“老刘是个角色。”连周五都心服，“跟你赌，输了也有味道。几时我们好好赌他一场。”

“何用‘几时’？”庞二接口说道，“就是明天。”

“明天不是约好了，扰老胡的，后天好了。”

“明天也一样。”胡雪岩说，“你们约哪几位来玩，我补帖子也一样。”

“不必，不必！”庞二说道，“后天我请大家吃饭，找几个朋友来，好好赌他一场。”他特意向刘不才问道：“后天你空不空？”

“哪一天都空。”

“好的，那你后天早一点请过来。”庞二又说，“统通请赏光，喜欢玩的玩，不然就吃饭。我新用了一个厨子，做的鱼翅还不错，请大家来品尝一番。”

“我谢谢了！”王有龄说，“后天我回湖州。”

于是即席约定，除了王有龄以外，后天都赴庞二的约。嵇鹤龄自然也请在内，庞二很佩服他，说一定要请到，特意拜托胡雪岩代为致意。

第二天胡雪岩借了王有龄家请客，依旧是“小玩玩”。两天下来，刘不才赢了一万多银子，大为兴奋。胡雪岩却提醒他，不可因此改变初衷，赌上绝不能成功立业，同时也再一次拜托，务必把庞二笼络得服服帖帖，然后好相机进言。

“看样子我们很投缘。”刘不才说，“长线放远鹞，火到猪头烂——”

“不！”胡雪岩不容如此闲豫，“我要托他的事，很急！三叔，你无论如何，趁明天这个机会，就要把他收服。像昨天那样子就很好，连我都佩服。不过你今天就不大对了，全副心思放在赌上，误了正事。”

“今天的机会很好，我先弄它几个，好做赌本。”刘不才不好意思地笑一笑，“以后没有机会了，你就先放我一马！”

“赌本你不必愁。有机会能赢几个，我自然也没有反对你，非要你输的道理，只是你要顾到你去赌的原意。”胡雪岩又重重地说，“做生意就是这样！处处地方不要忘记自己是为的什么！”

刘不才想了一会儿，点头答道：“好！我明天全副精神对付庞二。”

庞二请客的场面很阔，他家在西湖葛岭山脚下有一所别墅，请客就请在那里。十一月的天气，外面西北风刮得人重裘不暖，但在庞二的别墅中，却是温暖如春，在那间背山面湖的温室中开筵，一共三桌客，身份极杂，但都穿的便衣，也就不容易分得出来了。

宴是午宴，吃完已经下午两点，除了少数几个人以外其余都是知名的赌客，一散席便商量如何赌法。

“做主人的摇场摊吧！”

这个提议，立刻有人附和。庞二喜欢摇摊是出名的，而在这个场合中，最有资格做庄的，自然也是庞二。在他虽有当仁不让之心，却不免踌躇，因为缺少一个帮手。

但转眼看到刘不才，立即欣然答应：“好的！各位有兴致，我就先摇几十摊。”

于是除了一桌麻将以外，近二十个人都预备打摊。听差的准备桌子、座位、赌具，庞二却把刘不才找到一边有话说。

“老刘！我们合伙。我六成，你四成，你看如何？”

“当然好啰！不过，我先要‘灵一灵’市面。我只带了三万银子在身上，场面太大，我要派人回去拿钱。”

“不必，不必，钱我有。你也不要先拿本钱，等场头散了再算。只有一件事，请你替我做‘开配’。”庞二又说，“我摇摊有个臭脾气，开配不灵光，我摇起来就没劲。那天在周五家摇摊，临时请了位朋友帮忙，我不过出了五个‘老宝’，输不到两万银子，那位开配朋友的手就有些发抖了。不是人家帮我的忙，我不见情，还要说人家，像那位朋友开配，真把我的脸面都丢完了！”

“我没有替你做过开配，不过，你的事，自然没话说。就怕我应付不下来。”

“你别客气了。”庞二拱拱手，“捧我小弟的场！承情，承情。”

于是刘不才到场执行开配的任务。只见台面已经布置好了，那张台子是专为摇摊用的，紫檀桌子，黄杨木的桌面，比平常方桌大一号，四角用象牙嵌出界线，每一方又用象牙嵌出茶杯大的圆点。庄家一点，对门三点，右方是二，左方是四，左青龙，右白虎，开配照例站立在左上角的三与四之间，那是吉利的“青龙角”。

等他在青龙角上站定，随即便有听差送过一盒筹码来，筹码竟是四寸长的牙筹！上面刻着金字“世载堂庞”四字，作为标识，筹码共分五种，分别刻着骨牌中“天、地、人、和”的点子，另外还有一种只刻堂名的白筹，自然是最小的码子。

刘不才把筹码定为五等：一千、五百、一百、五十、十两。等赌客买好筹码，才是“皇帝”庞二落座。他拿起一个明朝成化窑的青花摇缸，“察浪浪，察浪浪”地摇了三下，打开摇缸来看，十二点是四。

“不错！‘开青龙’！”庞二说着又摇。

前三下，名为“亮摊”，好供赌客“画路”。摊路的名堂甚多，大路、小路、荤路、素路，各人相信各人的。到第四下摇过，那才正式开始下注，场面极其热闹，刘不才的本事也就要拿出来了。

摇摊在赌里面最公平，做下手的一点亏都不吃，而下手押注的花样也最多，跟牌九一样，打“角”、打“横堂”以外，还可以打“大头”。角与横堂，下手与庄家各占两门，所以是一赌一。大头就不同了，虽也是各占两门，但赢法有差别——二带么的大头，开出“白虎”赢两倍，开出“进门”算和气。此外还有“放鹞子”——下手打三门，赢了吃二配三，在钱上是以三赌一。大本钱卜小利，好像吃亏，但在骰子上，下手占了便宜，赢三门输一门。当然，偏开不下注的一门，也是有的。若那一下三注都吃，全军皆墨，就变成“放鹞子断线”了。

“放鹞子”还是“孤丁”，照吃照配，不伤脑筋，伤脑筋的是改注码。有的大头改为孤丁，有的把这门注码移到另一门，注码不动，只凭口说，都要开配记住。不该配的配了，自然没有人说话；不该吃的吃了，便有人提出抗议。赔钱是小事，出了错便是不够格，会替庞二丢面子，所以刘不才不敢轻忽，每一注都得注意。

刘不才暗中用心，表面却很悠闲，等摇缸亮出，该吃的吃进，该配的配多少倍，一一计算清楚，没有下手说闲话，更不曾起争执。刘不才不但计算得清楚，而且计算得特别快，庄家不会等得无聊，所以摇起来格外起劲。

不多时候，二十摊已经摇完。做庄做了一半，庞二才看一看面前的银票。

开配手边，只存筹码和不足一万的银票，满了一万，就得摆到庄家面前。名为讨口彩的“进庄”，其实是防范开配落入自己荷包。刘不才与庞二初交，兼以负有争取信任的责任，对这些细节，自然特别当心。庞二这时略略点了下，共有十四五沓之多，自己是十万银子的本钱，算来赢得也不能说少。

但后半场的手风就不如前半场了，只见刘不才不断伸手到他面前取钱，转眼间，只剩下七沓。而摊路更坏，一缸青龙，一缸白虎，来回地甩——这名为“摇路”，又称“摇橹”。周五看准了，一下就在白虎上打了两万孤丁，另外在这一门上还有万把银子。假如庄家开个二，便得配九万银子，虽有三门可吃，但为数极微，庄家面前的钱是不够输的。

这是开配的责任，得要提醒庄家，但也有些庄家不爱听这罄其所有还不够配的话，所以刘不才有些踌躇。

他一抬眼恰好看到胡雪岩，不自觉略一皱眉，胡雪岩立刻便抛过一个阻止的眼色来。刘不才警觉了，嘴向庄家面前一努，随即恢复常态。

“老刘！”庞二自己当然有个计算，问道，“怎么样？”

这一问当然是问本钱够不够？刘不才不能给他泄气，但也不便大包大揽、说得太肯定，只这样含含糊糊地说：“开吧！”

开开来是三，刘不才松了口气，等吃配完毕，只见庞家的听差取了两张银票，悄悄往庞二面前一放。他看了看，略有诧异之色，欲言又止地点一点头，不知是表示会意，还是嘉许。

“老五！”庞二看着周五说，“你打吧！我添本钱了，再添十万。”

说也奇怪，一添本钱，手风便又不同，摊路变幻莫测，专开注码少的那门。等四十摊摇完，结账赢了七万银子。

接下来是周五做庄，也要求刘不才替他做开配，二十摊终了，看钟已是晚上八点，暂停吃饭。趁这空隙，庞二把刘不才找到书房里，打开抽屉，取出两个信封，递了给他。

刘不才不肯接。“庞二哥！”他问，“这是啥？”

“你打开来看。”

打开第一只信封，里面是三张银票，两张由阜康钱庄所出，每张五万，另外还有一张别家钱庄的，数目是五千。

“老胡很够朋友，叫我听差送了十万银子约我添本钱，我用不着，不过盛情可感。五千银子算是彩，请你转交给他。”

“雪岩不肯收的……”

“你别管。”庞二打断他的话说，“只托你转交就是了。”

刘不才也是大少爷出身，知道替胡雪岩辞谢反拂他的意，便收了下来。看第二只信封，里面是三万二千多两银子。

“这是你的一份。”庞二解释，“原说四六成，我想还是‘南北开’的好。”

刘不才当年豪赌的时候，也很少有一场赌三万银子进出的手面，而此时糊里糊涂地赢了这么一笔钱，有些不大能信其为真实，因而愣在那里，说不出话来。

庞二不免觉得奇怪。他在想，莫非他意有不足？这个疑惑的念头，一起即灭，那是绝不会有的事！然则必是在想一句什么交代的话。这交代，并非道一声谢，就可以了事的，三万二千银子不是小数目。庞二对自己能给人带来这么大的好处，已觉得很得意，当然还想再听两句“过瘾”的话。大少爷的脾气，就是这样。

刘不才的感动，不言可知，不过他倒也没有让这笔飞来之财冲昏了头脑。他心想，胡雪岩的意思，是要自己争取庞二的信任，最好还能叫他见自己的情。现在分到了这笔巨数，就得见人家的情了。再说，赌场里讲究的就是“现钱”两个字，当时讲好四六成比例合伙，就该先出本钱，把身上的三万银票交了过去，到此刻来分红，就毫无愧怍了。虽然庞二是有名的阔少，不在乎此，但人家漂亮，自己也要漂亮，这才是平等相交的朋友，不然就成了抱粗腿的篾片，说话的分量大不相同。

道理是想通了，要交庞二这个朋友，要替胡雪岩办事，这笔钱就不能收。不收呢，到底是三万二千银子，加上前一天赢的一万多，要把“敬德堂”恢复起来，本钱也够了。

因为出入关系太大，决心可真难下，但此时不容他从容考虑，咬一咬牙在心里说：铜钱银子用得光，要想交胡雪岩和庞二这样的朋友，今后未见得再有机会。

于是他做出为难而歉然的神色，笑一笑说道：“庞二哥，你出手之阔是有名的，这等于送了我三万二千银子。我不收是不识抬举，收了心里实在不安。我想这样，做朋友不在一日。以后无论是在一起玩，还是干啥正经，总还有合伙的机会。这笔钱，我存在你这里。”说着，把那个信封放回庞二面前。

“你——”庞二搔搔头皮，“没有这个道理！我们一笔了一笔，以后再说，无论一起玩，还是干啥正经，总有你一份就是了。”

刘不才急忙拱手：“庞二哥说到这话，当我一个朋友，这就尽够了！来来，吃饭去！”

他一面说，一面走了出去。庞二无可奈何，只好在那个信封上写了“刘存”二字，藏入抽斗。

等吃了饭再赌，刘不才觉得刚才那样做法，对胡雪岩的委托来说，已经做到，所以心无牵挂，全副精神摆在赌上。他用“冷、准、狠”的三字诀，在周五所摇的二十摊中，只下了三次注，看准了“老宝”打两千银子的孤丁，赢了六千，连本带利再扑一记，变成一万八。第三记收起一万打八千，如果赢了，就是两千变成三万四，除去本钱，恰好是那辞谢未受的三万二千银子。结果吃掉了，周五的庄也做完了，刘不才赢了八千银子。

以后换了推牌九，赌到天亮，没有什么进出，而刘不才觉得三四天工夫就赢了两万银子，大可知足。

他伸个懒腰，离开牌桌，走到窗前把窗帘拉开，顿觉强光眩目。闭一闭眼，再从那难得几家有的外国玻璃窗望出去，不由得讶然失声：“好大的雪！”

“真是！赌得昏天黑地，”高四也说，“外面下这么大的雪都不知道。”

“雪景倒真不坏！”刘不才望着弥望皆白的西湖说，“庞二哥这个庄子的地势真好，真正是洞天福地。”

“你说好就不要走。”周五赌兴未已，“多的是客房，睡一觉起来，我们再盘肠大战。”

刘不才遇到赌是从不推辞的，但此时想到胡雪岩的正事，而他本人又早已回城，必得跟他碰个头才谈得到其他，所以推说有个紧要约会，宁可回了城再来。

“再来就不必了。”庞二说道，“今天歇一天吧！如果有兴，倒不妨逛一逛西湖，我派船到涌金门码头去等你们。”

一听这话，周五先就将脖子一缩。“我可没有这个雅兴，”他说，“不如到我那里去吃火锅，吃完再赌一场。”

“不行！”庞二笑道，“我这个地方，就是赏雪最好，我也学一学高人雅士，今天不想进城。”

高四也说有事，还有几位客都不开口，周五的提议就此打消。在庞家吃了丰盛的早饭，各自坐轿进城。刘不才不回钱庄，直接到一家招牌叫“华清池”的澡堂，在滚烫的“大汤”中泡了一会儿，躺在软榻上叫人捶着腿便睡着了。

这一觉睡到下午两点才醒，刘不才还不想离开澡堂子，喊来一名跑堂，到馆子里，叫菜来吃饭，同时写了张条子，吩咐送到胡雪岩家，说明行踪，请来相会。

等他就着一只十景生片火锅，喝完四两白干，正在吃饭时，胡雪岩到了，一见他便很注意地说：“你今天的气色特别好。想来得意？”

“还不错。一切都很顺利。等我吃完这碗饭，再细谈。”刘不才说，

“天气太冷，你先到池子里泡一泡。”

于是胡雪岩解衣入池，等他回到座位，刘不才已很悠闲地在喝着茶等。炕几上摆着个信封，看上面写着两行字：“拜烦袖致雪岩老哥。”

“你昨天怎么不等庞二把摊摇完，就走了？”

“我自然要先走，不然，到晚上‘叫城门’就麻烦了。”胡雪岩说，“我开了两张票子，带在身上，交是交了给庞二，号子里有没有这么多存款，还不知道，必得赶进城来布置好。”

“亏得庞二不曾输掉，否则就麻烦了。”刘不才这时倒有不寒而栗之感，“你想，我说了跟他四六成合伙，倘或连你这十万一起输光，就是二十万。我派四成，得要八万，划个账，找两万银子。十万剩了两万，险呀！这种事下次做不得了。”

“你也知道做不得！”胡雪岩笑道，“你在场上赌，等于我在场外赌。不过我这场外赌，无论输赢，都是合算的。”

“赢了是格外合算。你看！”刘不才把信封推了给他，说明经过。

胡雪岩这时才打开信封，把他自己的两张银票收了起来，扬着庞二的那张五千两的银票说：“我当然不能要他这五千银子，但也不便退回。只有一个办法，用他的名义，捐给善堂。昨天夜里一场大雪，起码有二三十具‘倒路尸’，我钱庄里已经舍了四口棺材了。”

“‘做好事’应该！我也捐一千银子。”

“算了，算了！”胡雪岩不便说他有了钱“大少爷脾气”就会发作，只这样阻止，“你要做好事，也该到湖州去做！杭州有我，不劳你费心。”

刘不才有些发觉了，略显窘色地笑道：“其实我也要别人来做好事，自己哪里有这个资格。”

“闲话少说。”胡雪岩说，“这里不是说话的地方，到舍间去谈。”

* * *

于是两个人穿衣起身。刘不才是第一次到胡家，想到他侄女儿，有些心事重重的模样。他不知道胡雪岩在湖州另立门户，胡太太是不是知道。倘或知道，自己的身份不免尴尬，因而便有畏缩之意。但他转念又觉得这是机会，可以看看胡太太为人如何，将来跟芙蓉是不是相处得来。

就这样踌躇着，他走出华清池时，脚步就懒了。胡雪岩回身一望，从他的脸色，猜到他的心里，觉得必须交代一句。

“三叔，”他说，“在湖州的事，见了内人，不必提起。”

这句话解消了刘不才心里的一个疙瘩，脑筋就变得灵活了。“那么，”他提醒他说，“你也不能叫我三叔！脱口出来，就露了马脚。”

“不要紧。倘或内人问起来，我只说我先认识你侄儿，跟着小辈叫，也是有的。”

“算了，你叫我别样。我也不想做你的长辈，宁愿做朋友。”

“是的！刘三爷。”

这是官称，刘不才欣然同意。一起坐轿到了胡家，刘不才拜见胡雪岩的母亲和妻子，口称“伯母”“大嫂”。看这位“胡大嫂”人虽精明，但极顾“外场”，不是那种蛮不讲理的悍泼妇人，刘不才替芙蓉放了一半心。

于是围炉把酒，胡雪岩开始谈到庞二。“你晓得的，我现在顶要紧的一笔生意，是上海的丝。”他说，“我既然托了你，以后也还要共事，我不必瞒你。年关快到了，各处的账目要结，应该开销的要开销，上海那批丝，非脱手不可。”

“嗯，嗯！”刘不才生长在湖州，耳濡目染，对销洋庄的丝自然也颇了解，“现在价钱不错呀！不如早早脱手。摆到明年，丝一变黄，再加新丝上市，你就要吃大亏了。”

“是的，眼前的价钱虽不错，不过还可以卖得好，说句你不相信的话，价钱可以由我开。”

“有这样的好事！”刘不才真的有些不信，反问一句，“那你还在这里做啥？赶紧到上海去呀！”

“对！就这几天，我一定要动身。现在只等庞二的一句话。”

这一句话就是要取得庞二的承诺，要他在上海跟洋商做丝的交易，跟胡雪岩采取同样的步骤。胡雪岩已经得到极机密的消息，江苏的督抚已经联衔出奏，因为在上海租界中的洋人，不断以军械粮食接济刘丽川，决定采取封锁的措施，断绝内地与洋人的贸易，迫使其转向“助顺”。这一来，丝茶两项，来源都会断绝，在上海的存货，洋人一定会尽量搜购，只要能够“垄断”，自然可以“居奇”。

“原来如此！”刘不才很有把握地说，“这庞二一定会答应的，挑他赚钱，何乐而不为？”

“话不是这么说。”胡雪岩大摇其头，“你不要把事情看得太容易！”

刘不才是不大肯买账的性格。“我倒不相信！”他说，“庞二没有不答应的道理。”

“凭交情，自然会答应。交情不够就难说了。你要晓得。第一，他跟洋人做了多年的交易，自然也有交情，有时不能不迁就；第二，在商场上，这有面子的关系——说起来庞二做丝生意，要听我胡某人的指挥。像他这样的身份，这句话怎么肯受？”

想想果然！刘不才又服帖了，笑着说道：“你的脑筋是与众不同。这样一说，我倒还真得小心才好。”

“对了！话有个说法。”胡雪岩接下来便教了他一套话。

刘不才心领神会地点头，因为休戚相关的缘故，不免又问：“万一你倒扳价不放，洋人看看不划算，做不成交易，岂非枉做恶人？而且对庞二也不好交代！”

“不会的！”胡雪岩答道，“外国的丝，本来出在叫作意大利的一个国度，法兰西也有。前个七八年，这两个国度里的蚕，起了蚕瘟，蚕种死了一大半，所以全要靠中国运丝去。原料不够，外国的丝厂、机坊都要关门，多少人的生计在那里！他们非买我们的丝不可。羊毛出在羊身上，水涨船高，又不亏洋丝商的本，怕什么！”

“你连外国的行情都晓得！”刘不才颇有闻所未闻之感，“怪不得人家的生意做不过你。”

“好了，好了！你不要恭维我了。”胡雪岩笑道，“这些话留着跟庞二去说。”

刘不才如言受教，第二天专程去访庞二，一见面先拿他恭维一顿，说他做生意有魄力，手段厉害，接着便谈到胡雪岩愿意拥护他做个“头脑”的话。

“雪岩的意思是，洋人这几年越来越精明，越来越刁，看准有些户头急于脱货求现，故意杀价。一家价钱做低了，别家要想抬价不容易，所以，想请你出来登高一呼，号召同行，齐心来对付洋人！”

“是啊！我也想到过，就是心不齐。原是为大家好，哪晓得人家倒像是求他似的。”庞二摇摇头，叹口气，“唉！我何苦舒服日子不过，要吃力不讨好，自己给自己找气来受！”

“你是大少爷出身，从出娘胎，也没有受过气，自然做不来这种仰面求人的事。雪岩也知道，他只请你出面为头，靠你的地位号召，事情归他去做。”

“这也不敢当！”庞二答道，“老胡这样捧我，实在当不起。”

这话就要辨辨味道了，可能是真心话，也可能是推托。如果是推托，原因何在？刘不才这样想着，一面口中恭维，一面在细察庞二的脸色。

这是刘不才有阅历的地方！庞二果然是假客气的话。他对胡雪岩虽颇欣赏，但相知不深，对于胡雪岩一下子如跳龙门似的，由穷小子闯出这样的手面，其间的传奇也听人约略谈过，认为他实力毕竟有限，深恐他弄什么玄虚，存着戒心。

说到后来，刘不才有些着急了。“庞二哥，承蒙你看得起我，一见如故，所以雪岩托我这件事，我一口答应。现在你一再谦虚，似乎当我外人看待。”说到这里，刘不才发觉自己的态度有些过分，便笑一笑说，“好了，好了！庞二哥，我不管这桩闲事了。我请你到‘江山船’上吃花酒去。”

最后这一转很好，庞二觉得刘不才很够朋友，自己虽存着猜疑之心，他却依旧当自己好朋友，这很难得。

就一转念之间，心便软了，觉得无论如何要有个交代，于是庞二这样笑道：“老刘，你不要气急！不看僧面看佛面，你第一趟跟我谈正经事，又是为彼此的利益，我怎么能不买你的账？不过，我也说句实话，像这样的事，做好了没有人感激，做坏了，同行的闲话很多。中国人的脑筋比外国人好，就是私心太重，所以我不敢冒昧出头。现在这样，我跟老胡先谈一谈再说，能做我一定做，决不会狗皮倒灶。你看好不好？”

“哪还有不好的道理？你说，你们在哪里谈？”

“今天我还有一个约，没有空了，就明天吧。”庞二又说，“你不是要请我吃花酒吗？我们就在江山船上谈好了。”

“一言为定。明天请你江山船上吃花酒，我发帖子来。”

“这不必了。你是用哪家的船？”庞二对此道也很熟悉，“顶好的是小金桂的船，只怕定出去了。其次就是‘何仙姑’的船。”

“好，不是小金桂，就是何仙姑。事不宜迟，我马上去办。定好了船，还是发帖子来。”

“好，好，我听你招呼。”庞二又说，“人不宜太多，略微清静些，好谈正事。”

刘不才答应着告辞而去。他进城直接去找胡雪岩，细说了经过，表示佩服胡雪岩有先见之明，果然事情不那么容易，又说他未能圆满达成任务，深感歉疚。

“这是哪里的话！”胡雪岩安慰他说，“有这样一个结果，依我看，已经非常好了。”

“那么，预备怎么跟他谈呢？”

“那自然要临机应变。看样子，他是跟我初次共事，还不大能够相信。”胡雪岩又说，“这件事即使做不成功，我以后跟他合作的日子还有。所以，三爷，倘或事情谈不拢，你不必摆在心上，好像觉得对不起我，他不够朋友。你要一切照常，一点不在乎。你懂我意思不懂？”

“当然懂！”刘不才深深点头，“这个朋友是长朋友。”

“对了！”胡雪岩极欣慰地，“说这话，你是真的懂了。”

于是，刘不才告辞回去，托刘庆生派人定了小金桂的船，又发帖子，整整忙了一下午，才算诸事就绪。哪知到了夜里，突然接到庞二的信，说他接到家报，第二天必须赶回南浔，花酒之约，只得辞谢；胡雪岩的事，希望即晚谈一谈，在何处见面，立等回音。

信是由庞家的听差送来的。刘不才打听了一下，才知道庞二闹家务，看起来他的心境不会好，对胡雪岩的事，自然也不会感兴趣，谈与不谈已经无关宏旨了。不过想到“长朋友”这句话，刘不才觉得对庞二应有一番慰问之意，因此告诉庞家的听差，说他马上约了胡雪岩去拜访。

等庞家的听差一走，刘不才接着也赶到了胡家，相见之下，说了经过。胡雪岩大为皱眉，沉吟了好半晌，倏地起身，成竹在胸似的说：“走吧！船到桥头自然直。”

坐轿出城，见着了庞二，胡雪岩发觉他眉宇之间隐然有忧色，便不谈自己的事，只问庞二有何急事，要赶回家去。

“我叫人告到官里了！”庞二很坦率地回答，“这一趟回去，说不定要对簿公堂。”

“不幸之至。”胡雪岩问道，“到底为了什么？”

“这话说来太长，总之，族中有人见我境遇还过得去，无理取闹。花几个钱倒不在乎，但这口气忍不下去。”

一听这话，就知道无非族人夺产。事由不明，无法为他出什么主意，胡雪岩只好这样相劝：“庞二哥，讼则终凶，唯和为贵。”

“和也要和得下来。”庞二摇摇头，“唉！不必谈了。”

庞二不谈，胡雪岩却不能不谈，也不可不谈，因为他可以帮庞二的忙。

“如果你愿意和，我包你和得下来。”胡雪岩说，“庞二哥，打官司你不必担心！只要理直，包赢不输。不过俗话说得好：富不跟穷斗。你的官司就打赢了也没有什么意思。”

“啊！”庞二突然双眼发亮，“对了，你跟王大老爷是好朋友。这个忙可以帮我。”

“当然。”胡雪岩说，“我先陪你走一趟。你的事要紧，我上海的事只好摆着再说了。”

这是以退为进的说法，庞二被提醒了。他是阔少的作风，遇到这些地方，最拿得出决断。“老胡！”他说，“你上海的事不要紧，都在我身上。你说，要我怎么样？”

“刘三爷跟你大致已经谈过了。我就是想庞二哥来出面，我劝同行齐心一致，由我陪你去跟洋人谈判。”

“我是没有空来办这件事了。”庞二问道，“你在上海有多少丝？”

“我有两万包。”

“那就行了。我跟你加在一起，已经占到百分之七十，实力尽够了。你跟洋人会谈，我把我的栈单交了给你，委托你代我去做交易，你说怎么就怎么。这样总行了吧？”

得到这样一个结果，胡雪岩喜出望外。有庞二的全权委托，不但对洋商的交易可以顺利达成，而且自己的声望立刻就会升高。但好事来得太容易，反令人有不安之感，他不敢有得意的神色。“庞二哥，你这个委任重了！”他戒慎恐惧地说，“我怕万一搞得灰头土脸，对你不好交代。”

“不会的！”庞二答道，“我听老刘谈过了，你对丝不外行。就请你记住一句话，‘顺风旗不要扯得太足’，自然万无一失。”

“是的，”胡雪岩衷心受教，“我照你的话去做。价钱方面，我总还要跟你商量的，不会独断独行。”

“不必，你看着办好了。至于回扣——”

“不，不！”胡雪岩急忙摇手，“你这么捧我，我决不能再要回扣。原是你自己可以谈的事，怎么好损失回扣？我晓得你为人大方，不过你手下也有一班‘朋友’，叫他们背后说你的闲话，变得我对不起你了。”

听这一说，庞二越觉得胡雪岩“落门落槛”，是做生意可以倾心合作的人。别人漂亮，他更不肯马虎，坚持一定要送，胡雪岩也作了很肯定的表示，倘或庞二一定要送，他不能不收，只是除了必要的开支以外，余数他要送庞二手下的“朋友”。

“那随你，我就不管了。”庞二又说，“今天晚上我就写信通知上海，把栈单给你送去。送到哪里？”

“不是这么做法，只请你写封委托信给我，同时请你通知宝号的档手，说明经过。栈单不必交给我。”

这样做，亦无不可。谈完胡雪岩的事，庞二谈他自己的事。照胡雪岩的想法，上海那方面的生意，他可以托人代办，自己该陪着庞二到湖州，去替他料理官司。刘不才也在旁边帮腔，说胡雪岩对这种排难解纷的事最为擅长，此行少不得他。但唯其如此，庞二反倒顾虑了。

“老胡！有你出大力帮忙，这件事，我现在就可以放心，至多惹几天麻烦，花几吊银子，没有什么大不了的。不过，我不愿意落个仗势欺人的名声。你陪了我去，好是好，就只一样不妥——湖州好些人都知道你跟王大老爷是知交，看你出面，明明王大老爷秉公办理，别人说起来，总是我走了门路。”庞二停了一下又说，“这一来不但我不愿意，对王大老爷的官声也不好。”

听了这番话，胡雪岩心想，谁说庞二是不懂事的纨绔，谁就是有眼无珠的草包！因而他心悦诚服地答说：“庞二哥看事情，真正透彻！既然如此，我全听吩咐。”

“不敢当！”庞二说道，“我只请你切切实实地替我写封信，我也是备而不用。”

“好的。我的信要写两封，一封给王雪公，一封给刑幕秦老夫子——此人我也是有交情的，庞二哥有什么难处，尽管跟他商量。”

“这是文的一面，还有武的一面。”刘不才插嘴问庞二，“郁四，你认不认识？”

“认是认得，交情不深。”庞二答道，“说句实话，这些江湖朋友，我不大敢惹。”

“这个人也是‘备而不用’好了。”胡雪岩说，“信我也是照写，其实不写也不要紧，郁四听见是庞二哥的事，不敢不尽心。”

这是胡雪岩拿高帽子往庞二头上戴，意思是以庞家的名望，郁四自然要巴结。只是恭维得不肉麻，庞二听了非常舒服，心里在想：他们杭州人的俗语，“花花轿儿人抬人”，胡雪岩越是如此说，就越要买他的面子。

“老胡，听你这一说，郁四跟你的交情一定不错。你的朋友就是我的朋友，我这趟回湖州，倒要交他一交，请你替我写介绍信。”

“一句话！”胡雪岩起身告辞，“你就要走了，总还有些事要料理，我不耽搁你的工夫，明天一早，我把信送来。”

这天晚上胡雪岩备下三封极其切实的信，第二天一早带到庞二那里。投桃报李，庞二交给胡雪岩的两封信也很实在，一封是委托书，一封是写给他在上海的管事的，特意不封口，请胡雪岩代发，意思是让他过了目，好放心。这使得胡雪岩对庞二又有深一层的了解：做事不但豪爽，而且过节上的交代，一丝不苟，十分漂亮。

第八章

有了这封委托书，胡雪岩要好好地动脑筋了。

他不断跟古应春有书信往来，上海方面的生意，是托古应春代为接头，尤五的一切情形，也是由古应春代达。所以庞二这面谈成功，他第一件事，就是写信告诉古应春，然后料理杭州这方面所经手的事务，预备在十二月初动身到上海，尽月半以前把丝卖出去，好应付公私账目。然后开了年，另外再推出新的计划，大干一番。

不多几天，古应春的回信来了。让胡雪岩大出意外的是，洋人那方面变了卦，他们表示年关以前，无意买丝。表面是说，他们国内来信，存货已多，可以暂停。实际上照古应春的了解，外国人也学得门槛精了，知道中国商场的规矩——三节结账，年下归总，需要大笔头寸，有意想“杀年猪”。如果胡雪岩价钱不是扳得太高，洋人为了以后的生意，也不会赶尽杀绝。

“事情麻烦了！”胡雪岩跟刘不才说，“我自己要头寸在其次，还有许多小户，不能过关，一定会倒过来恳求洋商。虽然他们这点小数，不至于影响整个行情，但中国人的面子是丢掉了！”

“那就只有一个办法，”刘不才已经把胡雪岩佩服得五体投地，认为世上没有难得倒他的麻烦，所以语气非常轻松，“你调一笔头寸帮小户的忙，或者买他们的货，或者做押款，叫他们不要上洋人的圈套，不就完了吗？”

胡雪岩最初的计议就是如此，难就难在缺头寸，所以听了他的话，唯有报以苦笑。

这一下，刘不才也看出意思来了。“老胡，”他说，“我看庞二也是吃软不吃硬的脾气，听见洋人这样可恶，一定不服帖，你何不跟他商量一下看？他的实力雄厚，如果愿意照这个办法做，岂不就过关了？”

话是说得不错，但自己有许多公私账务，一定要有个交代，那又如何说法？这非得细细地通盘筹划一番不可。

这天晚上，胡雪岩跟刘庆生算了一夜的账，各处应付款项，能展期的展期，能拖一拖的拖一拖，无论如何要三十万两银子才能过关。而应收及可以调动的款子，不到十五万，头寸还缺一半，更不用说替丝商小户张罗过年的现款。

这就到了必须向洋商屈服的时候了。胡雪岩想想实在于心不甘，多少时间心血花在上面，为的就是要弄成“一把抓”的优势，如今有庞二的支持，优势已经出现，但“一把抓”抓不住，仍旧输在洋商手里，这是从何说起？

一方面不甘屈服，一方面又因急景凋年、时不我待，胡雪岩彻夜彷徨，想不出善策，急得鬓边见了白发。而刘庆生却又提出警告：该付的不付，面子要弄得很难看了！这个警告的意味，胡雪岩很了解。万一传出风声，说胡某人的周转不灵，阜康的存户便会纷纷提存；这样一“挤兑”，雪上加霜，阜康非倒闭不可。

于是他又想到刘不才的话，觉得庞二是个可共患难的人。与其便宜洋商，不如便宜自己人！他向庞二去开口，当然是件失面子的事，然而，这是同样的道理——与其丢面子丢给洋人，倒不如丢给自己人。

“三爷！你陪我到湖州去一趟。”他这样跟刘不才说，“这一趟去要看我的运气，如果庞二闹家务，已经顺顺利利了结，我说话也就容易了。不然，他自己都弄得‘头盔倒挂’，我怎么还开得出口？”

“好的。”刘不才说，“我看我们直接赶到南浔去吧，不必先到湖州，再走回头路就耽误工夫了。”

胡雪岩点点头，未置可否，心里在盘算杭州跟上海两方面的交代。但他细想一想，就是这三五天的工夫也不容易抽出来。年底下的商场，虽不是瞬息万变，却往往会出意外。万一有何变化，自己措手不及，岂不误了大事？刘不才看他踌躇不决，知道他必须坐镇杭州，因而试探着说：“雪岩，你看是不是我代你去走一趟？”

这倒是个办法。刘不才的才干，办这样一件事，可以胜任。但他还有一件事不放心。“三爷！”他说，“你去了不能露出急吼吼的样子……”

“这何消说得？”刘不才抢着说，“我不能连这一点都不懂。”

“不是！我还有话。”胡雪岩说，“既然不是急如星火的事，那就可以从从容容来。大少爷的脾气，你是最明白不过的。”他模拟着庞二的态度说，“‘好了，好了，凡事有我。先赌一场再说’。那时候你怎么样？”

刘不才想想不错，这一赌下来，说不定就耽误了胡雪岩的工夫，千万赌不得！

“我这样跟他说：我自己在杭州还有许多事，要赶回去料理，到年三十，我赶到南浔来，陪你好好赌几场。”

“对！就是这么说。”胡雪岩又郑重地加了一句，“三爷，你可不能拆我的烂污！”

“你不相信我，就不要叫我去。”

说到这话，胡雪岩便不能再多提一句，当时写了信，雇了一只船，加班添人，让刘不才星夜赶到南浔去会庞二。约定无论事成与否，三天以后，必定回来。

这三天自是度日如年的光景，但胡雪岩决不会独坐愁城，听天由命。他要作万一的打算，所以依然每天一早，坐镇阜康，不断派出人去联络试探，希望能找出一条得以筹集这笔巨款的路子来。

第一天第二天都毫无结果，到了第三天，他就有些沉不住气了。正在他攒眉苦思之时，嵇鹤龄到阜康钱庄来相访，一见面便讶然说道："雪岩，几天不见，你何以清瘦如此？"

异姓手足，无需掩饰。胡雪岩老实答道："还差三十万银子，怎么不急得人瘦？"

听这话，嵇鹤龄大吃一惊。"你怎不跟我说？那天我问你，你不是说可以'摆平'吗？"他带些责备的语气问。

"跟你说了，害你着急，何苦？"胡雪岩改用宽慰的语气说，"只要海运局的那笔宕账，你能给我维持住，别的也还不要紧。"

怎么又说不要紧？显见得他是故意叫人宽心。嵇鹤龄想了想问道："你总得想办法啰！"

"是的。"他说了遣刘不才到南浔乞援的事，"我给庞二的信上说，我愿意照市价卖多少包丝给他，便宜不落外方。我这样吃亏还卸面子，他应该可以帮我这个忙。"

"年底下一下子要调动三十万的头寸，不是件容易的事。"

"其实，有一半也可以过关了。"

"十五万也不是少数。"嵇鹤龄招招手说，"你来，我跟你说句话。"

到得僻处密谈，嵇鹤龄告诉他一个消息。是裘丰言谈起的，说有个洋商走了"炮局"龚振麟、龚之棠父子的路子，龚家父子又走了黄抚台三姨太的路子，决定跟洋商买一万五千支洋枪，每支三十二两银子，价款先发六成，就在这两天要立约付款了。

听得这个消息，胡雪岩大为诧异。买洋枪是他的创议，如果试用满意，大量购置，当然是他经手来办，何以中途易手，变成龚家父子居间？

当然，这是不用说的，其中必有花样。胡雪岩问道："可晓得那洋商叫什么名字？"

"不知道。听说是个普鲁士人。"

"那就不是哈德逊了。"胡雪岩说，"这笔生意，每支枪起码有十二两的虚头，一万五千支枪是十八万，回扣还不算。这样子办公事，良心未免太黑了一点。”

“这不去说它了。我告诉你这个消息，是提醒你想一想，这笔款子能不能在你手里过一过。若能够办得到，岂不是眼前的难关可以过去？”

这倒是个很新鲜的意见。胡雪岩对任何他不曾想到的主意都有兴趣，于是扳着手指数道：“一万五千乘三十二，总价四十八万银子，先付六成就是二十八万八，弄它一大半就差不多了。”

“你跟龚家父子认识不认识？我倒有个朋友，跟小龚很熟，可以为你先容。”

“好极了！等我想一想。这条路子一定有用的。”

胡雪岩略为一想，就看出了这桩交易之中的不妥之处。一万五千支洋枪，是一批极惹人注目的军火，近则上海的小刀会，远则金陵的“长毛”，一定都会眼红，如果在上海起运，不管陆路水路，中途都难免会出纰漏。

“怎么样能把合同打听出来就好了。”胡雪岩自语似的说，“我看这件事，怕有点靠不住！”

“怎么靠不住，千真万确有此事。”

“我不是说没有这件事，是说这笔生意，怕要出乱子，龚家父子会惹极大的麻烦。”接着，胡雪岩将他的顾虑跟嵇鹤龄细谈了一遍。

“我懂了！”嵇鹤龄说，“症结在交货的地方，如果是在上海交货，黄抚台得派重兵护运。这倒是很麻烦的事。”

“有了！”胡雪岩当时便把刘庆生找了来问说，“抚台衙门刘二爷的节敬送了没有？”

“还早啊！”

“要提前送了。”胡雪岩说，“我记得是每节一百两，过年二百两，请你另外封四百两，连例规一起送去，说我拜托他务必帮个忙！”

要刘二帮忙的，就是把合同的原底子设法抄了来。刘二看在两个红封总计六百两银票的面上，这个忙非帮不可；又因为龚家父子越过他这一关，以同乡内眷经常来往的便利，直接搭上了三姨太的线，心里原就有气；这时猜测胡雪岩的用意，大概要动脑筋打消这笔买卖，自所乐见，格外巴结。当天他就用五十两银子买通了黄宗汉的娈童兼值签押房的小听差，把合同的底稿偷了出来，关上房门，亲自录了个副本，再神不知鬼不觉地送到了胡雪岩手里。

合同上写的是由船运在浙江边境交货。胡雪岩倒弄不明白，这个名叫鲁道夫的普鲁士人具何神通，能够安然通过上海到嘉善的这一段水路。倘或中途出险，不能如约交货，又将如何？

细看合同，果然有个绝大的漏洞。这笔买卖，在卖主方面自然有保人，由上海的两家钱庄承保，但保的是“交货短少”及“货样不符”；又特为规定一样：“卖方将枪支自外洋运抵上海后，禀请浙江抚台衙门委派委员，即就海关协同检验，须验得式样数目相符，始得提领交运。”看起来好像公事认真，完全为了维护买方的利益，实际上是正好为卖方脱卸责任。

“好刀笔！”一起细看合约的嵇鹤龄书生积习，不免愤慨，“公家办事，就是如此！自作聪明，反上了别人的当。”

“恐怕不是自作聪明，是故作聪明。”雪岩说，“照这个合约来看，卖方只要把洋枪运到上海，在海关经过浙江的委员协同检验，数量式样相符，卖方就已尽了责任。如果中途遇劫，那就好比当票上的条规——‘天灾人祸，与典无涉’。保人是不保兵险的。真的闹将开来，洋人只要说一句：在你们中国地方被抢的，你们自己不能维持地方平靖，与外人什么相干？这话驳不倒，还只能捏着鼻子受他的！”

嵇鹤龄也是才气横溢、料事极透的人，听了胡雪岩的话，连连点头，嘴角中现出极深沉诡秘的笑容，眼睛不断眨动，似乎别有深奥的领悟似的。

“大哥！”胡雪岩问道，“你另有看法？”

“我是拿你的话，进一步去想。也许我是‘小人之心’，但是，人家未必是君子，所以我的猜测也不见得不对。”

说了半天，到底是指什么呢？胡雪岩有些不耐，催促着说：“大哥！你快说吧，这件事上，也许可以生发出什么办法来，如今时间不多了，我们得要快动脑筋，快动手。”

于是嵇鹤龄提纲挈领地只问了一句，胡雪岩就懂了。所问这一句是：“这会不会是个骗局？”

如果要行骗，根据合约来说，并不是不可能。洋枪运到上海关，浙江所派的委员验明了数目式样，无不相符，但交运中途，说是遇到劫盗，意外灾祸，不负责任。至于是不是真的抢走了洋枪，无可究诘，那就可以造成骗局。

倘或事先有勾结，浙江的委员虚应故事，数目既不够，式样也不符，而以“相符”禀报，及至被劫，亦是无可究诘，这个骗局就更厉害了。

“我看，”胡雪岩毕竟是商人，迟疑着问道，“这，我看他们不至于如此大胆吧？”

“哈！”嵇鹤龄冷笑，“你不知官场的龌龊！事实俱在，这合约中有漏洞，人之才智，谁不如我？我们一看就看出来了，他们经过那么多人看，说是不曾看出来，其谁能信？”

“是的。”胡雪岩点点头，转问出一句极要紧的话，“既然我们看出来了，该怎么办？”

嵇鹤龄笑了。“以你的聪明，何需问我？”他说，“你定策，我看我能不能帮你的忙！”

胡雪岩觉得嵇鹤龄这个人不失为君子，在这样异姓手足之亲，时不我待之迫，有了机会还不肯出“坏主意”，就算很难得了。

“办法当然很多。”胡雪岩想了想说，“光棍不断财路，只要他们不是行骗，生意仍旧让他们去做。不过，我觉得黄抚台不作兴这样，我也帮过他好些忙，买洋枪又是我开的路子，现在叫别人去做这笔生意，想想于心不甘。”

嵇鹤龄听他的话一脚进、一脚出，便知道他的意思了。反正只要能对他眼前的难关有帮助，他也不愿多事，照此宗旨替他设想，觉得有跟龚家父子开个谈判的必要。

"请谁去谈判呢？"胡雪岩问，"托你的朋友？"

"不！这件事你我先都还不便出面，叫裘丰言去！"

"妙！妙！"胡雪岩抚掌称善，"我们马上找他来谈。"

于是就借嵇鹤龄的地方，由瑞云设炉置酒，叫人去请裘丰言。时已深夜，天气已冷，裘丰言黄昏时分喝得醺醺然，早已上了床，但听说嵇、胡二人请他围炉消夜，立刻披衣起床，冒着凛冽的西北风，兴冲冲地赶到嵇家。

一进门他就把"寒夜客来茶当酒"这句诗改了一下，朗然而吟："寒夜客来酒当茶！"

不但嵇鹤龄和胡雪岩相视莞尔，连隔室的瑞云都笑了。只见小丫头把门帘一掀，瑞云一手提个酒瓶，一手提把酒壶，扬一扬笑道："裘老爷，有的是酒，中国酒、外国酒都有，你尽管喝！"

"多谢如嫂夫人！"裘丰言兜头一揖，然后接过一瓶白兰地，拔开塞头，先就嘴对嘴喝了一口。

这一下惹得瑞云又笑。"裘老爷喝酒倒省事，"她说，"用不着备菜！"

"这话在别处可以这么说，在府上我就不肯这么说了。"

"为什么呢？"

"说了是我的损失。说句不怕人见笑的话，我这几天想吃府上的响螺跟红糟鸡，想得流涎不止。"

"那真正是裘老爷的口福，今天正好有这两样东西。"瑞云笑道，"不过，不好意思拿出来待客，因为吃残了！"

"怕什么，怕什么！来到府上，我就像回到舍下，没有说嫌自己家里的东西吃残的。"

于是瑞云将现成的菜办了一个火锅，摆四只碟子为他们主客三人消夜。嵇鹤龄一面劝酒，一面为裘丰言讲那张购枪合同的毛病。他虽未提到胡雪岩，且有了几分酒意，但一向与胡雪岩交好的裘丰言却很替他不平。

"是可忍，孰不可忍！这件事非得好好评理不可。"

“少安毋躁！”嵇鹤龄拉着他的手说，“今天请你来就是要跟你商量个打抱不平的办法。毛病捉住了，但‘没有金刚钻，不揽碎瓷器’，龚家父子也不是好相与的人，这件事还得平心静气来谈。”

“好，好！”裘丰言喝口酒，夹块红糟鸡放在口中咀嚼着，含含糊糊地说，“有你们两位在，没有我的主意，你们商量，我喝着酒听。”

嵇胡两人对看一眼，都觉得老实人也不易对付。他们原先有过约定，预备一搭一档，旁敲侧击，让裘丰言自告奋勇。但现在裘丰言是“唯君所命”的态度，他们说话就不能再绕圈子，否则便显得不够朋友。因此二人反觉得为难。

当然，还是得嵇鹤龄开口，他想了一下看着胡雪岩说：“做倒有个做法，比较厉害，不过盘马弯弓，不能收立竿见影之效。”

“不管它！你先说你的。”

“我想，老裘办过一回提运洋枪的差使，也可以说是内行，不妨上他一个说帖，就说有英商接头，愿意卖枪给浙江，条件完全跟他们一样，就是价钱便宜，每支只要二十五两银子。看他们怎么说？”

“此计大妙！”说不开口的裘丰言，到底忍不住开口，“有此说帖，黄抚台就不能包庇了，不然言官参上一本，朝廷派大员密查，我来出头，看他如何搪塞？”

“不至于到此地步。这个说帖一上，龚家父子一定会来找你说话，那时就有得谈了。”嵇鹤龄转眼看着胡雪岩说，“有好处也在年后。”

裘丰言不明用意，接口又说：“年后就年后，反正不多几天就过年了。”

嵇鹤龄听得这话，慢慢抬眼看着胡雪岩——是征询及催促的眼色，意思是让他对裘丰言有所表白。

胡雪岩会意，但不想说破真意，因为这对裘丰言无用。此人样样都好，就是办到正事，头绪不能太多，跟他说了他也许反嫌麻烦，答一句：“长话短说，我记不住那么多！”岂不是自己找钉子碰？

因此，胡雪岩只这样说："不管什么时候收效，这件事对老裘有益无害，我看先上了说帖再作道理。"

"那也好。"嵇鹤龄转脸问道，"老裘，你看怎么样？"

"除却酒杯莫问我！"醉眼迷离的裘丰言，答了这样一句诗样的话，一只手又去抓酒瓶。

"你不能喝了！"嵇鹤龄夺住他的手，"要办正事就不能喝醉。等办完了事，我让你带一瓶回去。"

裘丰言恋恋不舍地松了手。瑞云在隔室很见机，立刻进来收拾残肴剩酒，另外端来一锅"烧鸭壳子"熬的粥，四样吃粥小菜。裘丰言就着象牙色的"冬腌菜"，连吃三碗。"好舒服！"他摸着肚子说，"酒醉饭饱，该办正事了。是不是拟说帖？"

"对了！"嵇鹤龄问道，"你还能动笔不能？"

"有何不能，'太白斗酒诗百篇'，何况平铺直叙一说帖？"

"那好！你先喝着茶，抽两袋烟休息。我跟雪岩商量一下。"

于是两个人移坐窗前，悄悄地商议，因为有些话不便当着裘丰言说。首先就要考虑他个人的利害。

"这个说帖一上，黄抚台自然把裘丰言恨得牙痒，将来或许会有吃亏的时候，我们做朋友的，不能不替他想到。"

"这当然要顾虑。不过，大哥，我跟你的看法有点两样，黄抚台这个人，向来敬酒不吃吃罚酒，说不定这一来反倒对老裘另眼相看。"

嵇鹤龄想了想说："这一层暂且不管，只是这个说帖，要弄得像真的一样才好。"

"本来就要有这个打算。真的这笔生意能够拿过来，二十五两银子一支一定可以买得到，而且包定有钱赚。"

等这一点弄明白了，说帖便不难拟。移砚向灯，他们两个人斟酌着一条一条地说，裘丰言便一条一条地写。写完再从头斟酌，作成定稿，说好由裘丰言找人去分缮三份，一份送抚台，一份送藩台。这件事明天上午就得办妥。

“好！这都归我。现在问下一步，说帖送了上去，黄抚台要找我，我该怎么说？”

“黄抚台不会找你！”嵇鹤龄极有把握地答道，“要找一定是龚家父子来找你。”

“那总也要有话说啊！”

“这不忙！他来找你，你来找我。”

“等我来找你，你的‘过年东道’就有着落了。”胡雪岩觉得这话不妥，因而紧接着笑道，“这是我说笑话，不管怎么样，你今年过年不必发愁，一切有我！”

“多谢，多谢！”裘丰言满脸是笑，“说实话，交上你们两位朋友，我本来就不用愁。”

说到这里，裘丰言站起身来告辞，胡雪岩亦不再留，一起离了嵇家，约定第二天晚饭时分，不管消息如何，仍在嵇家碰头。

裘丰言感于知遇，特别卖力，回家以后就不再睡。好在洋酒容易发散，洗过一把脸，喝过两杯浓茶，神思便已清醒，于是裘丰言挑灯磨墨，决定把这通说帖抄好了它，一早“上院”去递。

这一番折腾，把他的胖太太吵得不能安眠。“死鬼！”她在帐子里“娇嗔”，“半夜三更，又是这么冷的天气，不死到床上来，在搞啥鬼！”

“你睡你的，我有公事。”

这真是新闻了，裘丰言一天到晚无事忙，从未动笔办过公事，而况又是如此深宵，说有公事，岂非奇谈！

“你骗鬼！什么公事？一定又是搞什么‘花样’，穷开心！”胖太太又说，“快过年了，也不动动脑筋，看你年三十怎么过？”

“就是为了年三十好过关，不能不拚老命。你少跟我啰唆，我早早弄完了，还要上院。”

听他说上院，就知绝不是搞什么“花样”，胖太太一则有些不信，二则也舍不得“老伴”一个人“拼老命”，于是从床上起身。她走来一看，白折子封面写着“说帖”二字，这才相信他真的是在忙公事。

“你去睡嘛！”裘丰言搓一搓手说，“何苦陪在这里受冻！”

“你在这里办公事，我一个人怎么睡得着？”

听得这话，裘丰言的骨头奇轻，伸手到她的脸上，将她那像泻粉似的皮肉轻轻拧了一把，然后提起笔来，埋头疾书。

他的一笔小楷，又快又好，抄完不过五更时分。胖太太劝他先睡一会儿，裘丰言不肯，吃过一杯早酒，挡挡寒气，趁着酒兴，步行到了巡抚衙门，找着刘二，道明来意。

由于裘丰言为人和气，所以人缘极好。刘二跟他是开玩笑惯了的，把“裘老爷”叫成“舅老爷”。“舅老爷！”他笑着说道，“已经冬天了，‘秋风’早就过去了，你这两个说帖没得用！”

“难道上说帖就是想打秋风？”裘丰言答道，“今年还没有找过你的麻烦，这件事无论如何要帮我的忙。”

“怎么帮法？”

“马上送到抚台手里，不但送到，还要请他老人家马上就看。”

“有这么紧要？”刘二倒怀疑了，“什么事，你先跟我说一说。”

裘丰言已听嵇鹤龄和胡雪岩谈过，知道刘二对龚家父子亦颇不满，心想这件事不必瞒他，便招一招手把他拉到僻处，悄悄说道：“我有个户头要推销洋枪，这件事成功了，回扣当然有你一份。”

“推销洋枪！”刘二细想一想，从裘丰言跟胡雪岩的关系上去猜测，就知道是怎么回事了，便毫不迟疑地答道，“我有数了。倘有信息送哪里？”

这句话把裘丰言问住了，他得先想一想是什么信息。如果是黄抚台的约见，则嵇鹤龄已经说过，不会有这样的情形。看起来，这个推断还是不确，得要预备一下。

“你是说抚台会找我？”裘丰言想了想答道，“你寻我不易，这样吧，我下午再来一趟。”

“也好！如果有信息，而我又不在，必定留下信，否则就是没有消息，你请回好了。”

这样约定以后，裘丰言方始回家补觉，一睡睡到午后两点才醒。只见胖太太递给他一封信，是胡雪岩写来的，约他下午三点在阜康钱庄见面。

原来说好了，晚上仍旧在嵇家相会，如今提前约晤，必有缘故。裘丰言不敢怠慢，匆匆漱洗，出门赴约。

一到阜康钱庄，裘丰言头一个就遇见陈世龙，彼此是熟识的，寒暄了几句。去见胡雪岩，只见他神采焕发，喜气洋洋。裘丰言不由得诧异：“咦！你今天像个新郎官！”

胡雪岩笑一笑，不理他的话，只问：“那东西递上去了？”

“昨天晚上回去——”他倒也不是“丑表功”，只是要说明替好朋友办事的诚意，所以把整个经过情形讲了一遍。

“好极！事缓则圆。回头你就再辛苦一趟，看看有什么信息，打听过了，晚上我们在嵇家喝酒。”

“好，好，我这就去。”裘丰言又问，“不过有件事我不明白，你特为约我此刻见面，就是问这句话？”

“是的！我的意思，怕你说帖还不曾送出去，就摆一摆，等我到了上海，把那个普鲁士人的底细摸清楚了再说。既然已送了出去，那也很好。”

这一说裘丰言更为困惑。“怎么，一下子想到要去上海？”他问，“哪天动身？”

“日子还没有定，总在这两天。喔，”胡雪岩想起一件事，从口袋里取出一个红封袋，塞到裘丰言手里，笑着说道，“赶快回去跟你胖太太交账，好让她早早筹划打年货！”

裘丰言抽开封套，看是一张四百两银子的银票，心里愧感交集，眼圈有些发红。

胡雪岩不肯让他说出什么来，推着他说：“请吧，请吧，我不留你了，回头嵇家见。”

* * *

陈世龙的不速而至，令胡雪岩颇感意外。但说穿了也就不稀奇，是刘不才“抓差”。

到庞家的交涉还算顺利，主要还是靠胡雪岩自己。由于他那两封信，王有龄对庞二自然另眼相看，嘱咐刑名老夫子替他们调解争产的纠纷。原告是庞二的一个远房叔叔，看见知府出面调停，知道这场官司打下去得不到便宜，那时“敬酒不吃吃罚酒”，未免不智，所以愿意接受调解。庞二早就有过表示：花几个钱不在乎，能够不打官司不上堂，心里就安逸了。因此，他看了胡雪岩的信，听了刘不才的叙述，一口答应帮忙。只是年近岁逼，人又在南浔，一下子要凑一大笔现银出来，倒也有些吃力。

“我来想办法！一定可以想得出。你就不必管了，先玩一玩再说。”

果然是胡雪岩预先猜到的情形出现了。刘不才心想，如果辞谢，必惹庞二不快，说不定好事就会变卦，但坐下来先赌一场，又耽误了胡雪岩的正事。他灵机一动，想到个两全其美的办法。

“庞二哥，我受人之托，要忠人之事，本来应该赶回去，不过你留我陪着你玩，我也实在舍不得走。要玩玩个痛快，不要叫我牵肠挂肚。这样，”他略作沉吟之态，然后用那种事事不无可疑、非如此办不可的语气说，“庞二哥，你把雪岩托你的事筹划好，我到湖州找个人回去送信！”

“好！”庞二很爽快地答应，“你坐一下，我到账房里去问一问看。”

他一走，刘不才也不愿白耽误工夫，立刻就写了一封信，请庞家派个人到湖州，把陈世龙找来待命。

“家里倒有点现银，过年要留着做赌本，也防着穷朋友穷亲戚来告贷，不能给老胡。”庞二说道，“我在上海有好几十万账好收，划出二十五万给老胡，不过要他自己去收。有两笔账或许收不到，看他自己的本事。”

“好的，好的！”刘不才觉得有此结果，大可满足，“你帮雪岩这么一个大忙，我代表他谢谢。不过，这笔款子，怎么算法，你是要货色，还是怎么样？请吩咐了，我好通知雪岩照办。”

“要什么货色？算我借给老胡的，等他把那票丝脱手了还我。”

“是！那么，利息呢？”

“免息！”

“这不好意思吧——”刘不才迟疑着。

“老刘！”庞二放低了声音，“我跟你投缘，说老实话吧，其中有两笔账，大概七八万银子上下，不大好收。听说老胡跟松漕帮的尤老五交情很够，这两笔账托尤老五去收，虽不能十足回笼，但七成账是有的。能够这样，我已经承情不尽，尤老五那里，我自然另有谢意，这都等我跟老胡见了面再谈。”

陈世龙非常巴结，接信立刻到南浔。刘不才已经在牌九桌上了，抽不出空写信，把他找到一边，连话带庞二的收账凭证，一一交代明白。陈世龙随即坐了刘不才包雇的快船，连夜赶到杭州。

胡雪岩一块石头落地。不过事情也还相当麻烦，非得亲自到上海去一趟不可，而杭州还有杂务要料理。尤其是意外发现的买洋枪这件事，搞得好是笔大生意，由此跟洋人进一步的交往，对他的丝生意也有帮助；而搞不好则会得罪了黄抚台和龚家父子，倘或迁怒到王有龄和嵇鹤龄身上，关系甚重，更加放不下心。

看他左右为难，陈世龙便自告奋勇。“胡先生！”他说，“如果我能办得了，就让我去一趟好了。”

胡雪岩想了想，这倒也是个办法。“你一个是办不了的，要托尤五！”他断然决然地作了决定，“你先到松江，无论如何要拖着他在一起。其余的事，我托老古。”于是胡雪岩和陈世龙整整谈了一晚上，指点得明明白白。第二天一早，陈世龙就动身走了。就在这天，裘丰言所上的说帖有了反应。一大早便有一顶蓝呢大轿抬到裘家门口，跟班在拜匣里取了张名帖，投到裘家“门上”。看门的是早就受了嘱咐，一看帖子便回说主人出门了，其实裘丰言刚刚起身。

客是走了，名帖却留了下来，是炮局坐办龚振麟来拜访过了。裘丰言大为兴奋，一直赶到阜康钱庄，见了胡雪岩就说：“鹤龄好准的阴阳八卦！你看，老龚果然登门求教来了。”

“你见了他没有？”

“自然不见。一见便万事全休，他要一问，我什么也不知道，真正是‘若要盘驳，性命交脱’！”

“没有那样子不得了，你别害怕。走，我们到鹤龄那里去。”

海运局年底清闲无事，嵇鹤龄在家纳福，冬日晴窗之下，正在教小儿子认字号。他看到裘丰言的脸色，便即笑道：“必是有消息了。”

“是啊！”裘丰言答道，“一路上我在嘀咕，从来不曾干过这种‘戳空枪’的把戏，不知道能应付得下来不能。”

他担心的是本无其事，亦无其人，若问到洋人在何处，先就难得回答。然而在胡雪岩和嵇鹤龄策划之下，这很容易应付。二人细细教了他一套话，裘丰言才真的有了笑容。

“我要去回拜，得借你的轿子和贵管家一用。”

“不好！”嵇鹤龄未置可否，胡雪岩先就表示异议，“那一下就露马脚了。”

“不错，不错！不要紧，我可以将就。”

裘丰言的朋友也很多，他另借一顶轿子，拿他的门上充跟班，将就着到炮局去回拜。名帖一递进去，龚振麟开中门迎接。龚振麟家就住在炮局后面，为示亲切，他先将裘丰言延入私第，叫儿子龚之棠来拜见。龚之棠一口一个“老伯”，异常恭敬。

“丰言兄，久仰你的‘酒中仙’。我也是一向贪杯，颇有佳酿，今天酒逢知己，不醉无归。”

“一定要叨扰，未免不成话！”

“老兄说这话就见外了。”龚振麟嘱咐儿子，“你去看看裘老伯的管家在哪里？把衣包取了来。”

“不必，不必！”裘丰言说，“原来是打算着稍微坐一坐就告辞，不曾带便衣来。”

“既如此，”龚振麟看看客人，又看看儿子，“之棠，你的身材跟裘老伯相仿，取一件你的皮袍子来，伺候裘老伯替换。”

裘丰言心想，穿着官服喝酒也嫌拘束，就不作假客气，等龚之棠叫个丫头把皮袍子取了来便随即换上。这是件俗称“萝卜丝”的新羊皮袍，极轻极暖，刚刚合身。

未摆酒，先设茶。福建的武夷茶，器具精洁，烹制得恰到好处。裘丰言是随遇而安的性格，跟点头之交的龚振麟虽是初次交往，却像熟客一样，一面品茗，一面鉴赏茶具，显得极其舒适随便。而龚振麟父子也是故意不谈正事，只全力周旋着，想在片刻之间结成“深交”。

品茗未毕，只见龚家两个听差抬进一坛酒来，龚振麟便说：“老兄对此道是大行家，请过来看看。”

裘丰言见此光景，意料必是一坛名贵的佳酿，便欣然离座，跟龚振麟一起走到廊下。只见那是一坛二十五斤的花雕，坛子上的彩画已经非常黯淡，泥头尘封变成灰色，隐约现得有字。拂尘一看，上面写着：道光十三年嘉平月造。

“哟！”裘丰言说，“整整二十年了！”

“是的，在我手里也有五六年了。一共是两坛，前年家母七十整寿，开了一坛，这一坛是‘樽因吾辈到时开’！”

裘丰言自然感动，长揖致谢。但他心里有些不安：这番隆情厚意，不在胡、嵇估计之中，以后投桃报李，倒下不了辣手了。

就在这沉吟之际，龚家听差已经将泥头揭开，取下封口的竹箸说：“裘老爷，你倒看一看！”

探头一看，坛口正好有光直射，只见一坛酒剩了一半，而且满长着白毛。这就证明了这确是极陈的陈酒。裘丰言果然是内行，点点头说：“是这样子的。”

于是，龚家听差拿个铜勺，极小心地撇净了白花，然后又极小心地把酒倒在一个绿瓷大坛中。留下沉淀的不要，又开了十斤一坛的新酒，注入瓷坛，顿时糟香扑鼻。裘丰言不自觉地在喉间咽下一口口水。

回屋入座，但见龚家的福建菜比王有龄家的更讲究。裘丰言得其所哉，在他们父子双双相劝之下，一连就干了三杯，顿觉胸膈之间，春意拂拂而生，通身都舒泰了。

等小龚还要劝干第四杯时，裘丰言不肯。“这酒上口淡，后劲足，不宜喝得过猛。”他说，“喝醉了不好！”

“老伯太谦虚了！无论如何再干一杯。先干为敬。”说着龚之棠“咽、咽”地一口气喝干了酒，侧杯向客人一照。

裘丰言也只好照干不误。自然，他的意思龚家父子明白，是要趁未醉之前，先谈正事。事实上也确是到了开谈的时候了。

“昨天我上院，听抚台谈起，老兄有个说帖，”龚振麟闲闲提起，“抚台嘉赏不已！说如今官场中，像老兄这样的热心又能干的人，真正是凤毛麟角了。”

“那是抚台谬奖。”裘丰言从容答道，“抚台是肯做事的人，不然，我也不肯冒昧。”

“是啊！抚台总算是有魄力的。不过做事也很难，像这趟买的洋枪，是京里的大来头。不晓得那普鲁士人具何手眼，力量居然达得到大军机，价钱当然就不同了，简直是狮子大开口！抚台把这桩吃力不讨好的差使委了我，好不容易才磨到这个价钱。我做了恶人，外面还有人说闲话，变得里外不是人。这份委屈，别人不知道，你老兄一定体谅！”

裘丰言心想，他拿大帽子压下来，也不知是真是假，此时犯不着去硬顶。好在胡雪岩已授以四字妙诀：不置可否！

于是他点点头答了一个字：“哦！”连这大军机是谁都不问。

“我现在要请教老兄，你说帖中所说的英商，是不是哈德逊？”

这不能不答：“是的。”

“这就有点奇怪了！”龚振麟看看他的儿子说，“不是哈德逊回国了？”

这话是说给裘丰言听的。他一听大惊，心想智者千虑，必有一失，胡雪岩本事再大，也不会想到哈德逊已不在中国。这一下，谎话全盘拆穿，岂不大伤脑筋？

幸好，第一，裘丰言酒已上脸，羞愧之色被掩盖着，不易发现；第二，裘丰言押运过一次洋枪，也到过上海，跟洋人打过交道，不是茫无所知；第三，最后还有一句托词。

“这怕是张冠李戴了！”他这样接口，“洋人同名同姓的甚多，大概是另外一个洋商哈德逊。至于我，这趟倒没有跟哈德逊碰头，是一个‘康白度’的来头。”

“康白度”是译音。洋人雇用中国人作总管，代为接洽买卖，就叫“康白度”，是个极漂亮的“文明辙儿”。龚家父子听他也懂这个，不觉肃然起敬。

“也许是的。”龚之棠到底年纪轻，说话比较老实，“是那个普鲁士人，同行相妒，故意这么说的。”

“对了！”龚振麟转脸跟裘丰言解释，“跟现在这个洋人议价的时候，我自然要拿哈德逊来作比，想杀他的价。如果他肯跟哈德逊的出价一样，那么，既买了上头的面子，公事上也有了交代。其中唯一的顾虑，是胡雪翁费心费力，介绍了一个哈德逊来，照规矩，应该让他优先，现在机会给了别人，说起来道理上是不对的。不过，军机上的来头不能不买账，事出无奈，所以我曾经跟抚台特为提到。抚台当时就说，胡某人深明大义，最肯体谅人，这一次虽有点对不起他，将来还有别的机会补报。军兴之际，采买军火的案子很多，下一次一定调剂他。又说：胡某人的买卖很多，或许别样案子，也可以作成他的生意，总而言之，不必争在一时。”

龚振麟长篇大套，从容细叙。裘丰言则酒在口中，事在心里，只字不遗地听着。他一面听，一面想，原是想跟洋商讲价，结果扯到胡雪岩身上。这篇文章做得离题了！黄抚台是否说过那些话，莫可究诘，但意在安抚胡雪岩，则意思极明。自己不便有所表示，依然只能守住“不置可否”的宗旨，唯唯称是而已！

“所以我现在又要请教，老兄所认识的这个哈德逊，与胡雪岩上次买枪的卖主哈德逊，可是一个人？”

这句话是无可闪避的，裘丰言觉得承认比不承认好，所以点点头说：“是的！”

“那么上次卖三十两银子一支，此刻何以又跌价了呢？”

“上次是我们向他买，这次是他自己来兜生意，当然不能居奇。”裘丰言自觉这话答得极好，一得意之下，索性放他一把野火，“再说句实话，我还可以杀他个三五两银子！”

“喔，喔！”龚振麟一直显得很从容，听到这一句，便有些穷于应付的模样了。

龚振麟大概也发觉到自己的神态，这落入裘丰言眼中不是一件好事。所以他极力振作起来，恢复原来的从容，喝口酒说道：“我有句不中听的话，不能不说与老兄听。哈德逊的货色，并不见得好，炮局曾拿老兄上次押运回来的洋枪试放过，准头不好。不知道这一次哈德逊来兜销的货色，是不是跟上次的一样？”

说“准头不好”，到底是确有其事，还是他有意这么说，裘丰言无法分辨，但后半段的话，却不难回答。“我的说帖上写得很明白，”他说，“照那个普鲁士人同样的货色。”

“这反而有点不大合龙了。”龚振麟说，“那批货色除他，别人是买不到的。”

不妙！裘丰言心想，这样谈下去，马脚尽露，再有好戏也唱不下去了。

于是他不答这话，单刀直入地问：“我要请教贤乔梓，那个普鲁士人在不在这里？好不好我当面跟他谈一谈？”

这是裘丰言的缓兵之计，用意是不想跟龚家父子多谈，哪知龚振麟却认为他真的想跟洋人见面盘问，心里有些着慌。因为其中有许多花样，见洋人一谈，西洋镜就都拆穿了。

于是他这样答道："洋人此刻在上海。老兄有何见教，不妨跟我说了，我一定转达。"

裘丰言多喝了几杯酒，大声说道："我想问问他，凭什么开价这么高！"

这语气和声音，咄咄逼人，龚振麟不觉脸色微变。"刚才已经跟老兄说过了，有京里的大来头，此间办事甚难。"他用情商的口吻说，"凡事总求老兄和胡雪翁体谅。"

说到这话，便无可再谈。裘丰言既不便应承，亦不便拒绝，只点点头说："老兄的意思，我知道了。"

局面变得有些僵。龚振麟当然不便硬逼，非要裘丰言打消本意收回说帖不可，唯有尽主人的情意，殷殷酬劝，希望裘丰言能够欢饮而归。

一顿酒吃了四个钟头，裘丰言带着八分酒意到了嵇家。胡雪岩正好在那里，听他细谈经过，不免有意外之感。

"原来是京里大军机的来头，怪不得敢这样明目张胆地做！大哥，"胡雪岩问嵇鹤龄，"你看这件事该怎么办？"

官场中的情形，嵇鹤龄自然比胡雪岩了解得多。"不见得是大来头，是顶大帽子。"他说，"你先不要让他给压倒了！"

"对！"裘丰言也说，"我就不大相信，堂堂军机大臣，会替洋商介绍买卖。"

"再退一步说，就算有大来头，也不能这么乱来！他有大来头，我们也有对付的办法，不过那一来是真刀真枪地干了！"

"怎么呢？大哥你有啥办法？"

"最直截了当的是，托御史参他一本，看他还敢说什么大来头不敢。"

这是极狠的一着。只要言官有这么个折子，即令黄宗汉有京里的照应可以无事，至少那桩买卖是一定可以打消的。但这一来就结成了不可解的冤家，只要黄宗汉在浙江一天，就有一天的麻烦，而且必然连累王有龄在浙江也无法混了。

当然，嵇鹤龄也不过这样说说，聊且快意而已。反倒是裘丰言由此触机，出了个极妙的“点子”。

“我想我们可以这么做，‘只拉弓，不放箭’。托个人去问一问，就说有这么一回事，不知其详，可否见告。看龚振麟怎么说。”

嵇鹤龄有些不解：“托什么人去问？”

“自然是托出一位‘都老爷’来。”

这一说嵇、胡二人都明白了。所谓“只拉弓，不放箭”，就是做出预备查究其事的姿态，叫龚振麟和黄宗汉心里害怕，自然便有确切的表示。

“好是好！但哪里去寻这么一位都老爷？从京里写信来问，缓不济急。”

裘丰言当然是有这么一个人在，才说那样的话。有个监察御史姓谢，请假回籍葬亲，假期已满，只等一开了年便要动身。这位谢都老爷是裘丰言的文酒之友，感情极好，一托无有不成之理。

“你看怎么样？”嵇鹤龄向胡雪岩说，“我是不服龚家父子的气，肆无忌惮，竟似看准了没有人敢说话似的。”

“我不是怄这个闲气，也不想在这上头赚一笔。只是我现在正跟洋人打交道，面子有关。”

嵇鹤龄懂胡雪岩的意思，心里在想：能把抚台作主的已有成议的买卖推翻，另找洋商，这消息传到夷场上去，足以大大地增加胡雪岩的声势；但另一方面，无疑地，黄宗汉和龚家父子都会不快；所以此事不干则已，一干就必定结了冤家。

“我想这样子，”胡雪岩在这片刻间，打定了主意，“这件事做还是做。有好处归老裘，一则他出的力多；二则也替他弄几文养老，或者加捐个实缺的‘大花样’，也会过一过官瘾。只是将来事情要做得和平。”

"再和平也不行！"嵇鹤龄说，"你从人家口去夺食，岂能无怨！"

"这我当然想到，"胡雪岩说，"光棍不断财路，我们这票生意倘能做成功，除了老裘得一份，龚家父子和黄抚台的好处，当然也要替他们顾到。"

"这还差不多！"

事情就此谈定局。实际上这等于是裘丰言的事，所以由他去奔走，胡雪岩只是忙自己的事。由于有尤五的帮忙和古应春的手腕，上海方面的情形相当顺利，杭州方面亦都"摆平"。到了腊月二十，几乎诸事就绪，可以腾出工夫来忙过年了。

就在送灶的那一天，裘丰言兴冲冲地到阜康来看胡雪岩。他带来一个好消息，说龚振麟已经跟他开诚布公谈过，那笔洋枪生意，预备双方合作。

龚振麟提出来的办法是，这一批洋枪分做两张合同，划出五千支由哈德逊承售，也就是裘丰言经手；抚台衙门每支拿二两银子作开销，此外都是裘丰言的好处。

胡雪岩算了一下，原来每支枪有十二两银子的虚头，如今只取了一个零数。换句话说，让出五千支就是损失了五万两银子。这不是笔小数，龚振麟岂甘拱手让人？只是为势所迫，不能不忍痛牺牲，心里当然记着仇恨。以后俟机报复，自己要替裘丰言挡灾，未免太划不来。

当然，既上了这个说帖，龚振麟不能不敷衍。他自己吃肉，别人喝汤，应该不会介意，但照现在这样，变成剜了他的心头肉，那就太过分了。可当初已经说过，有好处都归裘丰言，那么如今替龚振麟的利益着想，便又是剜裘丰言的心头肉，怕他会不高兴。这样想，胡雪岩左右为难，觉得这件事做得太轻率了。

"怎么回事？"裘丰言见他神色有异，困惑地问。

"老裘，"胡雪岩试探着说，"恭喜你发笔财！"

"那都是你挑我的。"裘丰言答道，"这笔好处，当然大家有份，将来听你分派。"

这个表示，使得胡雪岩很受安慰。只要裘丰言未曾存着“吃独食”的打算，事情就好办了。

“我跟鹤龄决不要！不过，老裘，钱要拿得舒服，烫手的钱不能用。哈德逊的这张合同，大有研究。”胡雪岩想了一下问道，“说实话，老裘，你想用多少钱？”

这话使人很难回答，裘丰言不解所谓，也不知道能用多少钱，唯有这样答道：“我说过，归你分派，你给我多少，就是多少。”

“是这样，我不能不从头说起。”胡雪岩说，“他们让出五千支来，就要损失五万银子，但是从哈德逊那里，弄不到这个数目，为啥呢？我算给你听——”

说帖上说，照同样的货色，每支只要二十五两银子，实际上每支二十两，只有五两银子的虚头，所以一共也只有二万五千银子的好处，除掉抚台衙门一万，还剩下一万五千银子。

“一万五千银子三股派，”胡雪岩说到这里，裘丰言自动表示，“每人五千。”

所望不奢，胡雪岩反倒过意不去。“你忙了一场，五千也太少了，你拿一万。”他说，“我跟鹤龄不要。”

“那么，还有五千呢，莫非送给龚振麟？”

“不错，不但这五千送他，还要问他，愿意戴多少‘帽子’。要这样，你的钱才不烫手。”

裘丰言先还不服气，经过胡雪岩反复譬解，总算想通了，答应照他的意思跟龚振麟会谈。

当然，这有个说法，说是哈德逊愿意每支枪再减一两银子，加上另外的二两，一共三两。这就是说每支枪以二十二两银子算。实收是这个数目，如果“上头还有别的开销，要加‘帽子’也不妨”。

一听这个说法，龚振麟的观感一变。裘丰言背后有胡雪岩，他是知道的，原来以为胡雪岩太辣手，现在才发觉他是“极漂亮”的一个人。

除了交情以外，当然更要紧的是估量利害关系。龚振麟对胡雪岩一派的势力相当了解。王有龄已有能员之名，在抚台面前很吃得开；嵇鹤龄也是浙江官场中一块很响的牌子，而此两人都倚胡雪岩为“谋主”。此人手腕灵活，足智多谋，尤其不可及的是人人乐为所用。像这样的人物，有机会可以结交而交臂失之，未免可惜。

打定了这个主意，龚振麟便对裘丰言这样表示：“不瞒老兄说，这件事里我的处境，实在为难。其中委曲，不必细表，以老兄及胡雪翁的眼力，自然能识得透。言而总之一句话，多蒙情让，必有所报。”

这几句话听得裘丰言大为舒服，便也很慷慨地说：“交个朋友嘛！无所谓。”

“是，是！俗语说得一点不错，‘在家靠父母，出外靠朋友’。朋友能交得上，一定要交。”龚振麟说，“事完以后，老兄这里，我另有谢意。至于胡雪翁那里，我当然也要致敬。想请教老兄，你看我该怎么办？”

“如果你有所馈赠，他是一定不肯收的。”裘丰言说到这里，灵机一动，“我为老兄设想，有个惠而不费的办法。”

“好极了！请指教。”

“阜康钱庄，你总知道，是杭州钱庄大同行中响当当的字号。老兄大可跟阜康做个往来，也算是捧捧他的场。”

“这容易得紧，容易得紧！”龚振麟一迭连声地说，“此外，我想奉屈胡雪翁小叙，请老兄为我先容。”

“好，好！胡雪岩很爱朋友的，一定会叨扰。”

“事情就这样说了。”龚振麟重又回到公事上，“哈德逊这方面的事，谨遵台命办理。上头有什么开销，我要上院请求了才能奉告。”说到这里，他又放低声音，作出自己人密诉肺腑的神态，“替黄抚台想想也不得了！一个年过下来，从京里到本省、将军、学政那里，处处打点，没有三十万银子过不了关。真正是‘只见和尚吃粥，不见和尚受戒’！”

听这口风，便知加的帽子不会小。裘丰言也不多说，回到阜康钱庄跟胡雪岩细谈经过。话还未完，刘庆生笑嘻嘻地走了进来，显然是有什么得意的事要说。

“胡先生，来了一笔意外的头寸，过年无论如何不愁了。”他说，“炮局龚老爷要立个折子存八万银子！”

这一下裘丰言也得意了，笑着问道：“如何？”

“你慢高兴。”胡雪岩却有戒慎恐惧之感，对刘庆生说，“这笔头寸，不算意外，随时来提，随时要有，派不着用场。”

“不！说了的，存三个月，利息随意。”

“那倒也罢了！”胡雪岩想了想说，“利息自然从优。这样，你先打张收条给来人，就说我马上去拜会龚老爷，存折我自己带去。”

刘庆生答应着管自己去料理。胡雪岩这时才有喜色，踌躇满志地跟裘丰言表示，这件事得有此结束，是意外地圆满。因为原来他最顾虑的是“治一经，损一经”，怕因为这件事，把王有龄跟黄抚台的关系搞坏。而照现在看，关系不但未坏，反倒添上一层渊源，岂不可喜？

“不过，也不能太兴头。”胡雪岩又说，“现在连‘买空卖空’都谈不到，只能说是‘卖空’，大包大揽答应了下来。哈德逊那里还不知道怎么说呢！”

“不要紧！你不是说哈德逊答应二十两一支？现在有个二两头的富余在那里，大不了我白当一次差，二十二两一支，总敲得下来。”

裘丰言这番表白很够味道。胡雪岩笑笑拍一拍他的肩，然后带着存折到炮局去拜访龚振麟。

一见面当然各道仰慕，十分投机。入座待茶，胡雪岩首先交代了存折，申明谢意，接着便谈王有龄的近况。套到这层关系上，二人更觉亲热，真正是“一见如故”了。

“这次裘丰翁上的说帖，多蒙雪岩兄斡旋，体谅苦衷，承情之至。”龚振麟说道，“我已经面禀抚台，抚台亦很欣慰，特地嘱我致意。”

如何致意没有说，意思是黄宗汉也很见情。胡雪岩矜持地笑了笑，没有多说什么。

“我虽承乏炮局，对洋务上所知并不多，以后还要请雪岩兄多指教！”

“不敢当。”胡雪岩急转直下地问道，“我想请教，跟普鲁士人订的那张合同，不知定在什么地方交货？”

“定在杭州。”龚振麟答道，“他答应包运的。”

“振麟兄！由上海过来，路上的情形，你估量过情形没有？”

“也晓得不大平靖，所以我已经面禀抚台，将来要派兵到边境上去接。”

“能入浙江境界，就不要紧了。”

“喔！”龚振麟很注意地问，“你是说江苏那段水路不平靖？”

“是的。小刀会看了这批枪，一定会眼红。”胡雪岩说，“不是我危言耸听，洋人包运靠不住。”

龚振麟吸着气，显然有所疑惧，望着胡雪岩，半晌说不出话。

“振麟兄，”胡雪岩很率直地说，“万一出事，洋人可以推托，或者禀请官厅缉捕。若如此，那场官司怎么打？”

“啊！”龚振麟满头大汗，站起身来，深深一揖，“多蒙指点，险险乎犯下大错。合同非修改不可，不能叫洋人包运，他也包不了。”

“是的！振麟兄明白了。”

“明白是明白了，怎么个办法，还要雪岩兄指点。”龚振麟又说，“这件事恐怕还要请教裘丰翁，他押运过一趟，路上的情形比较熟悉。”

“不须请教他。此事我可以效劳。”

“那太好了！”龚振麟又是一揖。

胡雪岩赶紧还了礼。到此地步，自不须再作迂回，他直截了当地把跟尤五的交情说了出来，表示如果龚振麟有用得着的地方，可以帮忙。

“自然要仰仗！”龚振麟喜不可言，感激之情，溢于言表，“多亏得雪岩兄，不然真是不了之事了！”

接着，龚振麟要人。官场中讲交情关系，谈到这一点，就是最切实的表示，无奈胡雪岩自己也是人手不足，便只有谨谢不敏了。

不过，他还是替龚振麟出了一个主意。两方面的枪支不妨合在一起运，仍旧请黄抚台下委札，派裘丰言当“押运委员”，跟尤五的联络，自然也归裘丰言负责。他驾轻就熟，可保无虑。

这个办法既省时，又省运费，龚振麟自然依从。两人越谈越投机，直到深夜方散。第二天龚振麟又到胡家回拜，硬要把胡老太太请出堂前，为她磕头，到了下午又是龚太太携礼来见。两家很快地成了通家之好。

不过胡雪岩对龚振麟是“另眼相看”的，这“另眼”不是青眼。他察言观色，看出龚振麟这个人的性情，利害重于感情，如俗语所说的“有事有人，无事无人”，所以不能与王有龄、尤五、郁四、嵇鹤龄等量齐观。也因此，他嘱咐妻子，与龚家交往要特别当心，礼数不可缺，而有出入关系的话，不可多说，免得生出是非。

果然，从龚家惹来一场是非！

年三十晚上，祭过祖吃“团圆夜饭”。胡老太太穿着新制的大毛皮袄高高上坐，看着儿媳又欢喜又感慨地说：“我也想不到有今天！虽说祖宗积德，也靠‘家和万事兴’，雪岩，你总要记着一句老古话‘糟糠之妻不可忘’，良心摆在当中。”

大年三十怎么说到这话！胡雪岩心里觉得不是味道，但只好答应一声：“我晓得！”

胡太太不响，照料一家老小吃完，才问她丈夫：“你要不要出去？”

“不出去！”胡雪岩说，“今天晚上自然在家守岁。”

听得这话，胡太太便备了几个精致的碟子，供胡雪岩消夜。夫妇俩围炉小饮，看看房中无人，做妻子的说出一句话来，让胡雪岩大为惊疑。

“娘说的话，你总听见了。雪岩，你良心要摆在当中！”

“奇怪了！”胡雪岩说，“我哪里做了对不起你的事？”

“好！这话是你自己说的。”胡太太说，“一过了年，湖州那个人，叫她走！”

这句话说得胡雪岩心中一跳，镇静着装傻：“你说的是哪个？”

“哼！你还要‘装佯’？可见得要把我骗到底。”胡太太说，“要不要我说出名字来？”

“你说嘛！”

“芙蓉！”

“噢——”胡雪岩装得久已忘却其事，直到她提起方始想到的神情，“逢场作戏，总也有的。过去的事了，提她作啥？我问你，你这话听谁说的？”

“自然有人！”胡太太追紧了问，“你说啥逢场作戏，过去的事？是不是说这个人不在湖州了？”

“在不在湖州，我怎么晓得？”胡雪岩一面这样说，一面在心里一个个地数，数他妻子平日往来的亲友，谁会知道芙蓉其人。

想来想去只有一个人知道，王有龄的太太。但是，王太太能干而稳重，说什么也不会多嘴去告诉胡太太，除非——

胡雪岩蓦然醒悟，王龚两家同乡，内眷常有往来，一定是王太太在闲谈中泄漏了秘密，而胡太太是从龚太太那里听来的。

由于做丈夫的坚决不认，做妻子的也只得暂且抛开。但夫妇俩就此有了心病，这个年也过得不如想象中那么痛快。

第九章

年初四夜里“接财神”。胡雪岩因为这一年顺利非凡，真像遇见了财神菩萨似的，所以这天夜里“烧财神纸”，他的心情异常虔诚。照规矩，凡是敬神的仪节，妇女都得回避，胡雪岩一个人孤零零地上香磕头，既鲜兄弟，又无儿子，忽然感从中来，觉得身后茫茫。就算财神菩萨垂青，发上几千万两银子的大财，有何用处？

等把财神“接”回来，全家在后厅“散福饮胙”。胡老太太倒很高兴，胡雪岩却神情忧郁，勉强吃了两杯酒、半碗鸡汤面，放下筷子就回卧房去了。

“怎么了？”胡老太太很不安地低声问儿媳妇，“接财神的日子，而且在吃夜饭辰光，还是有说有笑的，忽然变成这副样子，是不是你又跟他说了啥？”

“没有！我什么话也没有说。”胡太太说，“新年新岁，一家要图个吉利，我不会跟他淘闲气的。”

做婆婆的连连点头，显得十分欣慰，“我晓得你贤惠，雪岩有今天，也全亏你。”她抚慰着说，“不过，他外面事情多，应酬也是免不了的。你的气量要放宽来！”

前面的话都好，最后一句说坏了，胡太太对婆婆大起反感，想答一句：“我的气量已经够大了！”但话到口边，到底又咽了下去。

回到卧房，只见胡雪岩一个人在灯下想心事。胡太太想起婆婆的话，忘掉了那令人不怡的一句，只记着“他外面事多”这句话，心便软了。也亏他一个赤手空拳，打出这片天下，在家里，凡事总要让他。

于是她问：“你好像没有吃饭，有红枣莲子粥在那里，要不要吃点甜的？”胡雪岩摇摇头，两眼依旧望着那盏水晶玻璃的“洋灯”。

“那么，睡吧！”

“你不要管我！”胡雪岩不耐烦地说，“你睡你的。”

一片热心换他的冷气，胡太太心里很不舒服。“他在想啥？”她暗中自问自答，“自然是想湖州的那个狐狸精！”这一下，她只觉得酸味直冲脑门，忍了又忍，噙着眼泪管自己铺床，而胡雪岩却发了话。

“喂！”他说，“我看你要找个妇产医生去看看！”

听这一说，胡太太大为诧异。“为啥？”她问，不敢转过脸去，怕丈夫发现她的泪痕。

“为啥？”胡雪岩说，“‘屁股后头光塌塌’，你倒不着急？”这是指她未生儿子。胡太太又气又恼，倏地转过身来瞪着她丈夫。

“没有儿子是犯‘七出之条’的。”胡太太瞪了一会儿，爆出这么句话来。

这句话很重，胡雪岩也愣了。“怎么说得上这话？”他实在有些困惑，原也知道妻子胸有丘壑，不是等闲的女流，却想不到说出话来比刀口还锋利。

“我怎么不要说？”胡太太微微冷笑着，“生儿育女是两个人的事，莫非天底下有那等人，只会生女儿，不会生儿子？你既然要这样说，自然是我退让，你好去另请高明。”

为来为去为的是芙蓉，胡雪岩听出因头，不由得笑了。“你也蛮高明的。”他说，“‘先开花，后结果’，我的意思是不妨请教请教妇科医生，配一服‘种子调经丸’试试看。”

胡太太实在厉害，不肯无理取闹，态度也变得平静了，但话很扎实，掌握机会谈到要紧关头上。“试得不灵呢？”她问。

胡雪岩已具戒心，不敢逞强。“不灵只好不灵，”他带点委屈的声音，“命中注定无子，还说点啥？”

有道是“柔能克刚”，他这两句仿佛自怨自艾的话，倒把胡太太的嘴堵住了。这一夜夫妇同床异梦，胡太太通前彻后想了一遍，打定了一个主意。

于是第二天胡老太太问儿子：“你打算哪一天到上海去？”

“到上灯就走。”

“今天初五，上灯还有八天。”胡老太太说，“也还来得及。”

“娘！”胡雪岩诧异地问道，“什么来得及来不及？”

胡老太太告诉他，胡太太要回娘家，得要算一算日子，趁胡雪岩未走之前赶回家来。胡太太娘家在杭州附近的一个水乡塘栖，往返跋涉，也辛苦得很。如果日子局促，一去就要回来，便犯不着吃这一趟辛苦了。

“那倒奇怪了，她怎么不先跟我谈？”

“我也问她，说你晓得不晓得？她说先要我答应了，再告诉你。”

话是说得礼与理都占到了，而其实不是那么一回事。每一次归宁都是夫妇俩先商量好了，方始禀告堂上的，何以这一次例外？同时一接了财神，商场上便得请吃春酒，胡雪岩要趁这几天大请其客，不能没有人照料。此刻怎抽得出工夫回娘家？

他把这一层意思一说，胡老太太答道：“我也提到了。她说你请客是在店里，用不着她，她也帮不上忙。请几家亲眷吃春酒，日子也定了，就是明天。”

“岂有此理！”胡雪岩不悦，“怎么不先告诉我？”

胡老太太因为已经知道芙蓉的事，觉得儿媳妇受了委屈，不免袒护，所以这时候便“揽是非”，说是她的主意，与胡太太无关。

看这样子，胡雪岩认为以少开口为妙，冷笑一声答道："随便她！反正在家里是她大！"

这句话的言外之意，做娘的自然听得出来。"这个家也亏得她撑持，"她警告儿子，"你不要以为你在外头，就没有人管你，高兴怎么样就怎么样！如果你真的存了这个念头，将来苦头有的你吃！"

知子莫若母，一句话说到胡雪岩心里，他也颇生警惕，不过事情多想一想也不能无怨。"娘！"他说，"'不孝有三，无后为大'，难道你老人家就不想抱孙子？"

"我怎么不想？"胡老太太平静地说，"这件事我们婆媳已经商量过了。媳妇不是不明事理的人，我做婆婆的，自然要依从她的打算。"

"她是怎么样打算？"

"你先不要问。"胡老太太笑道，"总之于你有好处就是了。"

胡雪岩猜不透她们婆媳，葫芦里卖的是什么药，也就只好暂且丢开。

到第二天在家请过了春酒，胡太太便带着八岁的小女儿，雇了一只专船回塘栖。这一去只去了五天，正月十一回杭州。他们夫妇感情本来不坏，虽然略有龃龉，但经此小别，似乎各已忘怀，仍旧高高兴兴地有说有笑。

胡雪岩打算正月十四动身，所以胡太太一到家，便得替丈夫打点行李。他个人的行李不多，多的是带到松江、上海去送人的土产。"四杭"以外，吃的、用的，样数很不少，一份一份料理，着实累人。

土产都是凭折子大批取了来的，送礼以外，当然也留些自用，胡雪岩打开一包桂花猪油麻酥糖，吃了一块不想再吃，便喊着他的小女儿说："荷珠，你来吃了它。"

拿起酥糖咬了一口，荷珠直摇头："我不要吃！"

"咦！你不是顶喜欢吃酥糖？"

"不好吃！"荷珠说，"没有湖州的好吃。"

"你在哪里吃的湖州酥糖？"

这句话其实问得多余，自然是在外婆家吃的。但"一滴水恰好溶入油瓶里”，略懂人事的荷珠忽然有所顾忌，竟答不上来，涨红了脸望着他父亲，仿佛做错了什么事怕受责似的。

这一来胡雪岩疑云大起，看妻子不在旁边，便拉着荷珠的手，走到窗前，悄悄问道：“你告诉爸爸，哪里来的湖州酥糖？我上海回来，买个洋囡囡给你。”

荷珠不知怎么回答，想了半天说：“我不晓得！”

做父亲的听这回答，不免生气，但也不愿吓得她哭，只说：“好！你不肯告诉我，随便你！等我上海回来，姐姐有新衣裳、洋囡囡，你呢，什么都没得！”

威胁利诱之下，荷珠到底说了实话：“娘带回来的。”

“娘到湖州去过了？”

“嗯。”荷珠委屈地说，“我也要去，娘不许！”

“噢！去了几天？”

“一天去，一天回来。”

“那么是两天。”胡雪岩想了想又问，“你娘回来以后，跟奶奶说了些什么？”

“我不晓得。我走过去要听，娘叫我走开。娘又说，不准我说娘到湖州去过。”荷珠说到这里，才感觉事态严重，“爸爸，爸爸，你千万不要跟娘去说，说我告诉你，娘到湖州去过。”

“不会，不会！”胡雪岩把她搂在怀里，“我买洋囡囡给你。”

安抚了荷珠，胡雪岩大上心事。他妻子的湖州之行，不用说，自然是为了芙蓉，但她干了些什么，却难以揣测。是去打听了一番，还是另有什么作为？照他的了解，她做事极有分寸，绝不是蛮横无理的悍泼之妇可比。意识到这一点，他越觉得自己不可鲁莽，必须谋定后动。或者说，兵来将挡，水来土掩，看她是用的什么办法，再来设计破她。

只要知道了她的用意和行动，一定有办法应付，这一点胡雪岩是有信心的。不过他也有警惕，自己所遭遇的“对手”太强，不可造次。同时估量形势，在家里他非常不利，上有老母，下有一双女儿，都站在他妻子这面，自己以一敌四，孤掌难鸣。所以眼前的当务之急，是要争取优势，而这个工作只能在暗地里做。若让妻子知道了，只要稍加安抚，“地盘”仍会非常稳固。

于是他首先还是找到荷珠，告诫她不可将他所问的话告诉她母亲，然后又找他的大女儿，十五岁的梅玉。

梅玉很懂人事了。她虽是她母亲的“死党”，却很崇拜父亲，因而胡雪岩跟她说话，另有一套计算，一开口就说：“梅玉，你跟爸爸一起到上海去，好不好？”

这话让梅玉又惊又喜。能出去开一开眼界，又听说十里夷场有数不尽的新奇花样，自然向往万分。但要离开母亲，又仿佛觉得不能令人安心，所以只骨碌碌地转着一对黑眼珠，半晌答不出话来。

“你的意思怎么样？不愿意？”

“哪个说不愿意？”梅玉说，“我有点怕。”

“怕？那完了！”胡雪岩说，“爸爸还想靠你，你先怕了！”

“靠我！”梅玉大惑不解，怎么样也不能接受这话，“爸爸，你靠我什么？”

“靠你替我写写、算算。”胡雪岩郑重其事地说，“我在外面的生意做得很大，总要有个帮手，这个帮手一定要自己人，因为有些账目，是不能让别人知道的。哪怕刘庆生刘叔叔、陈世龙陈叔叔，都不能让他们知道。想来想去，只有靠你帮忙。”

这一套鬼话，改变了梅玉的心情。原来一直当自己是个文弱的女孩子，在外面百无一用，只有帮着操持家务，现在才知道自己还有派得上紧要用场的地方，顿觉自己变了一个“大人”，而且也不再想到母亲，自觉胆子甚大，出去闯一闯也无所谓。

但是，这只是她一鼓作气，多想一想不免气馁。“爸爸，”她说，“我怕我算不来账。”

“那么，你帮你娘记家用账，是怎么记的呢？”

“家用账是家用账。爸爸的账是上千上万的进出。”

“账目不管大小，算法是一样的。家用账琐琐碎碎，我的账只有几样东西，还比家用账好记。”

梅玉接受了鼓励，“雄心”又起，毅然决然地说：“那我就跟了爸爸去，不过我要把阿彩带了去。”

阿彩是专门照料她的一个丫头，胡雪岩当然答应。事情就这样说定了。

这一来，全家大小都知道了这回事，而胡太太只当丈夫说笑话。

“你要把梅玉带到上海去啊？”她问她丈夫。

“对！”胡雪岩说，“女儿大了，带她出去阅历阅历。”

“阅历！”胡太太诧异之至，“听说夷场上的风气不好，有啥好阅历？学了些坏样子回来，你害了她！”

胡雪岩笑笑不作声。

这有何可笑？女孩子学坏学好，有关终身，不是好笑的事，那自然是笑自己的话没见识！胡太太倒有些不服气了。

“我的话说错了？”她平静而固执地问，“而且听说路上不平靖，梅玉不要去！”

“路上不平靖，那么我呢？你倒放心得下？”

“你跟梅玉不同。”胡太太说，“又有尤五爷照应，我自然放心。”

“那就对了，梅玉跟我在一起，你还有啥不放心？”

夫妇俩的交谈，针锋相对，而且是“绵里针”，劲道暗藏着。但毕竟还是胡雪岩占了上风，胡太太争不过他，还有一着棋——她将老太太搬了出来。

对母亲说话，自然不能那样子一句钉一句，胡雪岩依旧是对梅玉的那套说法，说要有个亲信的人替他管账，不过一套假话，比对梅玉说的还要详细。他说有些交际应酬的账目，没有凭证，如果不是当时记下来，事后就搞不清楚。而这些账目，无论如何是不能让外人知道的，所以要把梅玉带去帮忙。

说到这里，他叹口气："如果有男孩子，何必要带梅玉出去？哪怕有个亲侄儿也好了！苦的就是没有。"

这是胡雪岩灵机一动的攻心之计。胡老太太果然在想，梅玉如果是个男孩，十五岁便可以跟他父亲出去"学生意"，有五六年下来，足可以成为他父亲的一个得力帮手。生意做得发达了，不患后继无人。如今就算马上有了孩子，也要到十几年以后才能成人，缓不济急，对胡家来说，是吃了亏了。她不免有些怨儿媳妇，耽误了这十几年的大好时光。

这一下胡太太又落了下风，胡雪岩则甚为得意，但再想进一步打听他妻子到了湖州的情形，却是失望。听梅玉的口气，她母亲根本没有跟她说过。

就在这天晚上，钱庄里派人来通知，说刘不才已经从湖州回来，请胡雪岩去有话说。可想而知的，必是关于芙蓉的事，否则刘不才也是熟客，何不到家来谈？

估量到这一层，他首先就要注意他妻子的态度。"奇怪！"他试探着说，"刘不才怎么不来？反要我去看他。"

"你管他呢！"胡太太夷然不以为意，"你去了再说。"

胡太太的沉着实在厉害了！等跟刘不才见了面，胡雪岩才知道她跟芙蓉已经见过面，她只说她是跟胡雪岩共患难的糟糠之妻，然后留下一张五千两银票，就告辞了。

"有这样的事！"胡雪岩说，"我实在想不到。"

"谁也没有想到。"刘不才很尴尬地说，"芙蓉要我来问你的意思，才好作去留之计。"

于是胡雪岩又改回原来的称呼。"三叔！"他说，"请你仍旧回湖州，叫芙蓉不必着急。我自有办法。"

"是什么办法呢？"

"这一时说不清楚。"胡雪岩这样答道，"三叔，反正我一定对得起芙蓉就是了。"

这话恰好是刘不才听不进去的。照他的私心打算，最好胡雪岩再给个三两万银子，让芙蓉下堂，别求归宿，省得自己沾上这点不十分光彩的裙带亲。而现在听他的口气，适得其反，刘不才虽然失望，却不便多说什么。

“你新年里的手气如何？”胡雪岩故作闲豫地问。

这一问，刘不才又高兴了。“实在不错！”他笑得合不拢口，“所向披靡，斩获甚丰。”

大概是赢得不少。胡雪岩心想，趁这时候得要规劝几句。“三叔！”他说，“‘瓦罐不离井上破，将军难免阵前亡’，你见过哪个是在赌上发迹的，现在你手上很有几文了，应该做点正事。”

“我的账都还清了。”刘不才说，“还赢进一张田契，我已经托郁四去替我过户营业。”说到这里，他又感慨地说，“一个人真是穷不得！手头有几个钱，别人马上不同，就在这几天，有好几个人来替我做媒，劝我续弦。”

“那是好事啊！”

“不忙！”刘不才摇摇头，“让我潇潇洒洒，先过几年清闲日子再说。”

“这就不对了！未曾发财，先想纳福，吃苦在后头。”胡雪岩说，“三叔，我劝你把敬德堂恢复起来。”

“咦！”刘不才诧异，“你不是要我帮你开庆余堂吗？”

这件事几乎连胡雪岩自己都已忘记了。“自己人我说实话，这要慢慢再说了。就是开起来，我也要另外请人。三叔，”他说，“你的长处不在这上面。”

一听是这样的答话，刘不才不免有些伤心。“雪岩，”他怨艾地说，“你看得我只会赌钱？”

“不是这话，不是这话！”胡雪岩倒觉歉然，极力安慰他说，“你的长处我都知道，将来我有大大仰仗你的地方。”

“那么眼前呢？”

“眼前要看你自己的意思。你的志向是把祖传的基业恢复起来，所以我那样劝你，而且可以帮你的忙。”

“我的想法变过了，敬德堂就算恢复了，也没有啥意思，叫我守在店里更加办不到。我想想，还是跟你一起去闯一闯的好。”

“那好！”胡雪岩说，“你先回湖州，叫芙蓉放心，关起门来过日子，什么事也不必管，等我上海回来，自有安排。这话说到了，请你跟世龙一起赶到上海来。”

这样说定了，各自分手。胡雪岩已出钱庄，灵机一动，开了张五千两的银票带在身上。一到家，他正好在书房里遇着妻子，便把那张银票递了过去。

胡太太装作不解地问道：“这是啥？”

“你白送了五千银子！我贴还你的私房。”胡雪岩又说，“有私房钱，放到钱庄里去生息倒不好？压在箱子底下，大钱不会生小钱的。”

看他是这种态度，胡太太倒有些难以判断了。

夫妇俩暗中较劲，到了这样的地步，至矣尽矣。胡太太自然有些不安，心想既然西洋镜已经拆穿，就不如敞开来谈了。

于是她先表示歉意。“雪岩，你不要怪我事先没有跟你商量！我也是万般无奈，为了一家大小，我们苦了这么多年，你刚刚转运，千万沾染不得‘桃花’，我这样做，是为你好。十几年夫妻，你总晓得我的心。”她停了一下又说，“当然，我另外有打算的，跟娘也讲过，将来你就可以晓得了，我不是不讲道理、乱吃醋的人。”

最后这几句话，让胡雪岩看穿了妻子的用心。只要是小康之家，三十一过，尚乏子息，堂上老亲，便会动替儿子置妾的念头。再过五六年，依然有“后顾之忧”，则乡党宗亲都会出来“说公话”。再悍泼的大妇，也得屈服于“不孝有三，无后为大”的“道理”之下，忍气吞声让丈夫另辟偏房。

因此，会吃醋的人便作未雨绸缪之计。表面绝不露愠色，并且为丈夫置妾之念表现得非常热切。三天两头找媒婆上门，里外串通，托词宜男之相，找来个粗脚大手、其蠢如牛的女孩子，作为丈夫金屋中的阿娇，同时一进门便立下许多规矩。阃令大如军令，偏房有如敌国，戒备森严，把丈夫摆布得动弹不得。胡雪岩认为他妻子就是这类厉害的角色，所以立刻表示“敬谢不敏”。

“你不必瞎打算，我也不会领你的情。”他接着提到芙蓉，“你这趟到湖州去，做错了，大错特错！我跟你说过，是逢场作戏，认不得真，以后我自有摆脱的办法。现在你这一来，倒叫我为难了。如果照你的想头，给个几千银子，让人家走路，说出去是我胡雪岩怕老婆！不要说我面子上下不来，而且人家要想，胡雪岩凡事自己作不得主，你倒说人家还信任不信任我？”

这番道理把胡太太说得愣住了。她虽精明，到底世面见得少，商场中的习惯和顾忌，哪里懂得透？只好这样辩解：“我一个人去，一个人来，一共只见了一面，谈不到一盏茶的工夫，真正是人不知鬼不觉。哪个会晓得？”

“是不是‘鬼不觉’，我不晓得，若要‘人不知’，除非己莫为。不说别的，就说我，先就晓得了。”胡雪岩故意跌足嗟叹，“现在湖州已经在笑话我了！你晓得庞二怎么说？他说，做大生意就像皇帝治天下一样，该杀的杀，该放的放，全靠当机立断，所以切忌女人轧脚。胡雪岩原来要听太太的话！如果说有笔生意来了，发大财或者本钱蚀光，都在当时一句话上，而胡某人说要回去跟太太商量一下看。你们说，这样子怎么合得拢淘来做大生意？”

这番编出来的话，把胡太太说得青一阵，红一阵，心里又急又悔，好半晌说不出话来。

“你也不要急！”胡雪岩倒过来安慰她，“事情已经做错了，懊悔也无用。眼前只有让他们去笑我，等我上海回来再说。”

越是如此，越不能让胡太太安心。夫妇之间为了妾侍，没有不吵得天翻地覆的，即令丈夫脾气好，也不能这样丝毫不带愠色。其中一定有什么花样！同时芙蓉到底怎么样了呢？是知难而退，还是恋恋不舍，也得从丈夫口中讨出一个确实信息来，才好处置。

总而言之，事情到此地步，由暗而明，便得干干净净有个了结。如果听任丈夫从上海回来再办，且不说夜长梦多，光是这许多日子他心中怀着不满，就足以使夫妇的感情起变化。

想到这里，胡太太认为丈夫的生意虽然要紧，但这件事更显得紧迫，说不得只好留了下来。

“你晚几天走好不好？”她问。

真是俗语说的“开口见喉咙”。一听这话，胡雪岩便看透底蕴，却明知故问地说：“为啥？”

“梅玉第一趟出远门，总要替她多做点衣服。”胡太太这样托辞，“晚个两三天走，也不碍吧？”

“你说不碍就不碍。”胡雪岩隐约提出警告，“不过这几天当中，你不要替我惹什么麻烦，弄得我走不成，那就要了我半条命了。”

“有啥麻烦？”胡太太想到自己处处落下风，不免怨恨，便发牢骚似的说，“啥麻烦也难不倒你！反正各凭天良就是了。”

说着，眼圈便有些红了。性格刚毅的女子，有此软弱的表示，最易感人，胡雪岩倒觉得心里酸酸的，一伸手扶着她的肩头说：“十几年夫妻，你难道还不晓得我？你有良心，我也有良心，不然我们不会有今天这样的日子。”

想到眼前的日子，胡太太又生警惕，也越觉得留住丈夫是个一点不错的做法。她的做法是预备请嵇鹤龄出面来谈判，能让步一定让步。

胡雪岩只知道她一定会有动作，却不知道她是打的这个主意。他冷静地想一想，发觉到这重纠纷，主客已经易势。原来是自己怀着个鬼胎，深怕妻子进一步追究，此刻变成她急自己不急，以逸待劳。看她使出什么招数，再来设法破它，也还不迟。

有此闲豫的心情，而且有了多出来的两三天工夫，他忽发雅兴，特地约嵇鹤龄和裘丰言，白天逛湖，晚上吃“皇饭儿”，吃完上城隍山去看灯。

裘丰言一诺无辞，嵇鹤龄则辞了逛湖之约，来赴饭局。酒到半酣，话题落到芙蓉身上。一个是异姓手足，一个是无话不谈的好朋友，有了几分酒意的胡雪岩想起对付他妻子的手腕，自觉得意，忍不住大谈特谈。

就是这天上午，嵇鹤龄已受了胡太太之托，要来调停此事，便落得听他“自供”。裘丰言却不知就里，附和着胡雪岩说：“胡大嫂果然精明，只怕是读过‘妒律’的。”

胡雪岩没有听懂，追问一句：“你说啥？”

“‘妒律’，妒忌之妒，律例之律！”

“吃了酒又来信口开河，杜撰故事了。”嵇鹤龄笑道，“从未听说过有此一部律例。”

“自然是游戏笔墨，但也不无道理。把大妇的妒心，刻划得无微不至。”裘丰言笑道，“天下凡想纳宠的男子，都当一读。”

“那么，”胡雪岩很感兴趣地说，“你倒讲讲这部妒律，是怎么回事？”

“分吏、户、礼、兵、刑、工，另加‘各例’‘督捕律’等，一共八章。有引有判，是绝妙好词。”

“你念几条来听听！”

裘丰言点点头，喝了口酒，夹了一个“响铃儿”在嘴里咀嚼得“嘎吱嘎吱”响，念念有词地默诵了一会儿，忽然笑道：“想起来了，我念两条你听。是兵部的军律：‘凡妇见夫入妾房言语，即假借公事，突入冲散，拟坐以‘擅闯辕门’律。如止诨扰，不作嗔状，引例末减，笞五十，免供。判曰：翡翠床前，方调鹦鹉之舌；水晶帘外，忽来狮吼之声。不徒花上晒衣，未免腹中藏剑！有心心术不端，无心见识不到。’”

这几句四六是胡雪岩听得懂的。“判得好！‘花上晒衣’，大煞风景，”他说，“真个该打手心！”

“再有一种罪名，就不轻了！”裘丰言又拉长了声调念，“凡妇度与夫正值绸缪之际，忽唤妾起，嘱以他事，拟坐以‘擅调官军’律……”

一句话未完，胡雪岩大笑：“好个‘擅调官军’，应得何罪？”

“杖一百，发边远充军。”

“这未免太重。”嵇鹤龄也笑了。

“你说太重，人家以为‘宥以生命，犹为宽曲’。”裘丰言接着念判词，“酣战方深，浪子春风一度；金牌忽召，夫人号令三申，既撤白登之围，讵有黄龙之望？”

“想想也是。”胡雪岩问道，“像内人那样，不晓得犯什么‘律’？”

裘丰言想了想说：“有这么一条，‘凡妇蓄妾，原非得已，乃自夸贤德，冀人赞美。拟坐现任官辄自立碑律，杖一百，徒三年’。此由‘事因情近，名与实违’，‘盗名有禁，功令宜遵’！”

“你不要瞎说！”嵇鹤龄觉得裘丰言的玩笑之谈，有碍他的调停之职，所以阻止他再说下去，“我那位弟妇，绝不是那种人，他要替雪岩置妾，既非‘名与实违’，更不是‘盗名’。你说的妒律，全不适用。”

裘丰言听出他的言外之意，极其见机。“原是不经之谈，”他说，“胡大嫂的贤德，不必自夸，亲友无不深知。”

“家家有本难念经——”

“雪岩！”嵇鹤龄抢着问道，“你那位新宠，如今怎么样了？”

胡雪岩当然没有骗他的道理，老实答道：“好好在湖州。”

“还顶着你的姓？”

“当然。”胡雪岩忽然发觉嵇鹤龄的态度，与自己不尽符合，便问了一句，“大哥，你说我该怎么办？”

“千言并一句，不可因此在家庭中生出意见，否则就是大不幸。”

“对，对！”裘丰言又在旁边帮腔，“家和万事兴！雪岩兄鸿运当头，方兴未艾，此时最要得内助的力。”

胡雪岩把他们两人一看，笑着说道：“双拳难敌四手，看样子我今天说不过你们了。”

“老裘不是外人，我说老实话，我受托调停，即此可以看出弟妇的贤德。”嵇鹤龄又说，“今天上午，我也拜见了伯母，面奉慈谕，要我以长兄的资格，料理这件‘风流官司’。”

“高堂之命、贤妻之托、长兄之尊，”裘丰言拍掌笑道，“雪岩兄，你可真要唯命是从了。”

嵇鹤龄赶紧摇手阻止：“不是这话，不是这话！大家都是为雪岩。我先问你的意思，弟妇有句话给我，只要在情理上，一定可以如你的愿。”

说到这话，胡雪岩觉得不必再玩弄什么手腕，便很率直地说道：“我不是什么荒唐的人，而且也还没有到可以荒唐的时候。没有儿子是一层，各地来去，要有个歇脚的地方，又是一层。所以我不觉得在湖州立个门户，就是对不起内人。我是尊重她，所以不让她知道，她偏偏要戳穿西洋镜，这出戏就很难唱得下去了。”

“唱总要唱下去，顶了石臼也要唱。”嵇鹤龄说，“家庭之间和为贵，要和就得忍。弟妇算是忍耐了，你呢？”

“我不是也在忍吗？凡事将就，不跟她吵，也算对得起她了。”

“是的。我也知道。不过芙蓉呢？总得有个着落才好。”

“目前的情形，就是着落。”

“这就谈不下去了。”

照此看来，胡太太提的有条件。胡雪岩心想，莫非他妻子还是坚持要遣走芙蓉？果然如此，可真的是谈不下去了。

就在这显现僵局之际，裘丰言说了句很公平的话：“彼此都要让步。雪岩兄如果坚持目前的情形，似乎不对！”

“对了！我也是这话。”

“不坚持目前的情形又如何？莫非真的叫大家笑话我胡某人怕老婆？”

“当然不是这样子。”嵇鹤龄说，“我已经听出意思来了，弟妇的想法是，你讨小纳妾都可以，不过一定要住在一起。”

“这就不错了！”裘丰言说，“胡大嫂这个意思在情理上。”

“情理固然说得过去，无奈还有法——妒律！”

这是没有理由的理由。照理一时倒还不容易解释说服，除非嵇鹤龄能提出保证。天下事什么都可保证，只有共一座江山、共一个丈夫不能保证相安无事。嵇鹤龄为难而生烦恼，因而有点迁怒到裘丰言身上。

“都是你！信口开河，讲什么妒律，以至于授人以柄！”

裘丰言脾气好，受此责备不以为忤，反自引咎，自斟自饮干了一杯酒说：“罚我，罚我！”

“我敬一杯！”胡雪岩笑道，“都亏你提醒了我。”

“不敢，不敢！”裘丰言这时才觉察到“授人以柄”这句话，不是笑谈，所以不愿再提，连连摇手说道，“雪岩兄，再莫谈妒律！不然我就变成罪魁祸首了。”

胡雪岩笑一笑不答，神态闲豫。嵇鹤龄觉得事有蹊跷，异姓手足，责无旁贷，胡家的家务，也就像自己的烦恼，因而一连干了两杯酒。

“大哥！”胡雪岩极其机警，看出他有不悦之色，“你不必烦心，没有什么大不了的事。”

“唉！你不晓得我的处境。”嵇鹤龄说，“如果你们夫妻反目，你想我以后怎么还有脸见老伯母？”

“绝不会！”胡雪岩的语气很坚定，“绝不会有什么反目之事。事缓则圆，不必急在一时，等我从上海回来再说，如何？”

“叫我有什么话说？”嵇鹤龄报以苦笑，“但望你心口如一，不要对弟妇生什么意见，听她的劝。”

“能听一定听，不能听我也不会让她咽不下气去。”

话说到这里，至矣尽矣，彼此都不再谈，饭罢看灯，深夜归去。胡雪岩只当没事人似的，依然有说有笑地，跟他妻子大谈这一天的游踪。

到了第二天，瑞云来看胡太太。她是受了嵇鹤龄的委托来传话的，说胡雪岩的态度很好，事情一定有圆满结局，请胡太太放心好了。这是宽慰的话，但胡太太不明就里，只是看丈夫毫无芥蒂的神情，自然相信中间人的传言。

到了动身那天，胡雪岩带着一女一婢上路。当夜在北新关前泊舟，父女俩灯下吃闲食说闲话，做父亲的刻意笼络女儿，把个梅玉宠得依依不舍，一直不肯上床。

“梅玉，”胡雪岩认为时机已至，这样问道，“你晓不晓得爸爸的苦处？”

梅玉点点头：“爸爸一年到头在外头，自然辛苦的。”

“辛苦在其次，每到一处地方，没有人照应，是最苦的事。不过，这一趟不会苦了，有你陪我在一起，情形不同。”

“那——”梅玉答道，“以后爸爸出门，我陪你好了。”

“好倒是好，只怕办不到。”胡雪岩说，“梅玉，我说句话，你会不会动气？”

“不会的，爸爸，你尽管说。”

“我是说老实话，在家是女儿好，出门是儿子好。如果你是男的，我走东走西，一定带着你走。可惜不是，就算我舍不得你，你舍不得我，也不能趟趟带着你走。第一，奶奶跟娘不放心。第二，别人会说闲话，哪有个女孩子走江湖的？第三，你也不方便，吃不起这个辛苦。所以只好偶尔一次。”

梅玉不作声，只拿忧愁的眼光看着她父亲。

“我倒问你看，假使到一处地方，有人能代替你来服侍我，你觉得怎么样？”

梅玉不明他的意思，只直觉地答道：“那自然好啰！”

“乖！”胡雪岩愉悦地拍拍她的肩，“真正是我的好女儿。”

于是第二天胡雪岩吩咐船家，先到湖州去弯一弯，再直放松江。

“咦，爸爸，”梅玉不解而问，“怎么忽然想到湖州去，为啥？”

“为了你，我要到湖州去一趟。”

这话越发令人困惑。“为我？”十五岁的梅玉情窦初开，忽然想到：是不是要把自己“许人家”，所以到湖州去弯一弯？

这样一想，梅玉顿觉忸怩万状，脸也红了，心也跳，话也说不清楚。这一下轮到做父亲的感觉诧异，回想一想自己说过的话，才知道梅玉起了误会。

这是个令人好笑的误会，但他不敢笑出来。然而此时也不便深谈，因为梅玉心神不定，不能去细想他的话，得不到他想到的效果。

于是，他说："是为我的事，我要你替我去拿个主意。"

原来是这样！自己完全弄错了。梅玉想想有些惭愧，又有些爽然若失，心里说不出是什么味道。但只有一点是她能抓得住的，那就是深怕父亲发觉她的误会。

还好，她看不出父亲有何异样的表情。一颗心放了下来，她定定神问道："爸爸，什么事要我拿主意？"

"说来话长。等吃过饭，我慢慢跟你细谈。"

饭罢睡了一个午觉，起来天倒又快黑了，彤云密布，大有雪意。胡雪岩叫早早泊了船，命船家到岸上去买了一尾鲜鱼、一大块羊肉。恰好有人猎获野味经过，胡雪岩买了一只雉鸡、一只野鸭。这顿晚饭就非常丰盛了。

"今天还不错！"胡雪岩举杯在手，慢慢说道，"你不要以为出门都是这样子舒服，今天是因为有你，我的兴致比较好。有时候要赶路，错过地方，荒村野岸，什么也没有，就只好冲碗酱油汤吃冷饭了。"

父亲出门竟是如此苦法！梅玉心里好生疼怜，虽未说话，但手中那双筷子的动作就慢了，一筷一筷拨着饭粒，却不送进口去。

"你吃嘛！"胡雪岩夹了一块红烧羊肉放在她碗里，"在家千日好，出外一时难。你娘不晓得我在外头的苦楚，你该晓得了？"

梅玉点点头。她并不觉得苦，只是她父亲说苦，她也就隐隐然觉得行路难了。

"梅玉！"胡雪岩急转直下地说，"你是我的大女儿，但我当你儿子看待。现在我湖州有个人，要你去看看。你说好，我就留下来；你说不好，我叫她走！"

梅玉一时不解所谓，转一转念头才知道父亲所说的"有个人"是什么人。她也隐隐约约听说过，父亲在湖州娶了个人。她问母亲，母亲反叱斥她

“少管闲事”，如今听父亲是这样子说，倒有些不大相信。

“真的？”

是问那个“人”的去留，真的凭自己一言而决？胡雪岩懂她的意思，正色答道：“当然是真的！我跟你娘说不清楚。只有跟你商量。”

“我——”梅玉不知道怎么说了，心里只想帮父亲的忙，却苦于无从表达，愣了一会儿才问，“是怎么个人？”

“她叫芙蓉。”

接着，胡雪岩便大谈芙蓉人如何好、命如何苦，使得梅玉除却芙蓉，就不会想别的念头。

谈到最后，胡雪岩问道：“梅玉，你说这个人怎么样？”

“这个人，”梅玉答说，“爸爸，你怎么跟她认识的？”

这其中的曲折，做父亲的就不肯细说了。“也是人家做的媒。说我每次到湖州，没有个歇脚的地方，没有个照料起居的人，应该立个门户。做大生意的人，都是这样子的，不足为奇。”胡雪岩又说，“我看她人还不错，而且人家讲的话，也是实在情形，就接了她来住。不过讲明在先，要等我跟我女儿谈过，等你答应了，才能算数。”

再一次提到这话，梅玉有受宠若惊以及感惧不胜之感。“怎么说要我答应？”她摇摇头，“我哪里敢来管爸爸的事？”

“你不敢管，我还非要你管不可。为啥呢？”胡雪岩喝口酒，一层层往下说，“第一当然要告诉奶奶，奶奶答应了，还要你娘答应。你娘答应了，我还要问你。我不愿意家里有哪个跟她不和。你懂不懂我的意思？”

“我懂。”梅玉答道，“面和心不和，大家都难过。”

“就是这话啰！我为啥非要你管不可呢？因为奶奶最听你的话，你娘也不能不问你的意思。所以将来要你从中说话，事情才会顺利。”

梅玉从来没有为人这么重视过，自觉责无旁贷，当时答道：“爸爸这么说，我回去就先跟奶奶讲。”

“你预备怎么讲法？”

梅玉想了想答道："我说她是好人，蛮可怜的。"

"怎么好法呢？奶奶问你，你见过没有，你怎么说？所以我一定要带你去看了她再谈。"

到此光景，胡雪岩已有把握，女儿是自己的"不叛之臣"。只是父女之情是一回事，梅玉看芙蓉怎么样，又是一回事。所以此时他的心思，抛开了梅玉，在思索着应该怎么安排，才能让芙蓉跟梅玉一见投缘。

一夜过去，第二天午前就可抵达湖州。胡雪岩事先把在湖州的朋友和关系，如何称呼，都细细告诉了梅玉。等船泊下，他先把梅玉带到郁四家暂时安顿。见了面，梅玉叫郁四为"四伯伯"，阿七是"七阿姨"。七阿姨对这些事上最聪明，一看胡雪岩把他女儿带到她家，便知道应有顾忌，所以绝口不提芙蓉，只是极殷勤地招待梅玉。她的心热，又会说话，加以与胡雪岩的交情深厚，因而把梅玉看得娇贵无比，刻意取悦。梅玉当然知道人家是看谁的面子，心里便越觉得她父亲了不起了。

"你坐一下，在七阿姨家就跟自己家一样，不用拘束。我先到知府衙门去一趟，马上来接你。"

胡雪岩哪里是到知府衙门去看王有龄，一径来得芙蓉那里，敲门相见。芙蓉自然高兴，但眉宇间掩抑不住幽怨之色。她将胡雪岩迎入客厅，先问行李在哪里。

"在船上。"胡雪岩说，"我住一天就走，特为带个人来看你。是我大女儿。"

"喔！"芙蓉双目灼灼地看着他问，"大小姐在哪里？"

"在郁家，回头我就带她来。小孩子，你骗骗她！"

这句话芙蓉懂得。"骗骗她"就是好好敷衍笼络一番，这没有什么不可以。"我会对付。"她说，"这是小事情。"

什么是大事呢？她认为一定先要弄清楚胡雪岩的态度和打算。她三叔所转达的话语焉不详，只说"放心"，却不知如何才能叫人放得下心。她首先问的就是这一点。

这话不是三言两语所谈得完的。两人携手并坐在床沿上，胡雪岩先问到他妻子寻上门来的经过。“那天我在家做年糕，说有个胡太太来了！”芙蓉用委委屈屈的声音说，“一见面就说：‘我家老爷叫胡雪岩。’我一听心里就发慌。这样不明不白的身份，实在不是味道。唉！”她叹口气，眼圈便有些红了。

胡雪岩见此光景，颇为着急。这时不是拉拉扯扯诉苦讲感情的时候，辰光不多，要扎扎实实谈办法，但其势又不能不安慰安慰她，只好耐着心说：“你不要难过，不要难过，一切都看在我面上。你放心，我一定会安排妥帖。你先讲给我听，当时她怎么说？”

眨了两下眼，芙蓉又抽出一块手绢，擤了擤鼻子，抑制着自己的情绪谈她所遭遇的窘境：“你太太说：‘上门冒昧，实在叫没法子！我也晓得你是好人家的女儿，受了他的骗。如今明人不必细说，只求你可怜可怜我！’我看她的话厉害，态度倒还好，就这样回答她：‘胡太太你到底啥意思，请你实说！’她听我的话，不响，从手中包里拿出一个红封套来，放在我面前，说：‘这是我多年积下来的一点私房，你收了下来，我就感激不尽了。’我自然不肯收，她硬塞在我手里，又说：‘雪岩一时不会来了。他有没有啥账簿、契约之类的东西放在这里？我顺便带了回去。’我说：‘没有！’她有点不大相信的样子，愣了一愣说道：‘我跟雪岩是患难夫妻，无话不谈的。千言并一句：大家都是女人，总要你体谅我的处境，可怜可怜我！你年纪还轻，又是这样的人才，实在犯不着做低服小。’”芙蓉说到这里，略停一下，扭转脸去说，“我想想她的话也不错。”

察言观色，胡雪岩知道这句话纵非言不由衷，也是一半牢骚，便不觉得如何严重，扳过她的肩来，轻轻点着她的鼻尖笑道：“你真老实无用！不是嫁着我这样一个人，有得苦头吃。你说她的话不错，我倒问你，她说我不会回来了，怎么我又来了呢？不但来了，我还带了女儿来。你说，她的话是不是大错特错？”

“总也有些话不错的。”芙蓉答道，“我实在好难，你们是患难夫妻，我算啥？”

这样扯下去，和芙蓉的交涉便不清楚了。胡雪岩想了想，只有用快刀斩乱麻的手法。“那么你倒说一句，”他问，“你到底是怎么个意思？”

“我不是说过，我好难！”

这样就不必再问了。“你为难，我来替你出个主意。”胡雪岩故意这样问，“你看好不好？”

“你说！”

“我说啊，”他这次是点点她的额头，“你仍旧跟我姓胡！”

“也要姓得成才行呀！”

“怎么姓不成？胡是我的姓，我自己作主，哪个敢说一句话？”

话说到这样，芙蓉纵有千言万语，也没法再开口了。胡雪岩却还有句话，想问她一下——如果必须回杭州，与大妇合住，她的意思怎么样？但话到口边，发觉不妥。此时不宜节外生枝，先取得她的合作，一起“收服”了梅玉，才是当务之急，其他都可以留待以后再谈。

于是他把梅玉的性情、癖好都告诉了芙蓉。她一一依从，只是提出一个条件：梅玉必须认了名分，否则她不招待。

“这你放心，包在我身上。”说完就走了。

回到郁四那里，只见阿珠的娘也在。她是来串门子偶尔遇上的。梅玉跟她见过，即无陌生之感，所以反跟她谈得很起劲。

阿珠的娘跟胡雪岩见了，自有一番寒暄。阿珠的娘要请他们父女到丝行去住，胡雪岩不肯。“这就不必了！”他说，“倒是有件事要麻烦你。你做两样拿手菜请我女儿吃。”

“容易，容易！大小姐喜欢吃啥，点出来，我马上动手。”

梅玉给大家一捧，乐不可支，但毕竟是十五岁的女孩子，怎么样也不肯点菜。最后是做父亲的拣女儿喜爱的，点了两样。两样都是炒菜，并不费事，阿珠的娘欣然应声，又即问道：“在啥地方吃？”

“在芙蓉那里。”

“炒菜要一出锅就上桌，我带材料到那里去下锅。”

“那就多谢。我们也好走了。”胡雪岩把梅玉拉到僻处悄声问道，“你见了姨娘怎么叫？”

这一问把梅玉弄糊涂了。明明已说了是“姨娘”，还怎么叫？“不叫姨娘叫啥？”她问。

胡雪岩原是暗示的手法，听得梅玉这么说，便即笑道：“我当你不肯叫她姨娘呢！”

“肯叫的！”梅玉重重地点头。

“你姨娘脾气最好。在湖州，我都靠她服侍，这也就等于代替你服侍我，所以你见了面，最好谢谢她。这是做人的道理。”

“好的。”梅玉想了想，又说一句，“好的。”

于是胡雪岩放心大胆地带了女儿到芙蓉那里。两乘轿子到门，就听芙蓉在喊：“抬进来，抬进来！”

轿子抬进大门，在厅前放下。芙蓉走到第二乘前面，亲自揭开轿帘。梅玉已经在轿中张望过了，觉得这位新姨娘就是皮肤黑了些，论相貌实在不坏，恍然意会：怪不得父亲这么“舍不得她”！

“大小姐！”芙蓉含笑说道，“没有想到你来。”

梅玉自然有些腼腆，报以羞涩的一笑，跨出轿门，才低低叫了声：“姨娘！”

听得这一声，芙蓉也不好意思老实答应，搀着她的手说：“来，来！到里面坐。你冷不冷？”说着便又去捏她的肩臂，“穿得少了！看我新做的一件丝绵袄能不能穿！”

“谢谢姨娘！”梅玉趁机把父亲教的那句话，说了出来，“平常多亏姨娘照应！”

话说得不够清楚，但意思可以明白。既说“平常多亏姨娘照应”，则照应的一定是胡雪岩，不是此时照应梅玉。芙蓉听得她这话，自然安慰，但也有感想——由女及母，她认为梅玉有这样的教养，可以想见胡太太治家是一把好手。

因为有此想法，芙蓉更不敢把梅玉当个孩子看待，领她入卧室，很客气地招呼，左一个“大小姐”、右一个“大小姐”，连梅玉自己都觉得有点刺耳。

“姨娘，你叫我梅玉好了。”

芙蓉还待谦虚，刚刚跟了进来的胡雪岩恰好听见，认为难得梅玉自己松口，机不可失，因而接口说道：“对了！自己亲人，‘小姐、小姐’的倒叫得生疏了。”

芙蓉接受了暗示，点点头说：“那么，我就老实了。梅玉，你来，试试这件丝绵袄看！”

拉开衣橱，芙蓉的衣服不少，她取下一件葱绿缎子的新丝绵袄，往梅玉身上一披。看来长了些，袖口也嫌太大，不合穿。倒是有件玫瑰紫宁绸面子的灰鼠皮背心，恰恰合身，芙蓉等她穿了上去，就不肯让她脱下来了。

“姨娘的好衣服，”梅玉非常高兴，但有些过意不去，望着她父亲说，“我不要！”

“一样的。”胡雪岩很快地说，“你姨娘比你娘还要疼你！”

就这一句话，把梅玉跟芙蓉拴得紧紧的。两个人形影不离，像一双友爱的姐妹花。

* * *

胡雪岩宽心大放，觉得自己不必再操心了。时贵如金，不肯虚耗，他随即到知府衙门去看王有龄。

“你有几天耽搁？”王有龄问。

“想明天就走。”

“何以如此匆忙？”王有龄说，“能不能多住几天？”

不来倒也罢了，来了自然有许多话谈，估量一夜也谈不完，胡雪岩便说：

“我多住一天吧！”接着，他把此行的目的和他的家务，细细说了一遍。

“你真厉害！”王有龄笑道，“内人最佩服尊夫人，在你手里就如孙行者遇着了如来佛。”

“还未可乐观。”胡雪岩摇摇头，“孙行者还有一招，连如来佛怕也招架不住。”

“哪一招？”

“她要将芙蓉接回去一起住。”

“那么，你的意思呢？”

“我想，还是照现在这样子最好。”

“走着看吧！”王有龄劝他，“真的非一起住不可的时候，你也只好将就。”

“我不是怕别的，芙蓉太老实，绝不是内人的对手，我又常年在外，怕她吃亏。”

王有龄想了想说：“如果只是为了这一层，我倒有个计较。眼前且不必说，我问你，你跟龚家父子是怎么回事？”

“喔，我正要跟你说。”胡雪岩先反问一句，“你必是听到了什么话？”

“很多。不过大致都还好。”王有龄说，“龚家父子虽是同乡，我并不袒护他们，说实话也不甚投缘。这父子俩手段甚辣，因此他们这一趟吃了你的亏，颇有人为之称快。”

胡雪岩听了这话，颇为不安。他的宗旨是不得罪人，进一步能帮人的忙一定帮。做生意脱不了与官场打交道，尤其是做大生意，只要小小一点留难，就可以影响全局，因而更不愿得罪官场。在这方面他颇下过潜察默会的功夫，深知人言可畏。甲与乙原无芥蒂，但如有人传说，乙如何如何与甲不睦，结果连甲自己都糊里糊涂，真的当乙不够朋友了，这就叫“疑心生暗鬼”。他自己虽常引以为警惕，遇到有人在背后道人是非，不愿轻听。可是他无法期望别人也像他这样明智，所以这时不能不作辩白。

“那么，雪公，你倒说，龚家父子是不是吃了我的亏？”

“我想，你不是那样的人！”

“知我者雪公！”胡雪岩略感欣慰，“龚家父子不但不曾吃亏。而且我还帮了他的忙。”接着胡雪岩把买洋枪一案的来龙去脉，都讲了给王有龄听。

王有龄一面听，一面不断地点头，认为胡雪岩这件事做得面面俱到，相当妥帖。接着他由洋枪谈到湖州的团练，盛赞赵景贤了不起。提到这上头，他相当欣慰，因为各地办团练，官绅的意见常有扞格，唯独湖州是个例外，彼此合作无间，处事相当痛快。

“我曾细想过，这有两个原因。第一，赵景贤本人的功名有限，倘或他是戴过红顶子的在籍绅士，还忘不了在‘马上’的威风，隐隐然以为我必得像伺候现任一二品大员那样去仰他的鼻息，那就谈不拢了。其次，要归功于你，雪岩。不是我捧场，”王有龄很恳切地说，“做生意能干的也有，但未见得懂公事，了解做官的苦衷和想法。只有你，无不精通。这又要说到洋枪了，赵景贤看我能留意于此，颇为佩服。其实，他不知道是你的功劳。”

“既无功，又无劳。像这些事，在雪公面前，我不敢说假话，无非顺带公文一角。这趟我到上海，如果有事，我还可以代办。”

“我想留你多住两天，正就是为此。湖州地方富庶，大家也热心，团练的经费相当充足。我想托你办一批军装，明天交单子给你，请你先访一访价。”

“这容易。我一到上海就可以办好。”

“还有件事，这件事比较麻烦。”王有龄放低了声音说，“‘江夏’有动的消息，我得要早自为计。”

“江夏？”胡雪岩弄不明白。

“‘江夏黄’！”

这一说胡雪岩才知道是指黄宗汉。官场中好用隐语，尤其是指到大人物，或者用地名，或者用郡名，或者用一个古人来代替。说破了不稀奇，但肚子里墨水不多，还真不知人家说的是啥。这一点是自己的一短，看起来虽不能“八十岁学吹鼓手”再去好好念两天书，但至少也得常跟嵇鹤龄这样的人请教请教。

这是附带引起的感想，暂且抛开。为王有龄的前程打算，是跟自己切身利害有关的大事，胡雪岩不敢轻忽，很用了些心思。

“怎么？”看他久久不语，王有龄便问，“你另有想法？”

“我想先请问雪公，‘江夏’到底待你怎么样？”

“总算不错。”

“那么是希望他留任了？”

“这也不然。”王有龄答道，“此人甚难伺候。如果换个人来，于我无碍，我倒巴不得他早早动身。”

“我懂了！”胡雪岩点点头说，“最妙不过，何学使能调到浙江来。”

何学使是指何桂清。听他这一说，王有龄猛然一拍大腿。“真的！”他极兴奋地说，“真正是‘一言惊醒梦中人’！倒不妨问问他看。”

“不是问，是劝！”胡雪岩说，“劝何学使趁早活动。这自然要一笔花费，我们替他想办法。”

这下是王有龄凝神不语了。他一面想，一面又微笑，又点头，一副欣然有得的神情，使得胡雪岩暗暗得意——自己能使人颠倒如此！

“你的主意真不坏！我想何根云一定乐从。第一，学政虽也是二品官儿，到底不及巡抚是方面大员；第二，江苏到底是危疆，浙江虽不及江苏大，毕竟兵火未及，而况军务部署，已有基础，只要‘保境安民’四个字能够做到，前程大有可观。何乐不为。”

“那一来，”胡雪岩笑着揭破他心里的话，“雪公知府‘过班’，就轻而易举了。”

“当然！调首府也在意中。”王有龄说，“这件事，最好是我自己去，不过越省为人代谋，风声太大，‘江夏’的气量狭，一定大不高兴，此外，只有雪岩，你替我去走一趟如何？”

胡雪岩有些踌躇，因为时间上实在抽不出空。上海的生意急待料理，而何桂清还不知在何处。江苏学政原驻江阴，自从“太平天国”一出现，江阴存身不住，流徙不定，同时因为道路艰难，要去找他，怕要费好些周折。

看他面有难色，王有龄自然体谅，便改变了一个主意：“这样吧，我亲笔写封信，请你带到上海，雇专人投递如何？”

“这当然遵办。”胡雪岩问道，“就不知道何学使此刻驻节在哪里？”

“想来应该在苏州。你到上海再打听吧！”

这样说定了，又谈了与彼此利益有关的事。等胡雪岩告辞时，已经深夜，王有龄用他自己的轿子，派四名亲兵持着官衔灯笼送他回去。胡雪岩到家一看，芙蓉和梅玉都还未睡。

“怎么样？”胡雪岩笑着问道，“你们在家做些什么？”

“姨娘跟我在描花样，要做一双鞋子，孝敬奶奶。”

“哪个做？”他问，“是你还是你姨娘？”

“我倒想跟姨娘学了做，哪里有工夫呢？”

这句话触动了胡雪岩的灵机，偷空把芙蓉找到一边，叮嘱她把梅玉留下来。胡雪岩原就觉得带着梅玉是个累赘，只是另有作用，不能编一套正大光明的理由，如今看梅玉与芙蓉投缘，便乐得改变主意。

“就怕她不肯，徒然碰个钉子。”

“碰就碰。这也不是什么大不了的事。”胡雪岩说，“你眼光要放远来！预备在胡家过日子，就得先拿梅玉收服。她是老大，将来帮着你说两句话，很有用的。”

想想不错！姑老爷姑太太是“公亲”，分家之类的家务，总是请“公亲”到场，主持公道。娘家人是“私亲”，不能出场的。为将来着想，这时候值得在梅玉身上下番功夫。

于是这一夜胡雪岩孤眠独宿。芙蓉找了梅玉一起同床，刻意笼络，把梅玉说动了心：只要父亲答应，她愿意在芙蓉这里住些日子。

明明是做父亲的出的主意，而提到这话，胡雪岩却还犹豫作态。最后算是允许了，他答应从上海回来时，先到湖州来把梅玉带回杭州。倘或他在上海逗留的日子过久，而梅玉思归，便由陈世龙护送回去。

芙蓉的事，在胡雪岩仿佛下棋。他摆了下梅玉这粒子，胜券可操，不妨暂时丢开。胡雪岩自己计算了一下，为这桩家务，耽误的工夫已多，便不肯多作勾留。

这一天胡雪岩跟郁四匆匆一晤，到钱庄里看了一下，连丝行的事都无暇过问，当天便拿了王有龄的信和采办军装的单子下了船，吩咐多雇水手，连夜赶路，直放松江。

"你来到正巧！"尤五一见面，就这样说，"丝茶两项，这几天行情大涨，机会好极！"

"怎么？"胡雪岩问，"是不是有什么禁运的消息？"

"对呀！你看。"

尤五从抽斗里取出一张纸来，上面抄着一通"折底"，是两江总督怡良的原奏。大意是说小刀会"通洋"有据，唯有将福建、浙江、江西的丝茶暂行停运到上海，使洋商失自然之利，急望克复，方能停止对小刀会的接济。

"这两天都在传说，除此以外，还有严厉的处置。"尤五又说，"官军已经决定，非把上海克复不可。"

接着，尤五又谈了最近的战局。从胡雪岩离开上海以后，江苏的绅士便捐募了一千"川勇"，由四川荣县籍派赴"江南大营"效力的刑部主事刘存厚率领，隶属于江苏按察使吉尔杭阿部下。同时太仓的举人钱鼎铭与嘉定的举人吴林，又办团练，配合官军反攻，所以嘉定、青浦，首先克复；宝山、南汇、川沙也次第落入官军手中，目前是由吉尔杭阿与刘存厚合围上海县城。不过刘丽川是不是马上会失败，却在未定之天。因为洋商的接济相当有效，刘丽川有粮食，有军械弹药，守个年把也是很可能的事。

"这得要好好筹划一下。"胡雪岩问，"应春兄呢？"

"在上海。"谈到这里，尤五叹口气，欲言又止。

"五哥，怎么回事？"

“唉！家丑。跟你自然不必瞒，不过这话真不知从何谈起。”

尤五是极外场的人物，说话爽利干脆，有时需要婉转陈词的话，也是娓娓言来，从来没有什么吞吐其词、难以出口的，只有这时候是例外。胡雪岩凝神细听，费了好半天才算弄明白。原来是七姑奶奶私奔，在上海跟古应春住了在一起。

这种情形，俗语叫“轧姘头”，是极丑之事。衣冠缙绅之家，甚至连这句俗语都不上口的，那就无怪乎尤五提到此事便忸怩万状了。胡雪岩甚为诧异，诧异的不是七姑奶奶有此大胆举动，而是古应春何以如此不顾朋友的交情和自己的体面？而更为不解的是，古应春信中连一句口风都没有露过。照道理说，他们是至交好友，而且还是他替这二人拉拢的，将来要做大媒的，古应春有什么理由瞒着不说？

这样转着念头，他不由得说了句：“老古太不对了！”

事情已经揭明，就比较不觉得碍口，尤五答道：“江湖上要说公话，这件事其实怪不得老古。总而言之，家门不幸，出了这么个宝贝妹子！”

“喔，”胡雪岩追问着，“怎么说是怪不得老古？”

于是尤五又为难了，语焉不详地透露了经过。胡雪岩一半听，一半猜，仿佛是七姑奶奶到了上海，锲而不舍地钉住了古应春，然后有一天在她所租的寓所中，留古应春喝酒，不知是有意还是无意，反正古应春颓然大醉，胡里胡涂成就了“好事”。

“事后老古跪在我面前赔罪。小爷叔，做事情要凭良心，哪怕是圣人，到了那步田地，只怕也要落水。我只好这样问他：‘你打算怎么办呢？’他说，他要专程到杭州来请你出面做媒。这样也算是歪打正着，倒也罢了。哪知道横途里岔出个程咬金，三斧头把古应春劈得招架不住。”

“怪了！”胡雪岩疑云大起，“是不是老古另有原配？从前跟我说的话不实在。果真如此，我倒要好好问他一问。”

“不是，不是！”尤五答道，“是他们古家门里的族长，七十多岁的白胡子老头，刚好到上海来看孙子。坏在老古太守道理，跟他去禀告这件事。

哪知不讲还好，一讲了，白胡子老头大为反对，说他们古家门里，从无再醮之妇，不准！老古再三央求，托了人去说情，一句回话：要娶可以，他要开祠堂出他的族！这件事，现在成了僵局。”

“这些话是老古自己跟你说的？”

“是的。不过，”尤五又说，“我托人去打听过，话不假。”

“那么，七姐呢？”

“唉！女心外向。”尤五叹口气说，“一个月在家里住不到十天，一直在上海，跟老古已经做了人家。不过阿七自己说，老古从来没有住在她那里过。就这样子，也够我受的了！”

“五哥，”胡雪岩便劝他，“哪个不晓得七姐是女中丈夫！她做的事，不好拿看一般妇道人家的眼光去看她的。我相信人家不会笑话你，你何必郁在心里？”

“话是不错，这件事总要有个了局。”

“等我到了上海再说，总有办法好想的。”

（未完待续）

《红顶商人胡雪岩 3》精彩看点：

胡雪岩的两大生意支柱——钱庄和生丝，走向了绝然不同的两面：钱庄生意以杭州为据点，做得风生水起，准备开赴上海；生丝生意则在胡雪岩与洋商旷日持久的拉锯和相持中，变得吉凶未卜。与此同时，军火生意、房地产生意、药材生意和典当生意的诱人前景极大地挑逗着胡雪岩的野心，一个庞大的“胡氏商业帝国”已略具雏形。

为求市面平静、生意长远，胡雪岩插手江苏学政何桂清的仕途调动，企图找一个更大的靠山为自己的生意保驾护航。但江湖凶险、洋商狡诈、竞争对手阴招连连、官场时局瞬息万变，“牵一发而动全身”的资金链又时刻有崩断的危险。胡雪岩的高超商业手腕能否摆平这一切？

敬请阅读《红顶商人胡雪岩 3》。